D1155405

RÉUNION

LE NOUVEL ORDRE JEDI

SEAN WILLIAMS
et
SHANE DIX

RÉUNION

Fleuve Noir

LE CYCLE DE STAR WARS
DANS L'ORDRE CHRONOLOGIQUE DE L'HISTOIRE

* Ordre chronologique des parutions au Fleuve Noir

Titre original :
Reunion

Traduit de l'américain par
Rosalie Guillaume

Collection dirigée par
Jean Claude Mallé

© 2003 Lucasfilm Ltd et ™. All rights reserved.
Edition originale : BANTAM-USA
© 2004 Fleuve Noir, département d'Univers Poche,
pour la traduction en langue française

ISBN : 2-265-06938-8

REMERCIEMENTS

Merci à l'équipe de soutien qui a rendu ce voyage bien plus intéressant et plaisant que nous n'aurions osé l'espérer : Kirsty Brooks, Ginjer Buchanan, Chris Cerasi, Lelan Chee, Richard Curtis, Nydia Dix, Sam Dix, Nick Hess, Christopher McElroy, la Mafia de Mount Lawley, Ryan Pope, Michael Potts, Enrique Guerrero, le « SA Writers' Center », Kim Selling, Sue Rostoni, Stephanie Smith et Walter Jon Williams. Nous aimerions remercier en particulier Greg Keyes, Jim Luceno et Shelly Shapiro pour nous avoir aidés, en faisant montre d'une patience infinie, à relier tant d'intrigues différentes. D'un continent qui semble parfois être bien loin d'ici, merci beaucoup !

PERSONNAGES

Arien Yage,
capitaine du *Faiseur de Veuves* (humaine)
B'shith Vorrik,
commandant (yuuzhan vong)
C-3PO,
(droïd de protocole)
Danni Quee,
scientifique (humaine)
Droma,
une ancienne connaissance de Yan Solo (ryn)
Yan Solo,
capitaine du *Faucon Millenium* (humain)
Jacen Solo,
Chevalier Jedi (humain)
Jagged Fel,
co-leader de Soleils Jumeaux (humain)
Jaina Solo,
Chevalier Jedi,
co-leader de Soleils Jumeaux (humaine)
Jabitha,
Magistère de Zonama Sekot (ferroane)
Kunra,
ancien guerrier (yuuzhan vong)
Leia Organa Solo,
ancienne diplomate de la Nouvelle République (humaine)

Luke Skywalker,
maître Jedi (humain)
Mara Jade Skywalker,
maître Jedi (humaine)
Ngaaluh,
prêtresse de la secte de la tromperie (yuuzhan vong)
Nom Anor,
ancien exécuteur (yuuzhan vong)
R2-D2,
droïd astromec
Saba Sebatyne,
Chevalier Jedi (barabel)
Shimrra,
seigneur suprême (yuuzhan vong)
Shoon-mi Esh,
Honteux (yuuzhan vong)
Soron Hegerty,
biologiste impériale (humaine)
Tahiri Veila,
Chevalier Jedi (humaine)
Todra Mayn,
capitaine du *Fierté de Sélonia* (humaine)
Tekli,
guérisseuse Jedi (chadra-fan)

Prenez garde, maître Jedi, à ne pas lâcher un monstre sur la galaxie par imprudence et inattention…

Bodo Baas, maître Jedi

PROLOGUE

Aucune ne bougeait ni ne parlait. Toutes deux se regardaient fixement, sans baisser les yeux.

Autour d'elle, Tahiri avait conscience d'un paysage étranger – plutôt grand, mais pas assez pour les contenir toutes les deux.

Elle aurait voulu comprendre cette ambiguïté. Hélas, elle n'osait pas détourner le regard de l'autre jeune femme, de peur de perdre prise sur cet équilibre fragile… Un seul battement de cils, et elle risquait d'être renvoyée à jamais dans les ténèbres. Pas question ! Ce monde était le sien, et elle n'en bougerait pas tant qu'il ne lui serait pas définitivement acquis. Elle devait s'assurer qu'il resterait à elle. Il lui suffisait d'être patiente et *forte*.

Bientôt…, se dit-elle. *Ce sera fini. Un instant de plus, c'est tout…*

Mais ce moment paraissait aussi long que les ténèbres étaient profondes. Peu importait… Elle supporterait des milliers d'instants identiques avant que le monde ne tombe entre les mains de Riina.

Oui, c'était ça… Riina : le nom de l'autre jeune femme. Elle voulait briser Tahiri et lui prendre le monde.

Tahiri percevait ses intentions aussi clairement que s'il s'était agi des siennes.

Je ne succomberai pas, pensa-t-elle, déterminée. *Je suis Tahiri Veila. Un Chevalier Jedi !*

Et je suis Riina du Domaine Kwaad. Je ne succomberai pas, moi non plus…

L'image inversée de Tahiri bougea enfin. Sa main retira le sabre laser de sa ceinture.

Un sabre laser, pensa Tahiri, *pas un bâton amphi…*

Riina voulait tout ce qu'elle avait, et elle combattait avec tout ce qui appartenait à Tahiri.

La lumière de la lame révéla une partie de leur environnement. D'un côté, un sol sec et rocheux s'étendait à perte de vue, de l'autre, un gouffre terriblement sombre attirait Tahiri vers le bord du précipice où elle se tenait… D'après le regard effrayé de Riina, elle comprit que le vide l'attirait, elle aussi. Un seul faux mouvement, et l'une ou l'autre tomberait dans l'étreinte éternelle du néant.

Cette idée renforça sa résolution. Elle activa son sabre laser, dont le crépitement résonna autour d'elle.

Les deux jeunes femmes avancèrent lentement l'une vers l'autre, jusqu'à ce que la lumière de leurs sabres laser se télescope. Avec un ensemble parfait, les lames se levèrent et s'abattirent.

Elles se heurtèrent avec un crépitement mortel, envoyant des gerbes d'étincelles griffer l'obscurité…

PREMIÈRE PARTIE

INFILTRATION

Yan Solo lutta contre l'envie d'essuyer une goutte de sueur sur son front. Ce geste serait interprété comme un signe de nervosité, et il donnerait aux autres une idée de la valeur des cartes qu'il tenait.

— Alors, Solo, tu te décides ?

Pour la deuxième fois en deux minutes, Yan tenta de gagner du temps.

— Voyons si j'ai bien compris… Vous en avez eu assez d'utiliser les nombres entiers, ou simplement les nombres réels, mais voilà que vous voulez aussi traficoter avec les nombres imaginaires et transréels !

Le chasseur de primes Ruurien, encore au stade larvaire, ricana.

— Et ça te pose un problème ?

— Pas le moins du monde !

— Alors, pressons !

Yan esquissa un sourire. Ses adversaires perdaient patience. Ça pouvait lui servir…

— Vous avez bien dit que nous pouvions utiliser toutes les opérations arithmétiques voulues : division, soustraction, multiplication…

— Je comprends ton petit jeu, grogna un Givin hargneux, sa mâchoire squelettique claquant d'impatience contre sa « lèvre » supérieure. Tu ne peux pas nous bluffer, Solo.

Connaissant la prédilection de son espèce pour les

mathématiques, Yan supposait que c'était le Givin qui avait changé les règles du jeu.

— Peut-être le grand Solo a-t-il perdu sa supériorité, dit le quatrième joueur, Talien.

Ce Yarkora avait des anneaux pendus à ses énormes narines.

Yan regarda les puces-cartes qu'il tenait.

— Ou peut-être mes maths sont-elles un peu rouillées…

Il posa les cartes sur la table, résigné à gagner la partie de sabacc la plus bizarre qu'il ait jamais jouée. Les trois puces ^{3}v23 qu'il avait reçues à la dernière donne montrèrent les bâtons, les coupes et les deniers. Il avait rudement bien fait de se débarrasser de l'idiot et de se fier à sa chance !

— Regardez et pleurez, les gars, dit-il.

— Un sabacc cubique ? fit le Ruurien, ses yeux rouges étincelant de colère dans la lumière enfumée du bar. Impossible !

— Pas impossible, commenta le Givin, seulement extrêmement improbable.

— Solo, si tu essaies de nous flouer…, commença le Yarkora.

Yan se leva d'un bond et agita un doigt sous le nez démesuré de l'extraterrestre.

— Tu m'as scanné quand je suis entré. Si j'avais eu un skifter sur moi, tu l'aurais trouvé.

— Skifter ou pas, Solo, grinça le Givin, il est quand même plus sûr de se fier à la nature humaine qu'à ton genre de veine !

— Ça suffit, Ren. Selon toi, j'aurais triché à un jeu dont j'ignorais jusqu'à l'existence il y a deux jours, quand j'ai débarqué ici ? (Yan ricana.) Tu me surestimes, mon cher, en m'accordant plus de crédit que je n'en mérite !

— Et ce sont les seuls *crédits* que tu toucheras ! marmonna le Ruurien en tendant un de ses multiples bras pour ramasser les puces.

Yan saisit la jonction, entre les deux segments supérieurs

du corps de la créature, et la tordit – pas assez fort pour la blesser, mais suffisamment pour la faire réfléchir.

— Touche à *mes* gains, et tu verras si j'ai perdu ma supériorité !

Les deux autres joueurs reculèrent. Des cris éclatèrent dans une dizaine de langues. Le *Joe l'Epine* avait une politique stricte : pas d'armes à l'intérieur. Mais même à mains nues, les rixes pouvaient toujours être mortelles. Et, de l'avis des clients du *Joe l'Epine*, plus une altercation était violente, plus ils s'amusaient.

— Transporteur de bouse surévalué ! grogna le Ruurien en se tortillant pour essayer de se dégager.

— Qui traites-tu de « surévalué » ? bougonna Yan en resserrant sa prise sur les segments supérieurs du corps du Ruurien.

Moins lourd que Yan, l'extraterrestre était capable de se plier à des endroits invraisemblables. Le Ruurien fit passer son extrémité postérieure sous la table et déséquilibra Solo. Une dizaine de doigts aux bouts coupants cherchèrent les zones les plus tendres de sa poitrine et de ses jambes, et de minuscules mandibules claquèrent non loin de son nez.

Le public poussa des cris d'allégresse.

Au moment où il se disait qu'il avait affaire à forte partie, deux mains à trois doigts les saisirent, le Ruurien et lui, les soulevèrent et les séparèrent.

— Ça suffit !

Yan reconnut la voix gutturale : elle appartenait à un Whiphid. Il cessa de se débattre. Les Whiphids étaient d'un tempérament difficile, et leurs griffes, comme leurs défenses, n'étaient pas de la rigolade.

— C'est un tricheur ! glapit le Ruurien.

Le Whiphid le secoua si fort que son exosquelette cliqueta.

— Ce bar n'est pas un repaire de truands !

— C'est ce que j'essayais de leur dire, lança Yan avec un sourire satisfait. Je les ai battus loyalement.

Le Whiphid les laissa tomber tous les deux sans ménagement. Puis il pointa une griffe sur Solo.

— Le patron veut vous voir.

Yan sentit une légère incertitude l'envahir.

— Pas avant que j'aie récupéré mes gains.

— Vous avez cinq secondes, répondit le videur.

Yan en utilisa seulement deux : sous l'œil sinistre du Ruurien, il fit glisser les crédits au creux de sa chemise tendue.

— Tu sais, Talien, des types comme toi donnent au sabacc mauvaise réputation, dit-il. De mon temps…

— Epargne-nous les récits sur le bon vieux temps, coupa Talien. Garde-les pour tes gamins. Eux, ça les impressionnera peut-être…

— Espèce de sale… !

Avant qu'il puisse réagir, le videur l'eut soulevé par le dos de sa jaquette et l'emporta.

— J'ai dit que ça suffisait ! Il faut toujours que les humains foutent le bazar partout où ils passent ! grommela le Whiphid, excédé.

Ainsi « escorté », Yan passa une porte, à l'arrière du *Joe l'Epine*.

— Si on me donnait un crédit pour chaque humain que j'ai vidé d'ici, j'aurais pu rentrer à Toola il y a des années !

— Vous voyez beaucoup d'étrangers, ici ? demanda Yan.

Le Whiphid lui jeta un regard soupçonneux.

— Pourquoi ? Vous cherchez quelqu'un ?

— Non. Je suis seulement curieux.

Le Whiphid l'entraîna en haut d'une volée de marches, et le poussa dans une pièce contenant un canapé vert et un distributeur d'eau. Yan supposa que c'était une antichambre attenante au bureau du patron du bar. Il s'assit sur le canapé, et sursauta quand une voix sortit de haut-parleurs invisibles.

— Yan Solo, hein ? fit une voix déformée. Vous êtes bien loin de chez vous…

— Ma foi, vous me connaissez, répondit Yan. L'inactivité, très peu pour moi !

Un bruit bizarre sortit du haut-parleur, un rire, peut-être.

— Mais vous adorez jouer. Agréable de voir que vous n'avez pas changé !

Yan fronça les sourcils. Qui, parmi ses anciennes connaissances, pouvait être devenu tenancier de bar sur Onadax, un des mondes les plus minables de l'Amas de Minos ? Il – ou elle – avait-il une dent contre lui ?

— On s'amuse comme on peut…

— J'aimerais vous poser quelques questions, si vous le permettez.

Solo haussa les épaules, feignant la nonchalance.

— Allez-y.

— Qui vous envoie ?

— Personne.

— Pourquoi êtes-vous ici ?

— Je ne fais que passer. C'est un crime ?

— Où allez-vous ?

— A Nelfrus, dans le secteur d'Elrood.

— Un long détour, dans ce cas.

— On n'est jamais trop prudent, de nos jours. Les Vong…

— … Sont partout, je sais. Mais pas ici.

— Voilà pourquoi j'ai préféré cet itinéraire.

— Vous êtes venu seul ?

— Quelle différence ça fait ?

— Aucune, peut-être… Le *Faucon Millenium* est sur Onadax depuis deux jours. Un de plus qu'une frégate de l'Alliance Galactique, qui a fait escale hier. Dois-je supposer qu'il n'existe aucun lien entre ce vaisseau et le vôtre ?

— Supposez ce que vous voudrez. Cette frégate n'a rien à voir avec moi. Quel nom avez-vous dit, déjà ?

— Je ne l'ai pas dit. C'est le *Fierté de Sélonia*.

Il fit mine de réfléchir.

— Ça me dit quelque chose… Quelqu'un me chercherait, vous pensez ?

— Ou *vous* cherchez quelqu'un.

— J'étais seulement venu admirer le paysage… (Solo

agita les crédits, dans sa poche.) Et ramasser ce que je peux dans la foulée.

Le tenancier anonyme éclata de rire. Onadax était un monde minable trop peu dense pour contenir des métaux de valeur, mal situé dans la galaxie, trop petit et trop vieux pour avoir des sites géographiques d'un quelconque intérêt. Son seul avantage ? L'absence d'autorité policière et une attitude détendue devant les informations de toutes sortes.

Pourtant, même si le gouvernement fermait volontiers les yeux sur les trafics en tout genre, les habitants n'étaient pas stupides pour autant.

— D'accord, dit Yan. Cessons de jouer au plus fin. Vrai : je cherche quelqu'un. Peut-être pouvez-vous m'aider.

— Pourquoi ?

— Parce que je vous le demande gentiment. Beaucoup de Ryns transitent par ici ?

— Pas plus qu'ailleurs. Soulevez n'importe quel rocher pouilleux, dans la galaxie, et vous en trouverez toujours dessous. Si vous en êtes à chercher des Ryns, vous voilà tombé bien bas !

— Il ne s'agit pas de n'importe qui, affirma Yan. (Comment décrire celui qu'il cherchait ?) Il était censé me retrouver ici, sur Onadax… Il ne s'est pas montré. Je le cherche.

— Dans un bar ?

— Qu'y a-t-il d'autre, sur Onadax ?

Son interlocuteur invisible gloussa de rire.

— Vous cherchez au mauvais endroit, Solo.

— Cessez de me snober ! Je n'ai pas de mauvaises intentions.

— Venant de vous, ces mots ont une saveur particulière !

— Je suis prêt à payer, si c'est ce que vous voulez.

— Si vous croyez ça de moi, vous êtes *vraiment* au mauvais endroit – et au mauvais moment.

Le Whiphid s'agita nerveusement.

— On dirait…, fit Yan. Ecoutez, je me creuse la cervelle

pour savoir où nous nous sommes déjà rencontrés. Pourriez-vous me donner un nom, juste pour m'aider un peu ?

Pas de réponse.

— Qu'avez-vous à perdre ? Il est clair que vous me connaissez…

La main griffue du Whiphid le saisit par le col et l'entraîna.

— Donnez-moi au moins un indice !

Le Whiphid le ramena dans la salle.

Entretien clos. Inutile de protester.

— Il est toujours aussi amical ? demanda-t-il au videur. Elle ? ajouta-t-il quand le Whiphid ne répondit pas.

Celui-ci souleva de nouveau Yan du sol et l'emmena à travers la foule. Des cris et des applaudissements retentirent sur leur passage.

— Mon siège était par là, dit Yan, désignant la table de sabacc où il avait joué plus tôt.

Le Whiphid le déposa sans douceur devant la porte.

Un message très clair : on lui intimait de dégager.

Solo sourit, prit une puce de cent crédits dans sa poche et la donna au videur.

— Pour votre dérangement…

— Pour le vôtre, répliqua l'extraterrestre du tac au tac, en le projetant dans la rue.

— C'est un vrai bouge, cet établissement ! cria Solo.

Il se releva et s'épousseta. Il avait l'épaule endolorie après son contact brutal avec le sol, et les griffes du videur avaient déchiré sa veste. Mais ça aurait pu être pire. Au moins, il s'en était sorti avec ses gains !

Son comlink sonna pendant qu'il boitillait le long de l'allée minable où se dressait le *Joe l'Epine*. Il sortit le comlink, sûr qu'il s'agissait de Leia.

— Tu es dehors ? demanda-t-elle, inquiète.

— Oui, et en un seul morceau ! Les employés du bar n'étaient pas aussi durs que le champ de brouillage le suggérait.

— Tu as du nouveau ?

— Rien d'utile, même si je pense qu'il se passe plus de choses qu'il ne semble à première vue.

— Comme toujours… (Leia hésita.) C'est une bagarre que j'entends ?

Yan regarda derrière lui. Dans le bar, le chahut augmentait régulièrement.

— Ma sortie n'a pas été… subtile, admit-il en pressant le pas.

— Reviens au plus vite. Les rues ne sont pas sûres, Yan.

— J'arrive.

— Et ne t'arrête pas en route, même sous prétexte de détourner les soupçons !

Yan sourit. Par le passé, il aurait été tenté. Mais choisir entre Leia et un bouge minable devenait de plus en plus facile, avec le temps.

— D'accord.

La fréquence sécurisée coupée, le sourire de Yan s'effaça quand il entendit les belligérants du bar sortir dans la rue… Il se dépêcha de se perdre dans le flot de fêtards, se demandant toujours pourquoi l'inconnu l'avait questionné. Que le tenancier l'ait côtoyé jadis ne l'inquiétait pas outre mesure : le nom de Solo était connu dans toute la galaxie, surtout dans les cercles louches où il avait gravité. Mais le silence volontaire sur le Ryn cachait autre chose. Ses autres sources ne savaient rien, et elles le lui avaient dit sans hésiter. Mais là, on lui cachait des informations.

Se massant l'épaule, Solo se hâta de retourner au *Faucon* en espérant que Jaina, à l'autre bout de la ville, avait eu plus de chance.

Luke Skywalker saisit les accoudoirs de son siège quand l'*Ombre de Jade* émergea brutalement de l'hyperespace. Les parois gémirent sous le stress, et des conteneurs de marchandises stockés dans la baie des passagers s'écrasèrent sur le sol. Plus loin dans le vaisseau, il entendit les bips anxieux de R2-D2.

— C'était quoi ? demanda-t-il à son épouse.

Mara vérifiait les moniteurs.

— Un trou de la taille d'un destroyer stellaire s'est ouvert brutalement devant nous, expliqua-t-elle.

Tous les sauts hyperspatiaux exécutés au cours des deux dernières semaines avaient été dangereux. Même les cartes détaillées remises par la Flotte Chiss ne recensaient pas toutes les anomalies hyperspatiales. Mais si quelqu'un pouvait se guider à travers ce dédale, c'était Mara. Luke avait confiance en elle : ils arriveraient à bon port.

Il examina les écrans.

— Espérons que le *Faiseur de Veuves* est intact.

Un nouveau bip apparut sur l'écran.

— Le voilà, dit Mara.

Un instant après, la voix de la capitaine Arien Yage retentit sur l'unité com.

— Et si vous nous préveniez, la prochaine fois ?

Luke sourit.

— Désolé, Arien. Si nous avions pu, nous l'aurions fait.

Verrouillée sur le navi-ordinateur de l'*Ombre de Jade*, la frégate suivait tous les mouvements de Mara. Mais il n'y avait aucun moyen de communiquer dans l'hyperespace, et donc de prévenir d'une sortie soudaine.

— Ça commence à devenir ennuyeux, marmonna Mara, après avoir vérifié les paramètres. Je n'arrive pas à déterminer ce que je fais de travers.

Luke était tout aussi étonné. A trois reprises, ils avaient tenté de franchir en hyperdrive le dernier parsec conduisant au système désert de Klasse Ephemora. Trois échecs… Jacen avait déterminé que le monde vivant, Zonama Sekot, y gravitait. Et Luke avait le sentiment qu'une force inconnue les empêchait d'y accéder. Mara assurait que non : les anomalies hyperspatiales étaient un phénomène naturel.

Pourtant, qu'il y en ait autant autour de ce secteur particulier était pour le moins bizarre.

— C'est peut-être à cause des anomalies que Zonama Sekot est venue là, suggéra Luke. Elle s'y sent en sécurité. Y étant entrée, elle pouvait être à peu près sûre que personne d'autre ne s'y introduirait.

— Les sondes des Chiss l'ont fait, répondit Mara. Alors, je le peux aussi !

Luke lui envoya une vague de réconfort, afin de soutenir une confiance qu'il sentait vacillante sous la détermination apparente de sa femme. Elle était un bien meilleur navigateur qu'un astromec, et il la savait capable des mêmes prouesses.

— C'est peut-être de la matière noire, dit Soron Hegerty.

Professeur de religions comparées, et spécialiste des cultures extraterrestres, elle était dans la baie des passagers, une main frêle posée sur la verrière pour se stabiliser.

— Vous croyez ? demanda Luke.

— C'est possible, répondit Hegerty. La matière noire influence le reste de l'univers uniquement sur le plan gravifique. Elle s'accumule comme la matière ordinaire, formant des amas et des galaxies similaires à celle que nous habitons. Certains savants pensent que notre galaxie est entourée par un halo de ces galaxies de matière noire – entièrement invisibles, mais qui n'en sont pas moins là.

« Danni et moi en parlions hier. Elle se demande si ces amas invisibles expliquent les perturbations de l'hyperespace dans les Régions Inconnues. Un amas de matière noire pourrait être en train d'entrer en collision avec notre galaxie, de passer au travers, invisible, et détectable seulement par sa gravité. Les amas ne sont pas de densité uniforme : on y trouve des traînées de poussière cosmique, des bulles vides et des étoiles, bien entendu. La distribution irrégulière de la matière noire expliquerait les difficultés que nous avons eues à cartographier ces régions depuis l'univers "réel". Tout cela reviendrait donc à une collision avec une galaxie que nous ne pouvons pas voir – et qui durerait des milliards d'années.

Hegerty regarda les écrans, comme émerveillée en pensant aux univers invisibles qu'elle évoquait.

Mara écarta une mèche rousse de son visage.

— Très intéressant. Pouvons-nous établir la carte de cette matière noire et comprendre comment l'hyperespace s'enroule autour ?

— En théorie… Il faudrait un détecteur de gravité à grande échelle, et comprendre exactement comment la matière noire influence l'hyperespace.

— Donc, pour le moment, ça ne nous sert à rien ?

— Exact. Sachez seulement que nous avons affaire à un phénomène variable. Si Zonama Sekot peut détecter le passage gravifique de la matière noire à travers notre galaxie, elle peut aussi avoir localisé une bulle sur le point de se fermer. Si elle s'y est glissée, les « cloisons » de matière noire se refermant sur elle, elle est en sécurité. Rien d'autre n'y entrera avant que la matière noire ne se déplace et que la bulle ne se rouvre.

A en juger par son expression, Mara détestait cette éventualité.

— Si vous avez raison, cette bulle doit être assez grande pour englober un système stellaire entier. Je doute qu'un phénomène aussi grand soit hermétique. Il doit y avoir un moyen d'y entrer – et d'en sortir. Si j'étais une planète vivante en fuite, je ne m'enfermerais pas dans un endroit sans issue. Il *doit* y avoir un moyen.

Luke posa une main sur le bras de sa femme.

— Je te suggère de te reposer un peu, mon amour. Tu n'arriveras à rien, dans cet état de frustration.

Mara parut sur le point de protester, puis elle se radoucit.

— Tu as raison. Mais j'ai tellement hâte de progresser ! Plus tôt nous trouverons Zonama Sekot, plus vite nous rentrerons chez nous.

Luke comprenait les sentiments de son épouse. Ben, leur

fils, était loin d'eux, caché dans la Gueule avec les autres enfants Jedi, à l'abri des Yuuzhan Vong. Et il grandissait sans ses parents, comme Luke avait grandi sans les siens.

Une fâcheuse nécessité.

Avec l'approbation de Mara, il ordonna une halte.

Assis à côté du lit, Jag Fel regardait curieusement Tahiri. Il épongeait fréquemment le front lustré de sueur de la jeune femme. Les mains serrant le drap, elle lâchait parfois des petits cris rauques – presque des hurlements réprimés.

Jaina avait demandé qu'il y ait toujours quelqu'un au chevet de Tahiri, au cas où elle se réveillerait. Et c'était le tour de Jag. Il redoutait qu'elle rouvre les yeux pendant sa veillée – car si *Riina* émergeait, il ferait le nécessaire au nom de la sécurité de tous.

Jag fut tiré de ses sombres pensées par le bourdonnement de son comlink. La capitaine Mayn, du *Sélonia*, avait installé une unité de communication compacte dans la chambre de Tahiri, pour que le « veilleur » ne soit pas coupé du monde.

Il établit la communication, et se trouva au milieu d'une conversation entre Jaina et ses parents.

— Il se passe quelque chose de louche, annonça la jeune femme.

— Au *Joe l'Epine* ? demanda Yan, à bord du *Faucon*, l'air un peu essoufflé. C'est aussi mon avis. Ce type à qui j'ai parlé… Il ne mijote rien de bien !

— Ça n'est pas ça, répondit Jaina. Cette histoire de sabacc cubique était invraisemblable. On t'a laissé gagner.

— Et la fameuse chance des Solo ?

— Personne n'a *autant* de chance. On voulait te mettre hors piste. Faire croire que tu avais triché était plus simple que t'expulser sans raison. C'est la seule explication.

— Possible…, soupira Yan à regret.

— Ça ne nous dit toujours pas qui est derrière tout ça, souligna Leia. Le propriétaire du bar est impliqué, c'est évident. Nous devons y retourner !

— Et toi, Jaina ? Tu as du nouveau ?

— Rien du tout ! Et j'imagine que je ne dénicherai plus rien, maintenant que…

— … Qu'on est repérés, acheva Yan, sinistre.

— Pire. En ville, une rixe semble faire tache d'huile. Il n'y a pas de police, ici. Les problèmes deviennent vite ingérables.

En bruit de fond, Jag captait le fracas d'une bataille.

— Tu es loin du *Faucon* ? demanda Leia.

— Une dizaine de pâtés de maisons, mais progresser devient difficile. Une minute !

Jag entendit soudain la voix de Mayn.

— La sécurité des quais nous avertit que des émeutiers se rapprochent de nous !

— Une idée de la cause ? demanda Leia.

— Des rumeurs sur un problème, en ville. Un agent de l'Alliance Galactique se serait infiltré dans un bâtiment sécurisé puis enfui avec une petite fortune.

— Nous n'avons aucun agent ici, dit Leia.

— A part nous, ajouta Yan.

— Désolée, fit Jaina, revenant en ligne. Un embouteillage. Le chemin du *Faucon* est bloqué. J'essaie de rejoindre le *Sélonia*.

— Dépêche-toi, mais sois prudente, dit Leia, inquiète. On essaie peut-être d'éveiller du ressentiment contre nous.

— Pourquoi ?

— On se le demandera plus tard. Arrive au vaisseau saine et sauve !

Sur ce point, Jag était de tout cœur avec Yan.

— On dirait que quelqu'un essaie de couvrir ses traces, dit-il.

— Je suis d'accord, Jag, fit Yan. Et si Jaina n'était pas au milieu de tout ça, nous les laisserions se débrouiller !

— C'est sans doute ce que nous avons de mieux à faire, approuva Leia. Nous cherchons en vain les Ryns depuis deux jours. Je commence à penser que nous perdons notre temps.

— Je me prépare à décoller, dit Mayn. Dès qu'elle montera à bord, si c'est ce que vous décidez, nous pourrons partir.

— Dois-je préparer Soleils Jumeaux ? demanda Jag.

— Inutile. Si nous en arrivons là, nous nous chargerons des défenses d'Onadax le temps de filer.

— Alors, j'attendrai ici, dit Jag. Merci de me tenir informé.

La fréquence fut coupée.

Jag résista à l'envie de faire les cent pas. Il détestait être confiné à l'infirmerie pendant que Jaina prenait des risques, mais les ordres étaient les ordres. Sa formation chiss ne lui laissait pas le choix. Il lui fallait attendre que Mayn ou quelqu'un d'un autre lui fasse part des derniers développements.

Tahiri s'agita, poussant un de ses petits cris étranges.

Dépêche-toi, Jaina, pensa Jag, épongeant le front de la jeune femme.

Jacen fronça les sourcils.

— Contrôle des communications de Mon Calamari, ici Fermier Un. Répondez, je vous prie.

Silence.

Pendant que Luke et Mara se reposaient, Jacen était responsable de l'*Ombre de Jade*. Il avait décidé d'appeler la capitale pour prendre des nouvelles de Ben. L'impossibilité d'établir le contact le troublait, même s'il y avait sans doute une explication logique. Les communications avec les Régions Inconnues n'étaient pas idéales. Toutes passaient par un goulot d'étranglement, près de la Bordure Extérieure. Ce goulot n'avait jamais été fermé, mais était-ce impossible ?

Pourtant, les systèmes com de l'*Ombre de Jade* étaient en parfait état de fonctionnement, et il avait pu joindre l'espace chiss sans problème.

— Contrôle des communications, ici Fermier Un. Message urgent. Requérons une réponse immédiate.

Silence.

Le problème était probablement dans les relais qui jalonnaient l'espace entre les Régions Inconnues et le reste de la galaxie…

— Quelle est l'urgence ? demanda Danni.

— Nous n'avons plus de lait bleu, mentit Jacen. Tu sais comme Mara devient hargneuse quand elle n'a pas un petit déjeuner adéquat.

— Jacen Solo, tu es un Jedi extraordinaire, mais un piètre menteur !

Il sourit. En dépit des « capacités » que l'enseignement de Vergere lui avait permis de développer, Danni lisait toujours en lui comme à livre ouvert.

— Je n'arrive pas à joindre Mon Calamari. Une rupture des communications…

— De quel genre ?

— Difficile à dire. Mais nous ne pourrons informer personne de ce que nous trouverons ici…

— *Si* nous dénichons quelque chose. Rien n'est moins sûr, Jacen. Tu as vu les données…

— Je suis d'accord avec toi. J'essaie seulement de t'encourager à débattre de la question…

— Je perçois ta tension, Jacen. Tu bourdonnes comme un bouclier trop chargé ! Qu'arrivera-t-il si nous ne trouvons rien, ou rien qui nous convienne ? C'est le fond de ta pensée, n'est-ce pas ? Et ça t'inquiète.

— Tu as peut-être raison, reconnut-il. En fait, nous ne sommes pas coupés du monde : joindre Csilla reste possible. Je vérifierai si Csilla peut à son tour entrer en contact avec Mon Calamari.

Elle sourit à pleines dents.

— Parfois, il suffit d'énoncer un problème pour le comprendre plus clairement.

Elle voulut lui flanquer une tape rassurante sur l'épaule, mais sa main n'entra pas en contact avec lui. Une force déconcertante émanait de Jacen…

… Qui s'écarta de Danni, pensant que ce qu'il éprouvait avait un lien avec la présence de la jeune femme. Mais la sensation persista, et l'expression de Danni refléta son inquiétude.

— Tu le perçois, toi aussi ?

Relayée par la Force, la sensation gagna en amplitude.

Danni se couvrit les oreilles.

— C'est quoi ?

— Je l'ignore !

Le crâne de Jacen résonnait comme une cloche. Il se tourna vers les écrans.

— Mais je le découvrirai !

Saba se réveilla en sursaut, avec l'impression qu'on lui fendait le crâne… Elle s'agita, avant de se découvrir dans ses quartiers, sur l'*Ombre de Jade*… Quand Mara avait ordonné une halte, elle avait fermé les yeux pour méditer. Et dû s'endormir…

Aucune alarme ne sonnait. Nul vent de panique ne flottait dans l'air. Tout paraissait normal, excepté la douleur, dans sa tête…

Elle se lança à la recherche de la source de cet inconfort.

Trouve la douleur ! Découvre qui t'attaque.

Elle se força au calme. Volontaire, elle réussit à aller contre tous ses instincts.

La Force répondit à son appel, l'emplissant d'une énergie qui balaya la fatigue et la confusion. Ce qu'elle éprouvait était relayé par la Force elle-même, comme si une entité très puissante avait été dérangée, non loin de là.

L'excitation l'envahit.

Saba se hâta de rejoindre la passerelle. Ses compagnons, elle le sentait, partageaient son excitation. Tous avaient détecté cette émotion, à part Soron Hegerty, qui dormait dans une cabine.

R2-D2 bipa quand elle passa à côté de lui. Elle tapota le

dôme du droïd sans s'arrêter. L'odeur d'incertitude émanant des humains était forte. Saba se concentra sur son but.

— … je ne peux pas être sûre, à cette distance, dit Mara. Ça pourrait être n'importe quoi. Les perturbations psychiques massives peuvent avoir de nombreuses causes.

— Elle a raison, Jacen, ajouta Luke. Quand l'Etoile Noire a pulvérisé Alderaan, Obi-Wan l'a perçu à une très grande distance.

— Je sais, mais ça, c'est *tout près* ! insista Jacen. Je le sens. Qu'est-ce que ce serait d'autre ?

— Jacen a raison, renchérit Saba avec son accent étrange. Zonama Sekot crie dans le vide.

Le maître Jedi se tourna vers elle.

— Pourquoi ?

— Elle paraît… en détresse.

A en juger par les visages tendus des humains, tout le monde le sentait.

— Presque effrayée, dit Danni. Et furieuse aussi.

— D'accord, fit Mara. Supposons qu'il s'agisse de Zonama Sekot. Que faire ? La contacter ?

— Si tu penses pouvoir remonter le signal jusqu'à sa source…, lâcha Danni.

Mara fronça les sourcils.

— Possible, mais arriver comme ça, sans qu'elle nous ait invités… Je ne suis pas sûre du résultat. Elle a l'air agitée. Si on déboule sans prévenir, elle risque de le prendre mal.

— Peut-être, dit Luke, mais je crois quand même qu'approcher et lui *montrer* nos intentions, au lieu de les lui expliquer, est la meilleure solution. (Il se tourna vers la Barabel.) Jacen, Saba, vous êtes capables de repérer la vie. Qu'en pensez-vous ?

Jacen eut l'air incertain.

— Je ne peux pas lire dans son esprit, répondit Saba, sa queue frappant en rythme sa cheville gauche. Pas plus que je ne pourrais déchiffrer d'un coup tout le contenu de la bibliothèque des Chiss.

— Approcher ne sera-t-il pas pire que tout ? demanda Danni.

— Je suis sûr d'une seule chose : c'est notre meilleure chance d'arriver à nos fins. L'occasion ne se représentera peut-être jamais.

Mara inspira à fond.

— D'accord. Allons-y, tant que nous le pouvons encore.

Luke rouvrit la fréquence pour reprendre contact avec la capitaine du *Faiseur de Veuves*.

— Arien, je voudrais que vous vous verrouilliez sur notre navi-ordinateur et vous prépariez à un départ immédiat. Nous tenons une piste, et si notre intuition est juste, nous serons bientôt à destination. Nous ignorons ce qui se passera alors. Soyez prête !

— Entendu. Yage, terminé.

Autour de Luke, tous étaient anxieux.

— Nous devrions peut-être fusionner, dit-il. Ainsi, trouver l'origine de l'émission deviendra plus facile pour Mara.

Danni avait peu pratiqué la fusion mentale Jedi, mais elle acquiesça comme les autres. Saba commença les exercices familiers en inspirant à fond. Scintillante comme un brasier, elle percevait l'aura de son entourage.

La force du signal était telle qu'elle faillit obscurcir les autres. Concentrée, Danni les focalisa un par un, et leurs pensées ne furent bientôt qu'une.

L'esprit de Mara fourmillait de coordonnées hyperspatiales et de données de vol. Saba ajouta ses perceptions du lointain monde-esprit au mélange de pensées et d'impressions qui se rassemblaient autour de Mara. Danni offrit sa connaissance limpide des forces astronomiques. Tous ses sens à l'affût, Saba s'imagina sur Barab I, avec sa lumière rougeâtre, cherchant des shenbits broyeurs d'os. Sans être un lézard géant, Zonama Sekot présentait de troublantes analogies avec l'animal. Des chasseurs, tous les deux, et Saba était une *excellente* chasseuse…

Mara prit tout ce qu'on lui offrit, puis calcula un cap.

L'hyperpropulsion de l'*Ombre de Jade* s'activa avec un grondement. Saba perçut la sensation familière des lumières filant le long de la coque, tandis que la topologie étrange de l'hyperespace les enveloppait.

Ici, c'était le territoire de Mara. Même avec la Force pour les guider, le chemin était tortueux et semé d'embûches. L'*Ombre de Jade* suivit le cap de son mieux, le *Faiseur de Veuves* sur ses traces, mais presque aussitôt, elle rencontra la même barrière qu'auparavant. Avec une sensation d'arrachement, elle retourna dans l'espace réel, à peine plus près de Klasse Ephemora.

Mara ne renonça pas. Le signal venu de l'esprit lointain gagnait en force. Saba se concentra, sondant les chemins immatériels qui s'étendaient entre la planète et eux. Franchir le vide cosmique aurait dû être aussi facile que sauter d'un coin d'une pièce à l'autre… Sa queue tressauta sous l'effort quand elle imagina ce saut hyperspatial en détail.

L'*Ombre de Jade* fit un autre saut. La coque vibrant, Mara plongea le vaisseau à travers l'espace étrange qui entourait leur objectif. Saba eut l'impression que des ombres incompréhensibles les contournaient, des membranes à *n* dimensions se déployant de mauvais gré sur leur passage… Elle ignorait leur nature ou leur provenance, mais il lui sembla que Mara faisait des progrès. Ils approchaient – forcément !

Bringuebalant comme un vieux cargo, ils retombèrent dans l'espace réel. Ils vérifièrent que le *Faiseur de Veuves* les suivait toujours. Quelques secondes après l'*Ombre de Jade*, la frégate sortit abruptement de l'hyperespace.

— Le *Faiseur de Veuves* tient le coup ? demanda Mara.

— J'ai connu pire, répondit la capitaine impériale.

Luke rassembla autour de lui l'esprit des Jedi – pour faire un autre essai.

— Cette fois, nous y arriverons, dit-il. Mara avait raison : il existe un moyen. A nous de le trouver !

Ils se concentrèrent. Saba sentit sa conscience *se fondre*

dans les sensations étranges générées par l'hyperespace. Zonama Sekot les attirait.

Elle se noya dans la masse d'émotions, emportée par la marée comme un grain de sable.

Absorbée par la chasse, elle consacra toute son attention à *attraper*...

Comme s'ils avaient atteint l'œil d'un cyclone, il y eut un brusque changement. Les pensées de Saba reprirent un cours cohérent... Ils étaient de nouveau sortis de l'hyperespace, mais les écrans débordaient de données. Sur l'un d'eux, un soleil brillait, sur un deuxième, une géante gazeuse tournait, sur un troisième, une planète bleu-vert lointaine attirait l'esprit de Saba... Le vert marquait la présence de chlorophylle, et le bleu, d'eau. Si un monde devait vivre, il lui fallait les deux.

Zonama Sekot !

Il y avait autre chose : des nuages rouges et jaunes, produits par des armes à énergie sillonnant l'atmosphère... Des vaisseaux spatiaux aux coques déchiquetées sous l'assaut de forces prodigieuses déversaient d'innombrables victimes dans le vide spatial...

Et ce n'était pas tout. Au-delà, ce que Saba vit dépassait tout ce qu'elle avait pu connaître jusque-là. Des rubans colorés jaillissaient des pôles de la planète comme autant de couronnes solaires errantes. Des esprits voletaient dans la couche supérieure de l'atmosphère, envoyant des éclairs d'énergie loin au-dessus d'eux. Ces éclairs tournaient autour de l'équateur, gagnant en vitesse et formant un anneau lisse et régulier. Puis, avec un crépitement perçant, ils lancèrent en hauteur une lame de pure énergie. Des flux de champs magnétiques mesurés par l'*Ombre de Jade* accompagnèrent ce qui paraissait être les effets de rayons tracteurs – à une échelle que Saba n'aurait jamais osé imaginer.

Les ennemis de Zonama Sekot ? Des vaisseaux vong : deux analogues de croiseurs de taille moyenne et d'innombrables coraux skippers... Il y avait aussi d'autres bâtiments, petits points de lumière qui ne ressemblaient à rien de connu pour Saba. Chacun était différent de son voisin, magnifique et mortel.

Zonama Sekot se défendait !

La colère monta, d'une féroce efficacité, et avec elle revint l'orage. Saba eut à peine le temps de se demander ce qui arriverait quand l'esprit qu'ils cherchaient les remarquerait enfin…

Une vague d'énergie psychique les frappa, les plongeant tous dans l'inconscience.

— Epargnez-moi, maître ! Epargnez-moi !

Le seigneur suprême Shimrra écrasait de son mépris la misérable créature qui se tordait de douleur à ses pieds. La Honteuse avait été torturée et battue, sans que ses bourreaux viennent à bout de sa résistance. Si le chef de droit divin des Yuuzhan Vong trouvait cela étonnant, il n'en laissait rien paraître.

— T'épargner ? Pour que tu continues à souiller l'air avec tes protestations d'innocence ?

— Je suis innocente, mon seigneur ! Vous devez me croire !

— Tu oses me dicter ce que *je* dois croire ? gronda Shimrra.

L'objet de sa colère gémit, pitoyable.

— Pardonnez mon ignorance, seigneur ! Si je connaissais la réponse à vos questions, je vous l'aurais donnée !

— Tu la connais ! Tu es un pion entre les mains de la secte qui ose se réclamer des *Jeedai* !

— Maître, je jure par…

— Epargne-moi tes serments au nom de tes dieux infidèles ! Je refuse d'entendre un mensonge de plus.

Sur un geste impérieux de Shimrra, la Honteuse fut traînée hors de la pièce. Ces temps derniers, les charniers où les hérétiques étaient exécutés fonctionnaient jour et nuit. Un essaim de yargh'un affamés aux longues dents acérées dévorait les victimes. Avant de les précipiter au fond du puits, les bourreaux leur brisaient les membres. Les condamnés pour hérésie n'avaient droit à aucune pitié. Leur mode d'exécution témoignait de l'infamie dont ils étaient frappés.

— Détruisez les yargh'un, ordonna Shimrra aux gardes.

Ceux-ci, déconcertés, hésitèrent.

— Seigneur ?

— Ces bêtes ont été souillées par le sang des hérétiques. Emportez-les hors du puits et incinérez-les.

— Et celle-ci, maître ? demanda un garde.

— Comme les autres : brisez-lui les jambes et jetez-la dans le puits. Qu'elle y meure de faim et de soif, comme un animal. Son corps pourrira là en témoignage du sort réservé aux infâmes propagateurs de cette hérésie ! Souffrance et longue agonie à tous ceux qui tournent le dos aux dieux !

Sourds aux cris de la condamnée, les soldats exécutèrent la sentence.

Quand les derniers échos de ses hurlements moururent, Shimrra reprit la parole.

— Beau travail, Ngaaluh. Une fois de plus, vos investigations ont permis de percer à jour l'ennemi qui nous mine de l'intérieur.

La prêtresse au corps svelte fit une profonde révérence.

— Je suis honorée, seigneur suprême.

— Vous réussissez là où beaucoup ont échoué, ajouta Shimrra avec un coup d'œil torve aux prêtres, aux modeleurs, aux guerriers et aux intendants réunis pour l'interrogatoire. Restons sur nos gardes, que l'hérésie ne se répande surtout pas davantage. Débusquons ces traîtres, où qu'ils se terrent !

— Soyez assuré, seigneur suprême, dit le haut prêtre Drathul, l'intendant principal de Yuuzhan'tar, que nous faisons tous les efforts possibles pour endiguer cette terrible marée.

— Votre volonté – celle des dieux – ne sera pas ignorée, renchérit le maître de guerre Nas Choka. Nous n'aurons pas de repos tant que le dernier hérétique n'aura pas été écrasé sous la semelle de nos bottes !

— Je n'attends rien de moins de vous tous, répondit Shimrra. Dorénavant, tous ceux qui manqueront d'enthousiasme pour balayer l'hérésie seront considérés comme des collaborateurs et traités comme tels. Ils subiront le sort réservé aux traîtres. Est-ce clair ?

Tous s'inclinèrent solennellement.

— Continuez votre travail, Ngaaluh. Je ne puis superviser en personne les interrogatoires et exécutions, mais je reste responsable du maintien de tout ce que les dieux nous ont accordé. Je suis donc ravi d'avoir quelqu'un de compétent sur qui compter. Trouvez d'autres misérables à jeter dans le puits des yargh'un. Quand il sera plein, j'en construirai un autre, et un autre, jusqu'à ce que cette maudite hérésie soit effacée une fois pour toutes de la galaxie, et que les dieux nous accordent de nouveau leurs faveurs.

— Oui, seigneur suprême, répondit Ngaaluh en s'inclinant encore plus.

Shimrra lorgna sans enthousiasme ses laquais.

— Laissez-moi. Je dois réfléchir à beaucoup de choses.

Un par un, les membres de la cour sortirent. Ngaaluh fut une des dernières à s'éclipser. Elle se retourna encore, offrant au villip qu'elle portait une ultime image de Shimrra sur son trône.

Pour Nom Anor, qui suivait la scène sur un villip récepteur, loin de là, dans les souterrains de Yuuzhan'tar, Shimrra paraissait isolé – mais pas diminué. Le pouvoir et l'assurance du seigneur suprême transparaissaient dans sa posture régalienne et l'indifférence qu'il témoignait à ses courtisans. Le chef de la galaxie avait essuyé beaucoup d'orages. A en juger par sa détermination, il en essuierait encore bien d'autres.

Le sourire triomphant de Nom Anor s'effaça. Les poings serrés, il arpenta sa salle d'audience – la sixième en autant de semaines. La transmission de Ngaaluh fut coupée quand la prêtresse traversa le périmètre de sécurité de la salle du trône de Shimrra.

— Encore une réussite, murmura Kunra.

Appuyé au chambranle de la porte, le guerrier disgracié, le conseiller de Nom Anor pour toutes les questions autres que religieuses, avait l'air détendu. Mais Nom Anor n'était pas dupe : sous ses dehors bonhommes, Kunra écoutait attentivement tout ce qui se disait de part et d'autre.

— Depuis que Ngaaluh nous a rejoints, nous avons obtenu beaucoup de renseignements vitaux. Grâce à elle, notre influence grandit.

Distrait, Nom Anor hocha la tête. Prenant son attitude pour un défi, Kunra développa son analyse enthousiaste de la situation :

— Shimrra a débusqué une traîtresse tout près de son trône, mais il ne lui a pas arraché la moindre confession ! Vous avez vu sa tête ? Il a peur de nous !

— C'était pénible à regarder, avoua Shoon-mi en sortant de l'ombre, près du fauteuil du Prophète.

Il apportait la coupe d'eau demandée par Nom Anor.

Le Honteux portait une robe de prêtre délavée et son visage sans cicatrice exprimait une incontestable fierté. Pourtant, il avait toujours l'air lugubre, et ça ne s'arrangeait pas avec le temps.

Nom Anor comprenait l'inquiétude de son conseiller religieux.

— En chacun de nous subsistent des vestiges de notre loyauté aux anciennes coutumes, Shoon-mi. Parfois, même la vérité peine à effacer le conditionnement de toute une vie.

— Ce n'est pas ce que je voulais dire, maître. Je parlais d'Eckla du Domaine Shoolb.

Nom Anor comprit enfin. Eckla ? La Honteuse qui venait d'être condamnée à mort par Shimrra.

— Bien entendu… Un noble sacrifice. Elle ne sera pas oubliée.

Des expressions toutes faites, sans substance… En réalité, sitôt « enterré » avec elle le risque qu'elle trahisse, Eckla du

Domaine Shoolb avait instantanément cessé d'exister pour Nom Anor.

— Elle sera honorée dans nos souvenirs, reprit l'ancien exécuteur, comme une martyre à notre cause.

— Une parmi une multitude, désormais...

Nom Anor brûlait d'envie de réprimander l'impudent qui osait le critiquer, mais il se contint.

— Le chemin de la liberté est long et ardu, Shoon-mi. Nous le savions dès le début. Et au besoin, nous saurions nous sacrifier comme Eckla.

— Sans hésiter, maître, répondit Shoon-mi.

Mais il restait dans son regard comme une lueur de défi.

— Je rappelle aux novices que la douleur est souvent la seule « récompense » de la fidélité. Peu d'entre eux en semblent troublés.

— Au moins, nous savons qu'il y a quelque chose, au-delà de la souffrance, ajouta Nom Anor, débitant à son assistant les fadaises que celui-ci voulait entendre. Les *Jeedai* promettent une nouvelle vie, alors que la nôtre n'était que mort et servitude. La liberté vaut tous les sacrifices, ne crois-tu pas ?

— Oui, maître.

Shoon-mi s'inclina et quitta la salle.

Nom Anor aurait voulu son avis sur le choix des prochains novices... Il le consulterait plus tard à ce sujet. Si la vie d'Eckla du Domaine Shoolb avait représenté quoi que ce fût à ses yeux, lui aussi aurait eu besoin de solitude pour réfléchir.

Il fit signe à Kunra de fermer la porte.

Il se sentait irrité et agité. Si l'infiltration de Ngaaluh dans l'entourage de Shimrra était un tel succès, pourquoi n'en éprouvait-il aucune satisfaction ? Pourquoi ne pouvait-il, comme Kunra, admettre joyeusement que Shimrra était déstabilisé par l'hérésie qui minait son autorité ?

— Parle-moi de ceux que tu formes dans ce secteur, demanda-t-il. Quels progrès as-tu faits ?

— J'ai sélectionné trois des recrues les plus capables, sans que Shoon-mi en soit informé. Ils manifestent tous la dose de fanatisme et de stupidité nécessaires à la tâche. Je les laisserai se battre entre eux pour voir lequel gagne.

— Se battre *littéralement* ?

La violence ne collait pas avec l'hérésie Jedi, mais Kunra, Nom Anor le savait, avait des côtés sombres... Il n'hésiterait pas à aller jusque-là si nécessaire.

— Non. Le vainqueur doit être capable de soutenir sans frémir le regard des laquais de Shimrra, mais sans recourir à la violence. Ils feront les premiers pas vers ce défi les uns contre les autres. Le premier à frapper sera remercié.

— Et par « remercié », tu veux dire... ?

— Eliminé.

Nom Anor hocha la tête, satisfait. Une organisation comme la sienne avait beaucoup d'exigences contradictoires. La première ? Répandre l'hérésie par des voies qui n'étaient ni efficaces ni fiables... Les Honteux avaient toujours colporté des rumeurs sans souci aucun de véracité. Pour que l'hérésie soit efficace, il convenait de limiter au minimum les approximations et les divagations. Et maintenant que les rangs les plus élevés de la société prêtaient à leur tour l'oreille, il fallait s'assurer que personne ne puisse remonter jusqu'à la source...

Deux objectifs souvent contradictoires. Et Nom Anor se fiait à ses assistants pour maintenir ce délicat équilibre – même si l'un n'était pas toujours informé de ce que l'autre savait.

Donc, si Shoon-mi avait la responsabilité de répandre le message, Kunra devait empêcher les fuites. Avec une petite équipe triée sur le volet, que Nom Anor appelait sa « police spirituelle », il colmatait les brèches qui menaçaient la stabilité de tout l'édifice. Son travail était facilité, puisque toute disparition était censée avoir pour responsables des membres des échelons supérieurs qui s'approchaient de la source de l'hérésie. Chaque élimination « chirurgicale » avait pour effet secondaire d'aggraver la paranoïa et de rendre son rôle moins essentiel.

Mais à mesure que le réseau s'étendait et répandait les doctrines Jedi, les risques augmentaient. Parfois Nom Anor se réveillait en pleine nuit, suant de peur à l'idée que Shimrra, inexorablement, se rapprochait de lui...

— Bon travail, Kunra.

Il le flattait comme il eût lissé le poil d'un animal domestique. Lui ayant sauvé la vie, il savait que sa loyauté lui était acquise.

— Mais ne m'ennuie pas avec les détails. Assure-toi seulement d'avoir un candidat prêt dans trois jours. Je voudrais aller de l'avant. Rôder dans les ténèbres n'est pas vraiment mon but.

Kunra s'inclina. A l'instar de Shoon-mi, une certaine insubordination transparaissait dans son attitude, mais Nom Anor l'acceptait mieux de la part de l'ancien guerrier. Il lui fallait de la fougue pour mener son travail à bien.

Shoon-mi avait seulement besoin d'obéissance.

— Laisse-moi, maintenant. Je dois réfléchir.

Kunra sortit, fermant la porte derrière lui. Fatigué, Nom Anor se pencha sur la coupe d'eau pour se rafraîchir le visage. Tout se déroulait comme prévu : l'hérésie se répandait, et grâce à ses déplacements incessants, Shimrra n'était toujours pas près de l'attraper. Mais ça ne suffisait pas. Depuis le départ, l'hérésie était un moyen de restaurer le pouvoir de Nom Anor. Ne pas avancer vers ce but revenait à faire un pas en arrière.

Mais... restaurer le pouvoir sur *qui* ? Se contenterait-il d'être le chef d'une armée minable de Honteux et d'inadaptés ?

Nom Anor observa son reflet dans le bol d'eau. Il était hagard et crasseux, le résultat de sa vie dans les souterrains de Yuuzhan'tar... Et ses yeux reflétaient le doute.

Son propre reflet lui était devenu étranger.

Grognant de frustration, il jeta le bol d'eau sur le sol.

Kunra se trompait. Shimrra n'était nullement effrayé ! Il avait trahi sa colère, certes, mais aucunement la peur. L'hérésie était un obstacle pour lui, pas une menace.

Et le Prophète ? Le roi d'un cachot était peut-être un roi, mais… il vivait dans un cachot.

Bref, il était grand temps qu'il commence à exercer le pouvoir *véritable*…

Sur le *Faucon*, l'humeur était orageuse.

— Nous ne pouvons pas partir ! insista Yan. Pas avant de savoir Jaina en sécurité.

— Elle l'est, Yan. Elle revient vers le *Sélonia*. En restant ici, tu nous mets tous en danger.

A travers les détecteurs du vaisseau, elle entendait les hurlements de la foule qui convergeait vers la baie d'atterrissage du *Faucon*. Pour le moment, seule la sécurité des quais la tenait en respect.

— Et alors ? objecta Yan. Nous sommes capables de nous défendre.

— Soulever des troubles partout où nous allons n'aidera pas notre cause, Yan. Nous sommes censés répandre un message de paix, pas de l'agitation.

Solo se frotta la tempe comme s'il avait mal à la tête. Sur les écrans flottait l'image du cordon de sécurité déployé autour du quai du *Faucon*.

— Et le Ryn ? demanda-t-il plus calmement.

Leia n'avait pas de réponse à ça. Ses pensées étaient centrées sur Jaina, mais ce point méritait considération. Sur Bakura, Goure leur avait annoncé qu'ils devaient se rendre sur Onadax pour y rencontrer un autre Ryn.

Jusque-là, ils n'avaient vu personne.

— Je ne sais pas. Goure a peut-être mal compris. Ou les choses auront changé entre le message qu'il a reçu et maintenant. Le réseau des Ryns est lent, souviens-toi…

— Attends, dit Yan. Tu as entendu ça ?

Leia tendit l'oreille en vain. Si son époux voulait les retarder, il lui faudrait trouver mieux que ça.

— Il est temps que nous allions dans un endroit plus sûr, Yan. La capitaine Todra peut se débrouiller seule, et Jaina ne tardera pas à regagner son bord. Je sens qu'elle se rapproche.

— D'accord, soupira Yan. Mais restons en orbite basse. Si on veut du mal à Jaina, je…

— Jaina est une grande fille, coupa Leia, réprimant un sourire.

Des coups violents, sous le ventre du vaisseau, les interrompirent.

Yan poussa des boutons, et Leia prit le siège du copilote. Puis son mari sortit le laser rétractable et l'activa.

Sur une des cams, ils virent une silhouette dégingandée frapper à coups redoublés de barre de fer contre l'écoutille ventrale du vaisseau. La combinaison environnementale de l'inconnu était trop légère pour dissimuler une arme.

— Je doute que la sécurité envoie un type attifé comme ça faire son sale boulot, commenta Leia.

Solo eut l'air dubitatif.

— Tire un coup de semonce.

— Ce n'est peut-être pas une bonne idée, Yan. Ça pourrait être interprété comme une agression.

— C'est censé en être une ! Et si ce type ne cesse pas de cogner comme ça sur le *Faucon*, je sens que je vais devenir agressif, moi aussi !

— Mais on dirait qu'il essaie seulement d'attirer notre attention.

— Ouais, et regarde le bien que ça fait à la peinture !

— Je ne tirerai pas.

Leia croisa les bras.

Yan leva les yeux au ciel. Avec un grognement d'exaspération, il quitta le siège du pilote et remonta la coursive, en marmonnant des imprécations où il était question de « mutinerie ».

Leia continua les vérifications du contrôle final de

décollage tout en gardant l'œil sur la cam ventrale qui couvrait la rampe d'accès.

L'écoutille s'ouvrit juste assez pour que Yan invective l'inconnu qui osait marteler la coque. Leia suivit leur dialogue animé, mais elle ne lisait pas assez sur les lèvres pour comprendre ce qui se disait. A un moment, l'étranger souleva son masque, faisant naître une expression d'intense stupéfaction sur le visage de Yan.

Très surprise, elle vit alors son mari abaisser la rampe et faire signe au type de monter à bord. Celui-ci jeta la barre de métal et obéit.

Leia éprouva un vague malaise…

— *Ombre de Jade*, veuillez répondre !

La voix de Mayn tira Luke de son engourdissement. Le monde tremblait autour de lui, et un rugissement emplissait ses oreilles. Derrière l'étourdissement provoqué par la violente attaque mentale, il sentit Saba, Danni et Tekli près de lui, évanouies toutes les trois. L'esprit de Jacen, brillant et éveillé, contactait déjà ceux de ses compagnons. Plus loin, dans le vaisseau, il perçut l'intellect endormi de Soron Hegerty, et, à côté, celui de Mara, qui se battait avec les commandes.

— Nous sommes occupés, capitaine, dit-elle. Nous vous contacterons dès que possible, d'accord ?

Avant que le *Faiseur de Veuves* puisse répondre, Mara coupa la communication. A ce stade, poser le vaisseau exigeait toute sa concentration.

— Où sommes-nous ? demanda Luke d'une voix rauque, tant il avait la gorge sèche.

— On atterrit, répondit Mara sans quitter les commandes des yeux.

A travers le cockpit, Luke découvrit la végétation luxuriante de la planète. Au sud, il vit des langues de terre nue, peut-être les cicatrices des attaques vong dont Vergere avait parlé, ou les effets des nombreux sauts hyperspatiaux faits par la planète pendant sa fuite à travers les Régions Inconnues.

Il regarda son épouse. Elle avait des poches sous les yeux.

— Ça va ?

— Je suppose, répondit-elle, distraitement.

— Que s'est-il passé ?

— Je n'en suis pas sûre. On aurait dit un « coup de poing » de la Force, sacrément violent. Ça a expédié tout le monde au tapis !

— Mais pas toi ?

Mara haussa les épaules.

— J'étais assommée, comme vous tous. L'instant d'après je me suis réveillée alors que Jacen recevait des instructions sur l'unité com.

— Jacen ?

— Il a repris conscience le premier. Il pense que Zonama Sekot nous a « endormis ». Mais quelqu'un, à la surface de la planète, lui a donné les coordonnées d'approche. Sur l'instigation de la planète, j'imagine… Quand je me suis réveillée, il expliquait qu'il n'était pas le plus compétent pour piloter le vaisseau. Lorsque j'ai dit que je devais m'entretenir avec toi, nos interlocuteurs, à la surface, ont répondu qu'il n'en était pas question. Vu les enregistrements de l'*Ombre de Jade*, j'ai décidé que ce n'était pas le moment de discuter.

— Que veux-tu dire ? demanda Luke.

— Tiens, vérifie toi-même. (Mara poussa un bouton pour déclencher l'enregistrement.) Ça se passe juste avant mon réveil, après notre entrée dans le système…

L'enregistrement montrait les vaisseaux yuuzhan vong que Luke avait aperçus à leur arrivée. Il avait momentanément oublié la bataille en reprenant connaissance, mais la revoir lui en rappela les détails.

Il regarda, sidéré, les vaisseaux ennemis reculer. La flotte vong, modeste, parvint presque à résister aux défenses planétaires. Mais les bâtiments étrangers durent finalement céder et se disperser.

Les défenseurs de Zonama Sekot les pourchassèrent, les pulvérisant jusqu'au dernier.

— Il n'en reste aucun ? demanda Luke.

— Apparemment, ils les ont tous eus.

— Pourquoi ne nous a-t-on pas réservé le même sort ?

— Je n'en ai pas la moindre idée, Luke.

— *Elle* a peut-être lu dans nos esprits et compris que nous ne lui voulions pas de mal. Et elle a réveillé Jacen le premier parce qu'il a des affinités avec les intellects... inhabituels.

— Il existe un seul moyen d'en avoir le cœur net, dit Mara. Parler aux indigènes.

— C'est ce que nous allons faire, répondit Luke. Peut-être nous diront-ils pourquoi les Yuuzhan Vong étaient là...

— Selon les Chiss, les Vong ont déjà envoyé des missions dans les Régions Inconnues, rappela Mara.

— Certes, mais j'ai du mal à croire qu'ils sont tombés par hasard sur Zonama Sekot. Nous-mêmes, nous avons eu toutes les peines du monde à la trouver...

— Dans ce cas, il peut y avoir d'autres flottes vong dans le secteur...

— Ça fait donc deux fois, au moins, que les Vong trouvent la planète. On dirait qu'eux aussi la cherchent...

L'*Ombre de Jade* se posa délicatement dans un champ niché au cœur de grandes forêts.

— Bienvenue sur Zonama Sekot ! lança Jacen.

Luke se tourna vers son neveu qui regardait le paysage à travers la verrière de transpacier. Dehors, des créatures virevoltaient autour des arbres ou bondissaient dans les branches.

— Où sommes-nous, exactement ? demanda Luke.

— Si tu veux un nom, je n'en sais rien, répondit Jacen. Mon interlocuteur m'a donné les coordonnées de ce champ d'atterrissage, puis il a coupé la communication. Nous sommes quelque part dans l'hémisphère sud.

Mara désigna un écran topographique.

— Si Vergere a dit vrai, tout ceci fut détruit par les Yuuzhan Vong la dernière fois qu'ils sont venus, il y a soixante ans.

Luke comprenait l'incrédulité, dans la voix de Mara. Il ne restait aucune trace de la destruction, excepté les zones dégagées visibles depuis l'orbite.

Zonama Sekot avait guéri.

— On ne t'a rien dit d'autre ?

— Seulement demandé d'atterrir, et de laisser le *Faiseur de Veuves* en orbite, où il ne lui arriverait aucun mal.

— J'imagine qu'Arien a connu les mêmes phénomènes que nous…

— Non, dit Mara. Quelques membres de l'équipage ont souffert de céphalées et de nausées, c'est tout. On dirait que ce « coup de poing » de la Force nous visait – nous et nous seuls !

— Parce que l'*Ombre de Jade* est arrivé en premier, ou parce que nous sommes des Jedi ? demanda Jacen.

Il sentit que Mara allait avouer son ignorance, mais quelque chose, dehors, attira leur attention. Entre les arbres, un homme et une femme apparurent – élancés et minces, avec la peau bleue et de grands yeux noirs dorés. Lui avait les cheveux noirs et elle d'un blanc immaculé. Tous deux portaient de longues toges fluides verte et grise.

Ils s'arrêtèrent à distance de l'*Ombre de Jade* et attendirent, les mains croisées.

— Bien, dit Luke. Voilà les indigènes.

— Ils n'ont pas l'air très accueillants, remarqua Mara.

Jacen fit mine de quitter le cockpit, mais Luke le retint par un bras.

— Je préférerais que tu restes avec D2 pour garder un œil sur les autres.

Jacen hésita.

— Je suppose que ça vaut mieux. Appelle-moi si tu as besoin d'aide.

— Ne t'en fais pas, répondit Mara.

Luke et elle sortirent par l'arrière du vaisseau. Inspirant à fond l'air frais de Zonama Sekot, Luke ferma les yeux un instant.

Nous y sommes enfin ! pensa-t-il.

Mara le rejoignit. Son expression reflétait le même émerveillement. Le ciel était d'un bleu électrique et la brise jouait avec les herbes. De petits nuages cachaient partiellement Mobus, le monde géant autour duquel Zonama Sekot orbitait. L'étoile du système formait un angle de vingt degrés avec la géante gazeuse.

Un endroit bien réel, se dit Luke, et regorgeant de vie… Il percevait sur ce monde un puissant potentiel de Force, comme si un orage psychique couvait. S'agissait-il de l'esprit de Zonama Sekot ? Etait-ce ce que Vergere avait capté quand la planète vivante avait accédé à la conscience, tant d'années auparavant ? Même sur Ithor, Luke n'avait jamais « vu » une faune et une flore se fondre en un tout aussi harmonieux.

Les deux indigènes approchèrent.

— Qui êtes-vous ? demanda la femme.

— Je m'appelle Luke Skywalker, et voilà mon épouse, Mara. Nous tenons à vous remercier de nous accueillir sur…

— Vous n'êtes pas les bienvenus, coupa sèchement l'homme.

Mara fronça les sourcils.

— Pourtant, vous nous avez donné les coordonnées pour…

— On nous l'a *ordonné*, précisa la femme.

— Votre vaisseau est le premier à atterrir sur Zonama depuis plus de cinquante ans, précisa l'homme. Sekot l'a souhaité, et nous obéissons.

— Vous parlez de *Zonama* et de *Sekot* comme si elles étaient deux entités séparées, remarqua Luke. Pourquoi ?

— Sekot est l'esprit, dit l'homme.

— Et Zonama est la planète, compléta sa compagne.

— Vous êtes donc des Zonamiens ?

— Nous sommes des Ferroans…

Se retournant, Luke découvrit une autre femme à la peau bleue. Celle-là était vêtue de noir.

Mara se mit en position de défense.

— Pardonnez-moi de vous avoir surpris, ajouta l'inconnue avec un léger sourire. Je ne vous veux aucun mal. Je suis la Magistère. L'intermédiaire entre Zonama et Sekot…

Sa peau bleu pâle ridée, ses cheveux noirs noués en queue-de-cheval, la femme irradiait une vitalité convenant mieux à une personne bien plus jeune qu'elle le semblait. Sa signature dans la Force était étrange – comme si Luke la percevait à travers une verrière brouillée par la pluie.

Les autres Ferroans s'inclinèrent poliment et reculèrent.

— J'en déduis que c'est à vous que nous devons parler, dit Luke.

— Si vous avez un message, il convient de me le transmettre, oui.

Luke avança.

— Il s'agit de ceux que vous combattiez, récemment. Nous les appelons les Yuuzhan Vong, mais je crois que vous les connaissez sous le nom d'Etrangers.

— Comment le savez-vous ?

— Un Chevalier Jedi qui est venu ici autrefois l'a raconté à mon neveu.

— Vous parlez de Vergere. Nous nous souvenons d'elle. Avec amitié.

— Vraiment ? fit Mara.

— Son histoire est bien connue parmi nous. Elle avait réussi à détourner de nous les Etrangers. Assez longtemps pour nous permettre de nous préparer à leur deuxième assaut. Comme vous l'avez vu, nous sommes maintenant capables de nous défendre.

— La démonstration dont nous avons été témoins était impressionnante.

— Le mot « démonstration » impliquerait que nous avons agi pour votre seul bénéfice, remarqua le Ferroan.

— Chut, Rowel, dit la Magistère. Ce sont nos invités.

— Non, intervint la Ferroanne, ce sont des intrus. Nous devrions les renvoyer et tout oublier à leur sujet.

— Nier la réalité ne résout aucun problème, Darak. Nous avons en vain tenté de tourner le dos à l'univers. En un seul jour, nous avons rencontré deux espèces qui s'étaient lancées à notre recherche…

— Magistère, coupa Darak, ces intrus veulent nous imposer des changements violents ! Nous vivons en paix depuis des dizaines d'années, et soudain nos cieux s'emplissent des feux de la guerre !

— Et ce n'est qu'un début, hélas, lança Luke.

— Vous êtes porteurs de mauvais présages, accusa Rowel.

— C'est toujours le cas, avec les Chevaliers Jedi, renchérit Darak.

— Un moment, dit Luke. Vous avez dit « Chevaliers »… D'autres Jedi sont-ils venus ici, à part Vergere ?

— Nous en avons reçu plus d'un au fil du temps, répondit la Magistère, non sans un coup d'œil réprobateur aux autres Ferroans. Par le passé, les Jedi furent nos amis et nos alliés. Pourquoi n'en irait-il plus de même, maintenant ?

— Il faut être prudents, conseilla Darak. Nous sommes *une* planète opposée à des millions d'autres.

— Personne n'est à l'abri, dit Luke. Vous ne pouvez pas éviter ce qui arrivera. L'attaque d'aujourd'hui l'a prouvé. C'est déplaisant, mais c'est la vérité. Nous ne colportons pas de mensonges.

— J'aimerais parler à votre neveu, dit la Magistère, pour échanger avec lui nos souvenirs de Vergere.

— Renvoyez-les ! siffla Darak. Ne les écoutez pas !

La Magistère éclata de rire.

— Voyons, mes amis, du calme ! Vous allez trop loin. (Elle se tourna vers Luke et Mara.) Pardonnez ce manque de respect. Leurs craintes ne sont pas injustifiées. Nous avons connu des moments difficiles par le passé, surtout pendant l'Errance, quand nous cherchions un nouveau foyer… Des temps difficiles avec leur lot de famines et d'épidémies… Il n'y avait plus eu de visiteurs sur Zonama depuis des lustres. Nous vivions en paix, et voilà que les conflits s'abattent de nouveau sur nous. Notre inquiétude est légitime.

— La nôtre aussi. L'incursion des Etrangers dans votre territoire était imprévue. Il faut en parler, et le plus tôt sera le mieux !

— N'ayez crainte, répondit la Magistère. Vos compagnons, qui sont en train de se réveiller, vont participer à notre débat.

— Vous devrez venir avec nous, dit Rowel.

— Où ? demanda Mara.

— Dans notre village, répondit Darak.

— D'accord. Indiquez-moi où c'est, et j'y poserai mon vaisseau.

— Impossible, assura Rowel.

— Et comment comptez-vous m'empêcher de… ?

— C'est fait, lâcha Rowel en désignant l'*Ombre de Jade*. Sekot s'en est occupée.

Mara en fut bouche bée. Le vaisseau était littéralement cloué sur place par les hautes herbes et les plantes grimpantes qui l'enveloppaient.

D'instinct, Mara sortit son sabre laser et l'activa. Luke la prit par le bras avant qu'elle n'aille plus loin.

— Doucement ! Si Sekot peut immobiliser un vaisseau, elle n'aura aucun mal à nous paralyser aussi. Nous ne sommes pas de taille contre une planète, mon amour.

Mara éteignit la lame, mais elle n'était pas ravie de la situation.

— Magistère…, commença Luke.

Il s'interrompit. La femme était partie sans qu'il le remarque. Pourtant, sa présence étrange dans la Force persistait.

Puis elle se dissipa soudain.

— Si vous voulez venir, dit Rowel, suivez-nous.

— Merci, répondit Luke. Mais sans l'*Ombre de Jade*, comment ferons-nous ?

La Ferroane désigna un sentier, entre les hautes herbes.

— Nous marcherons, grogna Darak.

Jaina atteignit le dock du *Sélonia* quelques secondes avant la foule. Le trajet, dans les rues d'Onadax, avait été dangereux. Afin d'éviter les incendies et les rixes, elle avait dû changer de direction plusieurs fois. Les semeurs de troubles avaient fait du bon boulot !

Deux gardes l'arrêtèrent devant le dock.

— Nous avons ordre d'interdire l'accès à ce vaisseau, dit un Sélonien.

— Ordre de qui ? demanda Jaina, consciente que les émeutiers la talonnaient.

— Ça ne vous regarde pas. Si vous voulez bien venir par là…

Jaina lut dans l'esprit du type qu'elle finirait menotée et assommée si elle obéissait.

— Vous n'avez pas besoin de m'arrêter, dit-elle, recourant à ses dons de Jedi pour influencer l'esprit du Sélonien. Je ne suis pas concernée par vos instructions.

— Pas la peine de l'arrêter, dit le garde à son collègue. Elle n'est pas concernée.

Jaina sourit.

— Je ferais mieux d'embarquer sans tarder. Je suis sûre que vous n'avez pas de temps à perdre à papoter avec moi.

— Dépêchez-vous, je vous prie. Nous n'avons pas que ça à faire !

Les gardes se poussèrent, lui donnant accès au *Sélonia*. Elle se hâta de saisir son code de sécurité. Le panneau s'ouvrit.

— Nous vous attendions, annonça Selwin Markota, le second de la capitaine Mayn. Nous sommes prêts à décoller.

— Bonne idée !

Markota, un homme robuste aux cheveux clairsemés, était un excellent administrateur, fiable en cas de problème. Son empressement soulignait l'ampleur de la crise.

La frégate décolla.

— Et mes parents ? En sécurité ?

— Ils sont déjà en orbite, attendant votre appel.

— Des signes de poursuite ?

— Pas pour le moment. A mon avis, c'était un avertissement. Quelqu'un voulait nous voir déguerpir, mais pas forcément nous éliminer.

— Les émeutes étaient trop réelles à mon goût, dit Jaina.

— C'est certain. Comme la plupart des communautés prospérant en marge de la loi, Onadax est une poudrière prête à s'enflammer au plus petit prétexte. Nous avons intercepté des informations locales sur l'agent que nous aurions envoyé. Des témoins l'ont vu quitter les lieux du « crime », il y a quelques heures. Sa description correspond à celle de Yan.

Jaina pensa que l'affaire du *Joe l'Epine* ne semblait pas assez grave pour déclencher ces émeutes. Mais connaissant son père…

Markota s'arrêta devant l'unité médicale où Tahiri avait été installée.

— On vous attend à l'intérieur, dit-il.

Dès que Jaina fut entrée, Jag se leva d'un bond et lui posa les mains sur les épaules.

— Quand nous avons décollé, je n'avais toujours pas de nouvelles de toi…, dit-il, embarrassé. Je suis heureux que tu sois revenue !

— Moi aussi, répondit Jaina.

Elle sourit et caressa brièvement la joue du jeune homme.

Il fit un pas de côté pour la laisser entrer dans la suite. Sur le lit, elle vit Tahiri pâle et comateuse, toujours dans la même position depuis Bakura. Hérissée de tubes et de câbles, elle avait les paupières rouges, et les lèvres sèches et craquelées.

— Désolé de vous interrompre, dit Solo.

Sa voix sortait de l'unité com de la pièce.

— Papa ? Je n'avais pas compris qu'il y avait une communication en cours… Maman est avec toi ?

— Me voilà, Jaina, confirma sa mère.

— Je suis sacrément contente de vous entendre !

— Et nous donc ! renchérit Yan.

Jaina s'assit au bord du lit et prit la main de Tahiri.

— Désolée que les choses n'aient pas marché comme prévu…

— Ça dépend, fit Leia.

— De quoi ? Vous avez trouvé le Ryn ?

— Pas exactement…

— Comment ça ?

— Eh bien, nous avons eu des nouvelles, mais pas de celui que nous attendions.

Jaina soupira, trop fatiguée pour jouer aux devinettes.

— Pourrait-on m'expliquer ce qui se passe ?

— En quittant Onadax, nous avons récupéré un passager, précisa Yan. Il voulait fuir les émeutes. Depuis qu'il est à bord, nous n'avons pas eu le temps de parler avec lui, mais je doute qu'il soit celui que nous cherchions.

— C'est bien un Ryn, ajouta Leia, mais il n'en sait pas long sur ce qui se passe.

— Et qui est-ce, exactement ?

— Droma, dit une voix typique de Ryn dans l'unité com. Ravi de vous parler, Jaina.

Jaina écarquilla les yeux de saisissement.

— Contente de… vous entendre, balbutia-t-elle.

— Je t'avais demandé d'attendre dans la soute ! râla Solo.

— Pourquoi, tu as peur que je vende tes secrets aux Vong ? répliqua le Ryn. Ne sois pas aussi parano !

— Ça n'a rien à voir avec la paranoïa, mais avec le respect de l'*intimité* !

Jaina entendit le soupir excédé de sa mère, comme si elle en avait déjà assez de les avoir tous les deux à bord.

— Dès que nous aurons atteint l'orbite, je vous rejoindrai, maman.

— A mon avis, tu es mieux là où tu es, répondit Leia. Mais si tu y tiens, je vais l'annoncer à ton père.

Jacen aida Danni à se relever. Il attendit qu'elle ait repris ses esprits. Agenouillé près de Saba et de Tekli, son oncle les réveillait en douceur.

— Bienvenue à bord, dit Jacen.

— Combien de temps suis-je restée évanouie ? demanda Danni.

— Quelques heures.

— Et… nous sommes arrivés ?

— Oui, répondit Jacen avec un grand sourire. Viens t'en rendre compte par toi-même.

La sentant toujours désorientée, il l'aida à gagner la poupe du vaisseau. Au bord de la rampe d'accès, la vue qui s'offrit à eux coupa le souffle de Jacen.

Des herbes hautes caressées par la brise ondulaient sous un ciel d'un bleu profond. L'air était parfumé par le pollen des plantes qui fleurissaient en abondance.

Ravi, Jacen inspira à fond.

Nous y sommes, pensa-t-il. *Nous sommes enfin sur Zonama Sekot !*

— Incroyable, n'est-ce pas ?

— J'ignore ce qui m'impressionne le plus, avoua Danni : la vue, ou le fait d'être sur une planète *pensante*…

— Ne t'en fais pas. Je suis sûr que les indigènes tempéreront ton enthousiasme.

— Les indigènes ? (Elle remarqua pour la première fois les deux êtres de grande taille qui se dressaient à quelques mètres sur leur gauche.) Pourquoi ? Quel est le problème ?

— Disons que notre arrivée ne les remplit pas de joie…, dit une autre voix.

Ils se tournèrent vers Mara, qui revenait vers eux.

— Que s'est-il passé ? demanda Danni. Ce sont eux qui nous ont assommés ?

Jacen et Mara lui exposèrent la situation : la bataille

spatiale, l'expédition yuuzhan vong, l'atterrissage de l'*Ombre de Jade* sur Zonama Sekot, et la rencontre avec la Magistère et les Ferroans, en terminant par l'immobilisation du vaisseau. Les herbes et les plantes semblaient déterminées à le garder en place.

— Et le *Faiseur de Veuves* ? demanda Danni.

— Il ne lui arrivera rien de fâcheux tant qu'il restera en orbite, lança le Ferroan qui arrivait derrière eux.

— Comment avez-vous fait ? demanda Danni. Avez-vous utilisé la Force ?

Sondant la planète, elle ne détecta pas un esprit, mais une *pression* phénoménale, similaire à celle qu'un être humain ressentirait au fond d'un océan – mais mentale, pas physique.

— Sekot dispose de nombreuses défenses, répondit le Ferroan.

Un grognement précéda l'arrivée de Soron Hegerty, que Luke aidait à marcher. Ils étaient suivis par Tekli et Saba. La Barabel gardait la main sur la poignée de son sabre laser. La chasseuse n'était pas disposée à se laisser distraire par la luxuriance du paysage.

— Une longue marche nous attend, ajouta la Ferroane.

— Pourquoi ? demanda Danni. Où allons-nous ?

— Nous vous expliquerons en chemin, répondit Luke.

— Les arbres de votre forêt sont-ils sans danger ? demanda Saba.

— Ce ne sont pas des arbres, répondit la Ferroane, mais des boras, et l'ensemble s'appelle un tampasi. Ils se défendent uniquement si on les attaque. Sachez-le.

Les deux Ferroans partirent à vive allure, sans rien ajouter. Aux visiteurs de se hâter ou de risquer d'être semés…

Luke se tourna vers la Chadra-fan.

— Tekli, tu veux bien rester dans l'*Ombre de Jade* pour le surveiller ?

La minuscule Jedi s'inclina.

— Comptez sur moi, maître Skywalker.

— Nous garderons nos comlinks ouverts en permanence, précisa Luke.

Après une dernière révérence, Tekli retourna au vaisseau.

— Tout le monde est prêt ? demanda Luke à ses compagnons.

— Avons-nous le choix ? fit Jacen en montrant les deux Ferroans qui disparaissaient rapidement.

— Comme je disais, conclut Mara, voilà des gens sacrément accueillants !

Jaina écouta avec intérêt l'histoire de Droma. Ses parents l'avaient déjà entendue, mais eux aussi écoutèrent. Leia attendait-elle que le Ryn se coupe ?

Après le sauvetage de sa sœur sur Fondor, Droma avait continué à errer de planète en planète avec sa famille, selon la coutume de son peuple. L'avancée des Yuuzhan Vong les avait d'abord forcés à bifurquer vers le Noyau, puis vers les régions limitrophes de la galaxie – des endroits plus sûrs.

Ils s'y étaient heurtés à un esprit de clocher exacerbé, à des sentiments anti-Jedi, à la guerre civile, et à d'autres signes de l'effondrement des infrastructures…

Droma et sa famille étaient à peine parvenus à surnager.

— C'est alors que nous avons entendu parler du réseau des Ryns, continua Droma, la queue tressautant comme pour souligner certains points du récit. Nous avions entendu parler du réseau organisé par les Jedi, mais nous n'étions pas taillés pour devenir des résistants. Les Ryns sont seulement des voyageurs aux dons particuliers. L'idée de les utiliser pour réunir des informations lors de nos voyages s'imposait…

— Jusque-là, nous avons rencontré deux membres de ce réseau : un sur Galantos, qui nous a sauvés d'un piège tendu par la Brigade de la Paix, et Goure, sur Bakura, qui nous a envoyés ici. Il nous a dit…

— … Que quelqu'un vous y attendrait, acheva Droma. Oui, ça leur ressemble.

Du regard, Jaina interrogea son père, qui haussa les épaules.

— Il a toujours agi ainsi. Il faut s'y faire.

Jaina se tourna vers Droma.

— Pouvez-vous nous aider à trouver le Ryn que nous étions censés rencontrer ?

— Je vous ai dit tout ce que je savais. J'étais venu proposer la candidature de ma famille. Nous voulions intégrer le réseau, en signe de reconnaissance envers ceux qui, sur Duro, nous avaient aidés sans exiger que nous renoncions à notre nature profonde. Jouer les héros ne m'intéresse pas. Je veux protéger mon clan. Plus nous aurons d'amis, moins nous serons inquiétés.

— Qu'est-il arrivé ? demanda Jaina.

— On m'a écouté, puis expliqué qu'il n'y a pas de poste libre dans l'organisation. Pas dans notre secteur, en tout cas. J'ai dit que nous étions prêts à nous déplacer, pourtant.

— Pourriez-vous…, commença Leia.

— … Identifier le Ryn en chef ? fit Droma. J'en doute. Il est plutôt… réservé. Et il a de bonnes raisons. Les Yuuzhan Vong ne doivent pas beaucoup apprécier les actions des Ryns.

— Vous ne pouvez donc rien nous dire de plus ? insista Jaina.

— Sinon, je le ferais, croyez-moi. Vous m'avez aidé en me permettant de fuir Onadax. Ça commençait à chauffer pour moi.

— Donc, vous ne savez rien, résuma Leia. Il nous a semblé qu'on essayait d'escamoter des preuves…

— … Des preuves de quoi ?

— De l'existence du Réseau, je suppose.

Droma haussa les épaules.

— Désolé, mais ce ne sont pas mes affaires. Si vous me déposiez dans le secteur de Juvex, je vous en serais très reconnaissant. De là, je rejoindrais les membres de ma famille.

— Si nous allons par là, pourquoi pas ? fit Yan.

— Que veux-tu dire par « si » ?

— Nous ignorons où nous nous dirigerons ensuite.

Droma le dévisagea comme s'il parlait gamorréen.

— Et Esfandia ? C'est bien là que vous allez, non ? Or, Juvex est sur le chemin.

— Esfandia ? fit Yan, sourcils froncés.

— Esfandia est un des deux petits centres de communication situés de l'autre côté de la galaxie, expliqua Leia. Il dessert la Bordure Extérieure. A l'origine, il y en avait un seul, Generis, mais le second a été créé au début de la guerre.

— Pourquoi voudrions-nous aller là-bas ? demanda Jaina.

— Vous ignorez ce qui est arrivé ? fit Droma, l'air réellement surpris.

— Oui, répondit Jaina. Quoi donc ?

— Lors de mon entrevue, j'ai capté un message par hasard… Le Ryn en chef ne fera rien, car il pensait que l'Alliance en avait déjà entendu parler par les voies officielles…

Tous les regards se rivèrent sur Droma.

— Vraiment, vous ignorez de quoi je parle ?

Jaina avança d'un pas vers lui.

— Oui. Et si vous êtes si habile à deviner ce que les gens ont sur le bout de la langue, alors vous savez que je suis sur le point de… !

— Jaina ! intervint sa mère.

Droma gloussa.

— Je vois qu'elle a hérité du « caractère Solo »…, dit-il.

— Tu ne sais pas à quel point, soupira Yan.

Le Ryn se tourna vers Jaina.

— Generis a été détruite par les Yuuzhan Vong, et Esfandia attaquée.

— Quand ? demanda Jaina.

— Hier, je crois.

— Quel rapport avec nous ? demanda Yan. Je connais ce

type de stations, le long de la Bordure Extérieure. Elle est probablement automatisée, avec un équipage minimal chargé de superviser les opérations. Si les Yuuzhan Vong l'ont attaquée, elle est déjà tombée.

— Cal Omas a amélioré ses défenses avant que nous partions. Elle résiste peut-être toujours.

— Et dans le cas contraire ? demanda Yan. Quelle importance, si nous perdons le contact avec une partie de la Bordure Extérieure ?

— Generis et Esfandia sont les seuls relais desservant les Régions Inconnues. Toutes les communications qui viennent de l'espace chiss ou qui y entrent passent par là.

Un lourd silence accueillit cette terrible nouvelle.

Ils marchaient depuis deux heures. Darak et Rowel avançaient en tête.

Ce n'était pas forcément un problème : il y avait assez à observer. Le tronc de chaque bora, un écosystème en miniature, abritait des dizaines de plantes et de champignons, grouillant de vie – insectes, lézards, arachnoïdes, oiseaux…

Danni s'était plainte, jugeant absurde d'avoir posé l'*Ombre de Jade* si loin de leur destination. Darak avait répliqué que leur vaisseau n'était pas autorisé près des zones habitées. Il risquait de nuire à l'écosystème de la planète.

Jacen le comprenait. Sa curiosité piquée par une remarque de Luke, il approcha de Darak.

— Mon oncle m'a dit que vous vous souveniez de Vergere…

— Il se trompe. J'étais une enfant quand elle est arrivée avec l'autre Jedi, et mon village se trouvait de l'autre côté de la planète.

L'autre Jedi…

La révélation stupéfia Jacen.

— Votre peuple, alors…, insista-t-il. Vous avez entendu parler d'elle.

— Oui. Dans des récits pour enfants.

Jacen ne se laissa pas démonter par le ton glacial de la Ferroane.

— J'ignore si vous le savez, mais les Jedi ont failli être éliminés, il y a cinquante ans. Ceux qui sont venus ici devaient être formés selon les anciennes coutumes. Si nous pouvions en apprendre davantage à leur sujet…

— Ils n'étaient pas tous formés, dit Rowel. L'un d'eux était un apprenti. Fort, à sa manière, mais sans raffinement.

— Que leur est-il arrivé ?

— Nous sommes des guides, rappela Darak sèchement. Pas des historiens.

— Je sais, mais…

Jacen s'interrompit, distrait par une ombre qui passa au-dessus d'eux.

— Qu'était-ce ? demanda-t-il.

— Un kybo, répondit Rowel. Leurs champs sont tout près.

— Sont-ils dangereux ? demanda Mara.

— Non, assura la Ferroane. Ce sont des dirigeables.

Un instant plus tard, ils sortirent du tampasi, débouchant dans une vaste clairière. Au-dessus d'eux flottaient cinq grands dirigeables.

Des câbles fixés à des racines arrimaient au sol chaque kybo et des gondoles en forme de balle étaient attachées sous leur ventre.

Au-dessus des boras, Jacen vit trois nouveaux vaisseaux. Un autre atterrit au bout du champ.

L'air très industrieux, une trentaine de Ferroans travaillaient dans le secteur, transportant des paniers ou fixant des lignes.

— N'aurions-nous pas pu venir à bord d'un de ces vaisseaux ? demanda Danni.

— Ce ne sont pas des transporteurs, répondit Darak, mais des moissonneurs. Ils récupèrent des produits, au sommet des boras.

Luke, Mara, Saba et Soron arrivèrent dans la clairière, puis approchèrent d'un technicien qui réparait la gondole d'un dirigeable. Le ballon flottait au-dessus d'eux, tirant sur ses lignes d'amarrage.

Jacen ne craignit pas de se placer sous le dirigeable, composé de dizaines de ballons. Pour que le vaisseau tombe, il aurait fallu que tous les ballons crèvent simultanément – un événement peu probable.

Dans la gondole, il faisait sombre. Jacen vit des bancs et de grands paniers en osier, sans doute prévus pour contenir des fruits. Les cloisons étaient humides et côtelées comme du velours. Voyager dans un de ces vaisseaux devait faire penser au ventre d'un whaladon géant.

— Vous êtes son pilote ? demanda Luke au technicien.

— Je m'appelle Kroj'b et je suis son compagnon.

— Son compagnon ? répéta Mara.

— Nous avons une relation symbiotique.

Jacen comprit alors que le dirigeable n'était pas un ballon, mais une créature vivante.

— Comment s'appelle-t-elle ? demanda-t-il.

Kroj'b sourit.

— Elégance Enchâssée.

— C'est un beau nom. Il me plaît.

— On se passera de votre approbation ! lança sèchement Rowel. Venez, maintenant. Il reste un long chemin à faire, et Darak n'attendra pas.

Rowel emboîta le pas à sa compagne, sans vérifier si les étrangers le suivaient. Jacen aurait aimé parler encore avec le « compagnon » du kybo, mais pour atteindre leur destination, ils devaient obéir à Rowel et Darak.

Danni se rapprocha de Jacen.

— C'est incroyable, non ? On dirait que la vie bruisse partout autour de nous !

Jacen regarda un kybo planer au sommet des boras.

— Ça me donne le sentiment d'être tout petit, avoua-t-il.

Et cette idée ne le perturbait pas...

A bord du *Sélonia*, Jaina resta assise à côté de Tahiri pendant le long saut hyperspatial à travers la galaxie. Tandis que Jag se dégourdissait les ailes à la tête de l'escadron, elle montait la garde à côté de son amie. Sur le plan médical, l'état de Tahiri restait stable, mais son amie n'était pas convaincue. Si la jeune femme semblait aller bien, Jaina percevait une perturbation psychique qui s'aggravait avec le temps.

— Vous ne le sentez pas ? demanda-t-elle à Dantos Vigos, l'officier médical en chef du *Sélonia*, un Duro solennel. On dirait qu'un feu couve en elle…

Sur le front de Tahiri, les cicatrices étaient enflammées.

Vigos regarda les enregistrements.

— Elle ne semble pas avoir de température.

— Je ne parle pas de son corps, mais d'*elle*.

Vigos ne comprit pas de quoi Jaina parlait.

— Je crains qu'elle ne tombe bientôt à court de carburant. Que lui arrivera-t-il, alors ?

Elle aurait voulu avoir sous la main son oncle Luke, sa tante Mara, ou Cilghal. Eux auraient su quoi faire…

— Jaina… (La Jedi releva la tête.) Je peux vous apporter quelque chose ?

Elle refusa d'un signe. Vigos lui tapota l'épaule et repartit, la laissant seule avec Tahiri. Elle aurait aimé aider son amie, mais personne n'y pouvait rien, excepté rester à côté d'elle et… la regarder décliner.

Non !

Jaina refusait de baisser les bras. Elle ne laisserait pas Riina l'emporter.

Mais que faire ? Tahiri livrait une bataille acharnée contre la personnalité yuuzhan vong que tout le monde, après Yavin 4, avait cru éradiquée…

Impossible de contacter le *Faucon* ou Soleils Jumeaux pour demander conseil. Tant qu'ils seraient dans l'hyperespace, Jaina était seule.

Elle resta une heure, étudiant les possibilités d'action… Elle tenait la main de Tahiri, sentant la Force quitter peu à peu la jeune femme.

Elle décline, je le sens. Même si ses signes vitaux sont stables…

— Quel est notre temps d'arrivée estimé ? demanda-t-elle à la capitaine Mayn, par le comlink.

— Deux heures avant que nous soyons à portée de détecteur d'Esfandia. Nous sommes dans les temps.

Deux heures…

Ça suffirait peut-être pour faire une différence.

Jaina ferma les yeux, et se concentra sur la fusion mentale que les jeunes Chevaliers Jedi utilisaient pour partager leurs forces au combat. Si Tahiri était en train de perdre la bataille, peut-être lui fallait-il seulement du renfort…

Tahiri sentit quelque chose passer au-dessus d'elle, comme si une vague l'avait submergée… Elle refusa de se laisser distraire, de peur de donner à Riina l'avantage dans leur duel. Son univers était réduit à ces yeux verts et aux bourdonnements de leurs sabres laser frappant en parfaite synchronisation… La fatigue l'accablait, mais elle n'abandonnerait pas. Elle ne céderait pas à l'usurpatrice sa place en ce monde.

Elle para.

Mais quelque chose avait changé. Et ses instincts lui soufflaient que ce serait dangereux. Elle ne pouvait pas se permettre de baisser sa garde.

Elle para de nouveau, puis exécuta une botte.

— *Tu as senti ça ?*

La voix venait de son adversaire, mais lui rappelait désagréablement la sienne.

— *Oui*, répondit-elle, esquivant un coup de sabre laser.

— *Sais-tu ce que c'était ?*

Tahiri perçut l'incertitude de Riina. Elle serra plus fort le pommeau de son arme.

— *Non*, répondit-elle en brandissant son sabre laser au-dessus de la tête de Riina…

… Qui bloqua aisément, comme si elle s'y était attendue.

— *Quelque chose vient*, murmura-t-elle.

Tahiri aurait voulu regarder autour d'elle. Mais pas question de quitter Riina des yeux.

Elle para.

Riina bondit hors de portée.

— *Nous pourrions combattre ensemble*, suggéra la Yuuzhan Vong.

Tahiri sentit un froid terrible l'envahir.

— *Pourquoi ferais-je ça ?*

— *C'est ça ou attendre qu'il nous descende, l'une après l'autre. Ça lui serait aussi facile que de chasser des scherkil hla.*

Tahiri reçut une image mentale de gros oiseaux incapables de voler, élevés comme source de protéine sur les vaisseaux-mondes yuuzhan vong… Elle se força à la repousser. Ces pensées et ces images n'avaient pas de place dans son esprit.

Elle lutta contre ses soupçons. S'allier à Riina ? Autant lui concéder tout de suite la victoire ! Seule l'intervention d'Anakin l'avait sauvée une première fois de cette personnalité étrangère. Elle ne pouvait plus compter sur lui, puisqu'il était…

Elle frissonna.

… *Mort.*

Anakin ne pourrait plus l'aider. Elle était seule.

Une voix cria son nom, comme venue de très loin…

— *Tu as entendu ?* demanda Riina. *La voix t'appelle. Elle me repousse.*

— *Pourquoi me veut-elle ?* demanda Tahiri, furieuse. *Pourquoi pas toi ?*

— *Je l'ignore*, répondit Riina, incertaine.

Elle recula d'un bond.

— *Tu sais qu'elle s'en prendra à toi, après !*

— *Au moins, je n'aurais plus besoin de me méfier de toi.*

La voix retentit de nouveau.

— *Tourner le dos à un ennemi n'est pas honorable*, dit Riina. *Ni très pratique !*

— *Je peux faire face à un seul ennemi à la fois !* répondit Tahiri, forçant Riina à reculer.

Poussée par la Force, elle se déplaçait avec grâce et efficacité. Cela lui rappelant Anakin, elle voulut chasser ses souvenirs. Elle redoubla d'efforts contre son ennemie. Face à face, sabres laser croisés, toutes deux s'immobilisèrent.

L'appel se rapprochait.

Tahiri se retourna. Les ténèbres les entouraient, Riina et elle, comme un brouillard. Mais un voile se dissipa, et une pâle lumière brilla à travers la fente.

— *Non ! Je ne te laisserai pas nous tuer !*

Riina poussa Tahiri sur le côté et s'enfonça dans le brouillard.

Surprise, Tahiri tomba, se releva d'un bond et la suivit. Elle ne voulait pas faire face aux ténèbres sans savoir de quoi il s'agissait, et pourquoi Riina en avait peur.

Je ne te laisserai pas nous tuer…

Les paroles de Riina la hantèrent tandis qu'elle courait dans l'obscurité, son nom résonnant derrière elle.

Pendant le vol vers Esfandia, Leia ne s'occupa pas des commandes. Lutter contre Yan et Droma était épuisant, et vain. Par moments, sans être les meilleurs amis du monde, ils semblaient au moins avoir des affinités. Depuis l'arrivée du Ryn à bord du *Faucon*, ils bavardaient à bâtons rompus, se racontant leurs aventures depuis leur séparation, sur Fondor. Quand Yan évoqua la mort d'Anakin, Droma quitta la passerelle pour chanter une complainte dans une langue que Leia ne comprenait pas. Puis il revint raconter un de ses exploits dans le secteur de Senex. L'histoire cocasse allégea l'atmosphère.

— Ils se sont mis à démonter le module du réservoir, déclara Yan.

— Qui était plein d'hydrogène liquide, disais-tu.

— Oui, mais détruire le module n'a pas arrêté l'hydrogène qui s'est répandu un peu plus, comme prévu.

— Mais pourquoi ? demanda Droma. L'hydrogène ne brûle pas, sans oxygène.

— C'est ce qu'avait affirmé Bâton d'Or. C'est ça, le problème des droïds : ils n'ont pas d'imagination. Quand nos boucliers ont commencé à faiblir, j'ai demandé à Leia et à Jacen de faire des trous dans la coque du croiseur avec nos quadrilasers. Et il y a rapidement eu assez d'oxygène pour que l'hydrogène réagisse ! Le croiseur a explosé si vite que nous avons eu du mal à éviter les débris. Les quelques skips que nous avons laissés derrière n'étaient plus en état de se battre.

— Ça se comprend. Une fois isolés de leurs yammosks, les vaisseaux vong ne sont plus bons à rien, paraît-il.

— Ils ne sont pas *totalement* hors service, mais ça nous donne un sacré avantage quand même.

— A propos de yammosks, j'ai entendu des histoires qui te feraient dresser les cheveux sur la tête !

Leia ne participait pas à la conversation, se concentrant sur les informations de Droma : la perte de communications avec les Régions Inconnues, probablement à cause de la destruction de Generis et de l'attaque d'Esfandia. Jadis, ce proto-monde flottant s'était détaché de l'étoile qui lui avait donné naissance. Il gardait en son centre assez de radioactivité pour avoir une atmosphère liquide. Ce n'était pas le plus hospitalier des mondes, mais peu importait. Il suffisait d'une petite équipe de dix personnes pour le maintenir en état de fonctionnement. Depuis que Luke avait abordé les Régions Inconnues, la présence militaire de l'Alliance Galactique dans le secteur était passée à deux escadrons d'ailes X et une frégate. On ignorait ce qui était arrivé à ces détachements. L'équipe du relais avait juste eu le temps de diffuser un message avertissant Mon Calamari qu'elle était attaquée par les Yuuzhan Vong. Puis les communications avaient été coupées.

Ce n'était pas forcément un signe de désastre. Adaptés aux conditions glaciales d'Esfandia, les véhicules impériaux de type AT-AT étaient capables de se déplacer à un rythme lent mais régulier. La station faisait ainsi le tour de la planète et entretenait les nombreux récepteurs hérissant sa surface, pendant que les techniciens restaient à l'abri à l'intérieur.

La base mobile s'était peut-être cachée dans une crevasse ou sous l'atmosphère. A condition de la repérer, la réactiver restait possible. A supposer que les Yuuzhan Vong ne l'aient pas trouvée les premiers, et détruite…

Leia explora mentalement l'espace et envoya ses pensées vers son frère. Le dernier message reçu par Cal Omas annonçait qu'il tenait une piste intéressante et partait voir de quoi il retournait. Mais sans préciser où il allait. Et maintenant, ils ne sauraient rien tant que le réseau des communications ne serait pas rétabli. Si quelque chose de terrible arrivait à son frère, Leia le *sentirait*, comme par le passé. En tout cas, elle restait très inquiète : tant de choses dépendaient de cette mission !

La conversation entre son époux et son vieil ami changea de sujet quand ils approchèrent de leur destination.

— Dans le mille, déclara fièrement Solo, se préparant à passer dans l'espace réel.

— Et on n'a même pas eu besoin de sortir et de pousser, badina Droma.

— Je suis mort de rire, grogna Yan. Et maintenant, que dirais-tu de déplacer ton amusante personne du siège de copilote, pour que Leia m'aide à quitter l'hyperespace ?

— Inutile, Yan, fit Leia. Je suis sûre que Droma sait se débrouiller.

Regarder Yan et Droma parler ensemble ne manquait pas d'intérêt. Le souvenir de l'époque où Yan s'était éloigné d'elle, après la mort de Chewbacca, blessait toujours Leia. Mais seul Droma en avait été témoin. Si revoir le Ryn rappelait cette période à Yan, il ne le montrait pas.

— Tu te souviens du fonctionnement de la console du copilote ?

— Suivre les ordres, et jurer si quelque chose va de travers, répondit Droma, souriant. Ce qui est invariablement le cas.

Solo affecta un air indigné.

— Mon navire est peut-être vieux, mais…

— Il a ce qu'il faut quand il faut, acheva le Ryn.

— Je t'ai déjà dit de ne pas faire ça !

Droma éclata de rire.

— Ce n'est pas l'âge du vaisseau qui m'inquiète, mais celui du pilote, ajouta-t-il en poussant des boutons.

L'ordinateur de navigation bipa. Ils émergèrent dans l'espace réel. Il n'y avait aucun soleil dans le secteur pour éclipser les étoiles. Le système habité le plus proche était à plus de dix années-lumière, et la première étoile, à cinq. Il n'y avait rien dans ce quadrant, excepté des milliards de kilomètres de poussière spatiale, et une minuscule planète nommée Esfandia.

En tout cas, elle était censée être là. Le *Sélonia* et l'escadron Soleils Jumeaux sortirent eux aussi de l'hyperespace, et Droma chercha la planète sur les détecteurs. Ceux du *Faucon*, de meilleure qualité que les appareils standard, ne tardèrent pas à repérer la cible. Elle était entourée d'épais nuages orange foncé – une couleur qui sembla artificielle à Leia, avant qu'elle détermine ce qui lui paraissait bizarre. La planète étant dépourvue de soleil, sa seule source de chaleur était son noyau. Sans orbite à suivre, elle n'avait pas de saisons, et donc pas de pôles ni d'équateur. Il faisait la même température partout.

Pourtant, il y avait des endroits chauds sur l'hémisphère – au moins six, et un autre se créa sous leurs yeux.

Droma examina de plus près la source des taches chaudes.

— Un bombardement, annonça-t-il. Quelqu'un envoie des mines.

— Pour éliminer les détecteurs, déduisit Leia. Les Yuuzhan Vong sont toujours là !

Yan analysa les écrans.

— Sept vaisseaux de grande taille tout près, et neuf

croiseurs… Pas beaucoup de skips autour, et aucun signe des défenses locales, ou de renforts de Mon Calamari.

— Je crois savoir pourquoi, lança Droma.

Leia comprit ce qu'il voulait dire. Les forces yuuzhan vong en orbite autour d'Esfandia étaient imposantes, surtout contre les deux escadrons et la frégate qu'Esfandia avait possédés.

— Je croyais que les ressources des Vong commençaient à se raréfier…

Yan grogna. Les lignes de communications se rouvrirent entre le *Faucon* et ses compagnons. Mayn et Jag demandaient des instructions.

— Dis-leur de rester en arrière pour le moment, ordonna Leia. On ne peut pas affronter tous ces vaisseaux. Ce serait un suicide.

— Mais on ne peut pas non plus repartir comme ça, objecta Yan.

— La base doit toujours être par là, sinon les Yuuzhan Vong ne perdraient pas leur temps à éliminer les détecteurs. Sans la base, les détecteurs ne servent à rien.

— Alors, que fait-on ? Ils vont nous repérer d'une seconde à l'autre…

— Dépassons les grands vaisseaux, et nous arriverons peut-être à entrer dans l'atmosphère puis à localiser la base avant l'ennemi.

— Et ensuite ? demanda Droma. Nous serions dans la même mouise que la base. Les Vong finiraient par nous trouver aussi.

Leia bouillait de frustration. S'ils étaient forcés de fuir Esfandia, ils pourraient peut-être bricoler un autre relais quelque part, pour rétablir le contact avec Mon Calamari.

Mais ça signifierait condamner l'équipe d'Esfandia à une mort certaine. Cela lui rappelait Gyndine, où ils avaient dû abandonner tant de gens.

Il doit y avoir une autre façon de procéder…

Les détecteurs bipèrent, annonçant des ondes hyperspatiales venues de l'autre côté de la planète.

— Des vaisseaux en approche, annonça Droma.

— On avait bien besoin de ça, grommela Yan. Nous devrions penser à battre en retraite…

— Un moment, dit Leia. Je doute que ce soient des Yuuzhan Vong. Envoie un signal urgent sur les fréquences impériales.

— Les fréquences impériales ? répéta Yan.

Puis il vit l'écran, et fit son fameux sourire en coin.

— Ma foi, je n'aurais jamais cru être un jour ravi de voir un destroyer stellaire !

Pas un, constata Leia, mais deux. Ils sortirent de l'hyperespace au-dessus d'Esfandia et déployèrent leurs chasseurs Tie, s'engageant aussitôt contre les forces Vong.

Leia ne reconnut pas tout de suite les destroyers, mais d'après les marques, sur leurs coques, ils avaient été récemment au combat.

L'unité com du *Faucon* bipa. Yan se hâta de répondre. C'était le Grand Amiral Gilad Pellaeon.

— J'aurais dû me douter que je trouverais le *Faucon* sur place. Vous êtes toujours là où il y a du grabuge !

— Ravie de vous entendre, Gilad, dit Leia, souriante.

— Pareil pour moi, princesse.

— Vous n'êtes pas à bord du *Chimaera*, ajouta Yan. Ce vaisseau à l'air trop vieux.

— C'est le *Droit de Gouverner*, répondit Pellaeon. Un des plus vieux navires de la flotte. Nous avons pourchassé ces misérables à travers la moitié de la galaxie. Hélas, nous les avons perdus au dernier saut. Voilà pourquoi nous arrivons seulement maintenant. Nos données sur vos stations lointaines sont fichtrement périmées.

— Moins bonnes que les leurs, visiblement, dit Leia.

— Nous voudrions que la chance tourne.

— Ravie de l'entendre.

— Vous vous joignez à nous ?

— A vos ordres, Grand Amiral, répondit Leia.

— Je vous assignerai bientôt des cibles. Le commandant Ansween vous les transmettra. (Il hésita.) Il est agréable de nous battre enfin à vos côtés, capitaine Solo.

Yan regarda Leia quand la communication fut coupée.

— Nous prenons les ordres d'un Impérial, maintenant ?

— Les choses ont changé. Il défend un atout majeur de l'Alliance Galactique. Tu ne crois pas que ça lui paraît étrange aussi ?

— J'imagine. Mais je n'ai jamais aimé recevoir des ordres – d'où qu'ils viennent. J'espère que cette nouvelle camaraderie ne lui fera pas croire que ça a changé.

— Je suis sûre que Pellaeon en a conscience, Yan, dit Leia avec un sourire.

L'unité com se réactiva. Une voix de femme en sortit.

— Votre cible primaire est le destroyer *Kur-hashan* qui abrite un yammosk. Les cibles secondaires sont ses vaisseaux de soutien. *Droit de Gouverner*, terminé.

Yan saisit le cap dans l'ordinateur.

— Vous avez entendu, *Sélonia* ?

— Oui, répondit la capitaine Mayn.

— Jag ?

— Soleils Jumeaux attend vos ordres, capitaine, répondit Jag d'une voix calme.

— Allons-nous faire ce que je pense que nous allons faire ? demanda Droma.

— C'est toi qui dis toujours ce que les gens pensent, répondit Yan. Alors ?

— Pas besoin d'être grand clerc pour voir que nous sommes en infériorité numérique. Il est agréable d'avoir de la compagnie, mais ça fait *deux* destroyers contre *seize* de ces horribles vaisseaux !

— Je sais, conclut Yan, souriant. Avoue néanmoins que ça pimente la situation !

DEUXIÈME PARTIE

CONFRONTATION

Du sang…

Ce fut la première chose que Nom Anor remarqua quand il sortit des souterrains de Yuuzhan'tar : l'odeur du sang.

Il inspira à fond et sourit.

Le Prophète et son entourage étaient de nouveau en action. Nom Anor, Shoon-mi et Kunra accompagnaient Ngaaluh, censée enquêter sur la corruption religieuse dans le secteur Vishtu de Yuuzhan'tar… Des officiels de tout niveau lui facilitaient le passage. Sa soudaine notoriété la précédait : qui était mieux placé qu'une prêtresse de la secte de la tromperie pour détecter la fourberie dans les couches les plus élevées de la société ?

Ngaaluh était accompagnée de nombreux assistants. Tous ignoraient qu'elle était en réalité la servante du corrupteur – celui-ci faisant partie de sa suite. Nom Anor avait adopté la personnalité d'un travailleur de bas étage, juste un cran au-dessus d'un Honteux. Il supervisait les vrrips à bagages, des bêtes à six pattes similaires à des bovidés, élevées dans le but de déplacer de lourdes charges. Ngaaluh avait emporté des archives et amenait cinq prisonniers pour interrogatoire. Nom Anor avait présidé au choix de ces prisonniers. Il s'agissait de candidats hérétiques trop instables pour être utiles à sa cause.

Anor leur avait fait croire que Yu'shaa les acceptait, leur débitant une série de mensonges et les envoyant répandre une version dévoyée de son « message »…

Toujours fidèles à Shimrra, et croyant exécuter sa volonté, les espions de Ngaaluh avaient capturé les hérétiques. Leur interrogatoire révélerait de terribles secrets sur les officiels du secteur Vishtu. Ils feraient sans le savoir le jeu de Nom Anor en répandant ces informations erronées.

— Halte !

A l'approche de l'entrée de l'enclave de commandement de Vishtu, Nom Anor fouetta ses vrrips pour qu'ils se mettent en ligne. Tout le monde s'arrêta. Rendus fous par l'odeur du sang, des insectes voletaient autour d'eux. Deux guerriers aux visages scarifiés gardaient l'entrée. L'un d'eux demanda l'autorisation d'accès de la caravane. Le premier assistant de Ngaaluh la lui tendit. Assise sur un siège décoré fixé sur le dos du plus grand vrrip, Ngaaluh regardait. Le garde vérifia plusieurs fois le document, puis grogna, mécontent. Nom Anor s'en étonna : c'était le seul élément authentique de toute la caravane !

L'assistant et le garde se disputèrent. Nom Anor tendit l'oreille. Du coin de l'œil, il vit Kunra. Méconnaissable sous son masque biologique, lui aussi affectait de travailler avec les vrrips.

Avant que Nom Anor puisse arriver assez près, un garde le frappa.

— Ça ne te concerne pas, travailleur. Recule !

Nom Anor baissa la tête, pour feindre l'obéissance, cacher tout dégât éventuel infligé à son masque ooglith – et surtout ne pas trahir sa colère.

Il *devait* contenir ses émotions ! Pour le moment, il était un serviteur, et il se comporterait comme tel. Quitte à laisser ses « supérieurs » le maltraiter…

Serrant les dents, il marmonna une excuse. Le garde se détourna.

— Tout va bien ? murmura Kunra.

Nom Anor vérifia son masque. Intact.

— J'ai connu pire…

Travailler avec Shimrra et sa coterie de déments l'avait

souvent exposé à des ennuis plus graves que celui-là…
L'idée qu'il rendrait bientôt la monnaie de leur pièce à ces
fous lui redonna du cœur au ventre. Il ne les épargnerait pas !

Après leur crise d'autorité, les gardes demandèrent enfin
l'ouverture. Autrefois artificielle, la porte avait été remplacée par un swarbirk, un organisme robuste qui pouvait, si
on l'attaquait, sécréter un gaz toxique et se régénérer à
grande vitesse. Il grogna quand ses gardiens le poussèrent,
laissant passer la caravane.

Le fouet de Nom Anor claqua et ses vrrips avancèrent
maladroitement. Craignant de faire naître des soupçons à
son sujet, il se concentrait sur ses bêtes.

L'expression de Ngaaluh ne changea pas, même quand
ils longèrent la mare où le swarbirk saignait. La créature
portait une dizaine de blessures. Nom Anor ne vit aucune
cause évidente aux lésions. Encore une des manifestations
du mauvais fonctionnement du cerveau-monde, sur
Yuuzhan'tar…

Il rit sous cape. Il y avait peut-être des avantages à vivre
dans les souterrains…

Ravi d'être enfin sorti de l'hyperespace, Jag ne perdit
pas de temps à discuter les ordres. Pendant que Pellaeon se
plaçait entre la planète et les Yuuzhan Vong pour les empêcher de continuer le bombardement, Jag conduisit son escadron vers le vaisseau de guerre *Kur-hashan*.

— Jumeaux Deux, prenez Six et Huit et attaquez le flanc
gauche. Trois, Cinq et Sept, le droit. Le reste, suivez-moi.

Parfaitement synchronisés, Jumeaux Quatre et Neuf se
placèrent de part et d'autre de Fel.

Jag commençait à ne plus faire de différence entre les
pilotes chiss et ceux qui venaient de l'Alliance Galactique.
Ils avaient passé assez de temps ensemble pour fonctionner
comme une véritable unité.

Les Yuuzhan Vong avaient remarqué qu'on les prenait en
tenaille. Des coraux skippers jaillirent du *Kur-hashan*. Les

analogues de croiseurs, rapides mais peu armés, contournèrent le vaisseau de grande taille pour affronter les attaquants. Le *Sélonia* s'orienta vers eux, ses canons lasers crachant du feu.

Le ciel obscur d'Esfandia s'illumina à cause des tirs des vaisseaux. Des éclairs jaillirent entre les bâtiments artificiels et organiques. La lumière éblouit Jag, qui vit l'univers à une échelle différente, comme si les plus grands vaisseaux étaient des quasars et les plus petits des amas galactiques – mais se déplaçant à une vitesse des millions de fois supérieure à la normale.

Tirant Jag de sa rêverie, un skip explosa à tribord. Le jeune homme se morigéna : au combat, il n'y avait pas de pitié pour les rêveurs…

— Faites attention à vous, chef…

C'était la pilote d'aile Y que Soleils Jumeaux avait recrutée sur Bakura. Elle avait prouvé sa valeur contre les Ssi-ruuk, et s'était proposée pour occuper une des places libres. Elle venait de pulvériser le skip qui menaçait Jag.

— Merci, Neuf. (Il visa un autre skip.) Il s'est glissé derrière moi sans que je le voie.

— Il y en a un autre sur vos arrières, Un, dit Quatre.

Jag exécuta une spirale serrée et sortit sur un vecteur différent. Il augmenta un peu le réglage de ses amortisseurs d'inertie avant de tirer sur un skip qui le dépassa avec une soudaineté alarmante. Son tir fut absorbé par un basal dovin. Le skip qui le suivait explosa.

— Merci infiniment, Quatre, dit-il.

— Vous auriez fait la même chose pour moi, répondit le pilote chiss.

— C'est sûr !

En temps ordinaire, Jag n'aurait pas toléré de bavardages entre ses pilotes. Mais, avec une équipe composée de membres de l'Alliance et de Chiss, un peu de relâchement aidait les pilotes à mieux fonctionner ensemble dans les circonstances les plus éprouvantes, comme celles-ci…

— Ne prenez pas de risques, ordonna-t-il à son escadron. Nous sommes là pour protéger le *Sélonia*. Avec le *Faucon*, nous sommes tout ce qui se dresse encore entre le *Kur-hashan* et lui.

— Bien reçu, Un, répondit Trois. Où est le *Faucon*, au fait ?

Jag consulta un écran, cherchant le cargo, assez difficile à repérer. Mais le temps pressait… La résistance des Yuuzhan Vong se renforçant, il se retrouva engagé dans trois combats simultanés. Souriant, il se concentra sur sa survie. Pour lui, rien n'était plus gratifiant que d'affronter un adversaire de valeur. Jusque-là, la flotte yuuzhan vong avait semblé désorganisée, ses adversaires éliminant les skips avec facilité. Mais cet avantage temporaire avait maintenant disparu.

Jag réfléchit aux failles de l'ennemi. Si Pellaeon traquait cette force, ça suggérait qu'il s'agissait de celle qui avait attaqué Bastion et Borosk dans l'espace impérial… Les Yuuzhan Vong avaient subi de lourdes pertes, et le rapport yammosk/chasseur avait sûrement baissé. Les pilotes de l'Alliance essayaient toujours d'éliminer la tête.

En attendant, les coraux skippers étaient aussi nombreux que des gouttes de pluie. A un contre un, les pilotes de l'Alliance Galactique, plus polyvalents, étaient meilleurs que les Yuuzhan Vong. Mais à un contre dix, Jag se sentait déjà beaucoup moins confiant…

Pendant que les Yuuzhan Vong défendaient leurs yammosks, ils ne bombardaient plus la planète. Quand Jag jeta un coup d'œil vers le bas, il vit le *Faucon*, profitant du calme relatif, entrer discrètement dans l'atmosphère d'Esfandia.

Jag eut à peine le temps de s'interroger sur les intentions de Yan et de Leia avant que le *Kur-hashan* lui bouche la vue.

Peu importe. Quoi qu'ils veuillent faire, nous le saurons bientôt…

Quand Ngaaluh fut installée dans ses appartements, Nom Anor et son entourage s'éclipsèrent, remplacés par trois Honteux qui servaient le Prophète, pour que personne ne remarque leur absence. Peu importait que leur aspect soit différent : personne ne regardait les Honteux de près.

Loin sous les quartiers de la prêtresse, accessible seulement par des passages secrets – et à grand renfort de mots de passe –, une série de sous-sols avaient été transformés selon les goûts d'un Yuuzhan Vong. Même la philosophie Jedi n'aurait pas pu convaincre un Vong de vivre dans un cercueil de matière inorganique. Nom Anor inspecta ses nouvelles salles d'audiences, les jugeant satisfaisantes. Elles étaient austères et sécurisées. Le fauteuil-trône occupait le centre, sur une estrade visible de tous pendant les sermons. Le rôle du Prophète était crucial. Il convenait de le jouer dans les règles – avait dit Nom Anor à Shoon-mi, gardant pour lui le sentiment de pouvoir que ça lui procurait.

Après un repas sur le pouce à base de chauve-souris-faucon crue, Nom Anor se retira dans une salle privée. La philosophie Jedi, évolutive, demandait à être constamment réévaluée et adaptée. Il fallait empêcher les fidèles d'agir précipitamment quand tout semblait aller bien, les encourager à persévérer après les échecs et équilibrer sans cesse les factions, les besoins et les objectifs divergents.

Les serviteurs que Nom Anor laissait derrière lui jouaient un rôle clé dans la traduction de ses volontés en actes. Certains avaient été choisis par Shoon-mi pour leur dévouement fanatique au Prophète, d'autre par Kunra pour leur clarté de raisonnement. D'autres encore avaient été sélectionnés par Nom Anor lui-même, qui avait décelé en eux une compréhension parfaite de la philosophie qu'il prônait. Ils servaient de « prophètes délégués » au nom de Yu'shaa, car il lui était matériellement impossible d'être partout à la fois. Et les hérétiques voulaient tant de réponses ! Quels étaient les buts du mouvement, en plus de la liberté pour les Honteux ? Ejecter Shimrra du trône de seigneur suprême était-il le but ultime, s'il refusait d'accepter leurs exigences ? L'hérésie Jedi remplacerait-elle la Grande Doctrine des Yuuzhan Vong ? Comment les dieux et les anciennes mœurs s'intégraient-ils à l'hérésie ?

Nom Anor en avait assez de toutes ces questions, mais elles étaient sa seule manière de progresser, voire de survivre. Rejeté par Shimrra, il n'avait plus que ce moyen d'arriver au pouvoir : l'Hérésie Jedi. Qu'il n'y croit pas lui-même importait peu. Mais il fallait que ses fidèles y croient, et c'était là que les prophètes délégués entraient en jeu.

La conspiration apporterait-elle vraiment la liberté aux Honteux, même de façon indirecte ? Nom Anor en doutait. Il utilisait simplement le mouvement pour nuire à ceux qui l'avaient destitué. Formé aux activités secrètes, même s'il avait surtout utilisé ses talents contre les infidèles, il pouvait tout aussi aisément les retourner contre ses semblables.

Parfois, au cœur de la nuit, il se demandait ce que l'avenir lui réservait. L'Hérésie Jedi réussirait-elle à lui rendre une place d'honneur dans la société, ainsi qu'aux Honteux ? Se perdrait-il derrière le masque de Yu'shaa le Prophète, pris au piège de l'apparence qu'il avait adoptée pour se libérer ?

Ngaaluh vint le rejoindre dès qu'elle le put, pour parler des développements récents, à la surface. La prêtresse sentait bon l'encens, mais elle était épuisée par sa journée, après avoir maintenu sa façade avec une diligence sans faille.

— J'ai reçu des nouvelles de la cour de Shimrra, dit-elle en s'asseyant avec un soupir de lassitude. Le haut prêtre Jakan a assuré le seigneur suprême que la chute de l'hérésie était imminente.

— Il est trop confiant en lui, ou c'est un imbécile, commenta Nom Anor.

Il ne portait pas de masque. Ngaaluh connaissait sa véritable identité, mais ça ne diminuait pas sa foi. Persuadée du bien-fondé de l'hérésie, elle ne doutait pas de pouvoir convertir un vieux requin comme l'ancien exécuteur.

— C'est un imbécile, dit Ngaaluh. Mais il a des plans.

— Comment Jakan entend-il se débarrasser de moi, cette fois ? demanda Nom Anor, amusé.

— Il veut mettre en place une interdiction totale d'accès aux niveaux inférieurs. Une fois évacué le personnel autorisé, il veut lâcher des rayons-épines sauvages dans les tunnels. Les modeleurs augmenteront leur mobilité, leur fécondité et leur appétit, pour qu'ils se reproduisent et tuent sans arrêt. Jakan a prédit que tout ce qui vit ici serait détruit en quelques semaines.

Nom Anor éclata de rire.

— Et qui détruira les rayons-épines ensuite ? Qui les empêchera de s'échapper et d'envahir les niveaux supérieurs ?

— Un autre plan consistait à inonder les tunnels de gaz corrosif, dit Ngaaluh. Mais le gaz risquait de ronger les fondations et de faire s'effondrer la planète sous nos pieds.

Nom Anor rit de nouveau.

— Je parierais que certains estimaient le risque acceptable… J'aime qu'ils en soient là. Ça montre que nous les inquiétons.

— J'en suis persuadée, maître. La force et la véracité de nos convictions les condamnent à l'échec. Ils ne peuvent pas nous détruire.

— Mais ça ne les décourage pas…

— Exact, maître. Je les arrêterai de mon mieux.

— Etes-vous parvenue à vous infiltrer dans les corridors de l'intendant Ash'ett ?

— Oui. Il est tel que vous l'aviez décrit, avide et égocentrique. Il débite des platitudes sur les anciens dieux et maudit les Jedi, mais il ne suivrait personne s'il en avait la possibilité. Il croit seulement en lui-même.

Une analyse pertinente, pensa Nom Anor, et qui lui aurait tout aussi bien convenu, si Ngaaluh avait su toute la vérité.

— Vous êtes donc d'accord : il doit disparaître.

— Une fois qu'il sera écarté, un sympathisant de notre cause lui succédera. Je placerai nos agents dans son équipe, et j'assurerai sa destruction.

— Excellent.

Le Prophète était ravi. Le préfet Ash'ett, son vieux rival, n'avait pas hésité à écraser ceux qui le gênaient – y compris Nom Anor. Comme beaucoup de ses anciens rivaux, sur Yuuzhan'tar, il s'était élevé dans la hiérarchie. Ce pouvoir aurait dû appartenir à Nom Anor. Mais Ash'ett paierait…

— J'ai identifié un autre être indigne, continua Nom Anor. Quand nous aurons terminé ici, nous irons à Gileng, où un certain Drosh Khalii s'est engraissé grâce à la guerre.

Ngaaluh eut un signe d'approbation.

— Le dur travail de la révolution est toujours à refaire, dit Nom Anor.

— Nous progressons, maître.

— En effet. Autre chose ?

— Oui, maître.

— Je vous écoute.

— J'ai entendu des rumeurs à la cour…

— C'est habituel…

— On y parle souvent des Régions Inconnues, comme les *Jeedai* les appellent. Les missions censées s'y dérouler n'ont pas de rapport avec les Chiss, mais avec autre chose.

— De quoi s'agit-il ?

— Je n'en suis pas sûre, maître. J'ai eu peu de détails.

— Des bavardages sans intérêt, trancha Nom Anor. J'ai déjà entendu ça cent fois…

— Moi aussi, maître. Mais ces rumeurs sont insistantes. Quelque chose se trame. Les ennemis de Shimrra s'agitent.

— Nous pourrions peut-être les utiliser à notre avantage, dans ce cas.

Tout ce qui pouvait distraire Shimrra de l'hérésie était bon à prendre.

— D'après une de ces rumeurs, une mission est revenue des Régions Inconnues après une très longue absence. A son retour, le commandant fut étonné de découvrir que nombre de ses officiers supérieurs avaient été remplacés.

Pas si étonnant que ça, pensa Nom Anor. L'espérance de vie des officiers décroissait à mesure qu'on se rapprochait du sommet de la hiérarchie.

— Continuez.

— Le commandant, Ekh'm Val, a sollicité une audience du seigneur suprême. Il s'est vanté d'avoir trouvé Zonama Sekot, la planète perdue.

— Zonama Sekot ? Mais c'est une légende !

— Pas d'après Ekh'm Val.

— Qu'est-il arrivé quand il en a parlé à Shimrra ?

— Je l'ignore. Il semble que le commandant Ekh'm Val ait disparu.

— Vraiment ? Peut-être a-t-il menti, et payé le prix de la félonie.

— Peut-être… Mais la rumeur persiste. Il peut y avoir du vrai.

— Pensez-vous que ce soit important ?

— Mon instinct me souffle que oui. Les *Jeedai* nous enseignent d'écouter ce genre d'intuition.

Nom Anor faillit lever les yeux au ciel.

— Bien. Alors, écoutez votre instinct. Et rapportez-moi tout ce que vous apprendrez d'important.

— Bien entendu. Je suis votre obéissante servante.

Ngaaluh lissa sa robe et attendit. Nom Anor lui lança un compliment comme un os à un chien.

— Vous faites de l'excellent travail, Ngaaluh. Votre don pour la tromperie est admirable.

Ngaaluh ricana.

— J'ai du mal à m'empêcher de hurler ma colère face aux atrocités que Shimrra commet contre la vérité.

— Nous sommes fiers de votre persévérance.

— Parfois, c'est difficile…

— Vous devriez vous reposer, dit Nom Anor.

Ngaaluh avait l'air épuisé – mentalement et physiquement. Lui aussi avait besoin de calme.

— Retournez dans vos appartements, et prenez une bonne nuit de sommeil.

Ngaaluh se leva péniblement.

— Notre bataille se déroule bien. J'ai bon espoir que nous arrivions bientôt à nos fins.

Il lui fit un sourire fatigué.

— Partez, maintenant, mon amie.

Ngaaluh s'inclina et quitta la pièce. Elle était à peine sortie qu'on frappa à la porte.

— Oui ?

Le Prophète attendait Kunra, mais Shoon-mi apparut.

— Pardonnez-moi, maître, de vous importuner à cette heure tardive.

Nom Anor fit un geste irrité.

— Qu'y a-t-il ?

— Je me demandais si je pouvais vous apporter quelque chose.

— Si c'était le cas, je t'aurais appelé.

— Comme vous n'avez pas réclamé votre dîner…

— Je n'avais pas faim, c'est simple. J'avais du travail.

Shoon-mi s'inclina.

— Pardonnez-moi, maître. J'avais seulement votre bien-être à l'esprit.

— J'apprécie, mais maintenant, je dois me reposer.

— Bien, maître.

Revenu près de la porte, Shoon-mi se retourna comme s'il avait oublié quelque chose.

— J'ai pris la liberté d'emporter votre masque pour le faire rafraîchir.

— Mon masque ?

Nom Anor regarda près de son lit, où le masque ooglith était normalement pendu. Le visage du Prophète avait disparu.

— Très bien, il commençait à se fatiguer. Bonne idée, Shoon-mi.

— Je vous le ferai rapporter demain matin, à temps pour votre première audience.

A l'idée de devoir recommencer si vite la ronde des audiences, la fatigue s'abattit sur Nom Anor. Il lui restait un long chemin à parcourir avant de redevenir libre…

— Désolé, maître, je bavarde alors que vous devriez vous reposer. Etes-vous sûr que je ne peux rien pour vous, avant que vous vous retiriez pour la nuit ?

— Non. Je t'appellerai au besoin.

Shoon-mi parti, Nom Anor verrouilla la porte pour ne plus être dérangé. Il entendit des murmures, Shoon-mi et Kunra paraissant se disputer.

Qu'ils se battent, pensa-t-il en allant s'allonger. *Ça les occupera…*

Il s'endormit rapidement, et rêva d'un Vong aux cicatrices pourrissantes. Deux implants mqaaq'it remplaçaient ses yeux, lui conférant un étrange air d'autorité. L'image gronda… Nom Anor se réveilla.

Le visage était un reflet du sien, mais il arborait les yeux de Shimrra… Frissonnant, Nom Anor tira les couvertures sur lui. Mais le sommeil s'obstina à le fuir.

Il resta éveillé jusqu'à l'aube.

— On y est presque, dit Yan, plongeant le *Faucon* dans l'atmosphère turbulente d'Esfandia.

Le vieux cargo fendait les gaz gelés avec toute la grâce d'un ronto.

Cramponnée aux accoudoirs de son siège, Leia aidait Yan de son mieux. Elle n'était jamais entrée dans une atmosphère aussi dense, à part celle d'une géante gazeuse. De plus, la chaleur du *Faucon* faisait exploser l'air glacial – sans parler des taches de chaleur laissées par les bombardements des Vong.

Leia doutait qu'Esfandia ait connu un tel apport d'énergie depuis des millénaires.

— On y est presque, répéta Yan, comme un mantra.

En fait, il parlait à son vaisseau plus qu'aux passagers…

Ils s'étaient glissés assez facilement le long de la flotte yuuzhan vong. Dans le feu de l'action, un vieux navire feignant de tomber en vrille n'attirait guère l'attention. Ensuite, il suffirait de se mettre à couvert sans trop changer de direction.

— C'est vraiment une de tes idées les plus farfelues, commenta Droma, agrippé aux deux sièges arrière pour ne pas perdre l'équilibre. Si c'est possible, tu es devenu encore plus casse-cou, depuis la dernière fois que je t'ai vu !

— Mais je pilote bien, non ? fit Yan en se concentrant.

— Jusque-là, oui, répondit Droma. (Il désigna la verrière.) Mais ça fait une sacrée quantité de boue, là dehors !

— Nous avons effectué un scan de la surface, assura Yan, très calme. On ne va pas se jeter contre une montagne !

— A nous de trouver la station, c'est ça ? demanda Droma, sarcastique.

— Ouais…

— Avant que quelqu'un ne nous lâche une bombe dessus…

— Ou qu'on nous suive jusqu'à la station, renchérit Leia.

Dans l'atmosphère glaciale de la planète, les moteurs du *Faucon* étaient aussi repérables qu'une nova.

— Il nous suffit de lancer quelques missiles à concussion en chemin, ricana Yan. Leurs signatures de chaleur perturberont les relevés de ceux qui nous observeraient éventuellement, en orbite. De plus, l'air chaud s'élève. Si nous nous enfonçons assez profondément, les couches supérieures nous dissimuleront.

— Tu en es sûr ? demanda Droma.

— Je parierais ma vie dessus.

— Et la mienne, fit le Ryn. C'est bien ce qui m'ennuie…

— Remets-t'en à moi, d'accord ? Je sais ce que je fais.

Leia serra plus forts les accoudoirs de son siège. Elle avait trop souvent entendu son mari dire ça…

— Et maintenant, continua Yan, où est cette fichue station, à votre avis ?

Leia regarda devant elle… Il n'y avait rien. Sur l'écran filait un brouillard orange. La carte radar suggérait un vaste bassin d'irrigation. Impossible ! L'eau n'avait jamais coulé sur Esfandia, excepté à l'intérieur de la base… Ces profondeurs glaciales n'avaient jamais connu la vie, et si le *Faucon* cessait de les protéger, ils seraient tous tués dès que…

Leia sursauta. Une tache orange vif en forme de fleur venait d'« éclore » sous ses yeux. Elle disparut aussi promptement.

— C'était quoi, ce truc ? demanda Droma, l'air aussi étonné que Leia.

— Je l'ignore, répondit Yan. Et je ne retournerai pas en arrière ! A l'est, il y a une série de canaux profondément encaissés. Je diminue notre vitesse pour voir ça de plus près. Quand nous serons au bord, Leia, envoie un missile pour couvrir nos traces, d'accord ?

— Combien de missiles avons-nous ? demanda Droma. Trouver la station demandera peut-être du temps…

— C'est une petite planète, dit Yan.

— Pas tant que ça. Et souviens-toi que les Vong ne sont pas loin.

— Alors, pressons ! s'exclama Yan. Tu es prête pour le missile, chérie ?

Sur la carte radar, Leia visa la masse orange et enclencha un minuteur programmé. Traçant un arc derrière lui, le missile disparut dans le lointain.

Yan rasa les murs du canyon, plongeant vers le bas. Leia aperçut deux autres objets bizarres en forme de fleurs. Qu'était-ce ? Des poches de gaz ? Des agglomérats cristallins ? Des amibes ? En tout cas, c'était fragile : à la poupe, Leia vit des traînées immatérielles bientôt dissipées par les émissions des moteurs du cargo.

Le fond du canyon arriva à une vitesse incroyable, mais la vue ne changea pas.

— Je coupe les moteurs principaux, annonça Yan. Nous revenons aux répulseurs.

Leia garda les yeux rivés sur les détecteurs, mais il n'y avait pas grand-chose à voir. Le fond du canyon était plus foncé et nu que le reste. Bien que légèrement plus élevée qu'ailleurs, la température restait très froide. La surface d'Esfandia ne verrait probablement jamais les étoiles. Son sol rocheux, peut-être composé de gaz carbonique gelé, était hérissé de formes étranges si fragiles qu'un simple rayon de soleil aurait suffi à les vaporiser.

— Vous voyez quelque chose, là dehors ? demanda Yan.

— Rien, souffla Droma. De quelle taille est cette base ?

— Cinquante mètres de côté, répondit Leia, sans compter les poteaux.

— Dans ce cas, on la remarquerait. Nous ne la verrions peut-être pas, mais nos détecteurs la repéreraient.

— Même enterrée, nous la remarquerions si nous étions tout près.

— Donc, elle n'est pas là, déduisit Solo. Du moins, pas dans ce canyon. (Il désigna un réseau plus grand, au sud de leur position présente.) Je suggère d'explorer là-bas. A moins que quelqu'un ait une meilleure idée…

Leia se sentit découragée. La base pouvait être n'importe où ! Ils pourraient la chercher des mois, sans jamais la trouver…

— Nous aurons peut-être de la chance, dit-elle pour se remonter le moral.

— Un moment, fit Droma. Il y a quelque chose sur les fréquences com… Augmentez le balayage.

Quand Yan obéit, un faible sifflement se fit entendre. Au début, Leia pensa à un bruit sans signification, puis elle écouta mieux.

— On dirait une communication numérique, dit Yan, lui enlevant les mots de la bouche.

— La base ?

— Je n'en suis pas sûr. Je n'arrive pas à me verrouiller dessus. Le signal semble venir de plusieurs endroits à la fois. Probablement des échos sur les parois du canyon…

— Mais c'est bien un signal ? demanda Droma.

Leia écouta.

— Je ne reconnais pas le protocole de transmission. Yan ?

— C'est du Kubazien pour moi. Où est Bâton d'Or ? Il pourrait traduire.

— Il s'est mis en veille pendant le voyage, répondit Droma. Il reste assis dans la soute avec vos deux gardes noghri. Ces trois-là ne sont pas très loquaces…

— Ne reste pas là à jacasser, Droma, dit Yan. Va le réveiller ! Et inutile d'être trop gentil avec lui : il sait qu'il ne devrait pas dormir à un moment pareil !

Leia n'était pas d'accord. Le droïd avait conscience qu'il y aurait des problèmes sur Esfandia. Elle ne lui en voulait pas de s'isoler un moment.

— Yan, tu crois que ça marchera ?

— Pendant que tout le monde est distrait, là-haut, ça vaut le coup d'essayer. Et si ces signaux viennent vraiment de la base…

Une tape, sur l'épaule, l'interrompit. Droma se pencha et désigna un écran de télémétrie.

— Regardez !

L'écran montrait la bataille spatiale, au-dessus d'eux. Un groupe de skips yuuzhan vong échappa aux chasseurs impériaux et plongea dans l'atmosphère d'Esfandia.

— On dirait qu'on a de la compagnie, commenta Yan.

Leia n'en fut pas étonnée. Il était logique que les Yuuzhan Vong essaient la même tactique qu'eux.

— Pourquoi rien n'est-il jamais facile, Leia ? demanda Yan.

Leia sourit.

— Si tout l'était, Yan, tu serais encore plus soupçonneux…

Autour de Saba, tout irradiait la vitalité. Chaque bouffée d'air lui transmettait la force primale de la planète, qui se répandait dans chacune de ses cellules. Dans le tampasi, autour d'elle, le cycle de la vie et de la mort était constamment en jeu. Des insectes iridescents glissaient de branche en branche, en quête du pollen des fleurs géantes. De temps à autre, d'élégantes créatures à six pattes sautaient des feuilles pour les gober avec leurs longues langues luisantes. A leur tour, ces créatures étaient mangées par des oiseaux translucides à longues plumes qui apparaissaient parfois entre les boras en poussant des cris aigus.

Saba ne s'en lassait pas. Elle aurait voulu *ingérer* ce monde entier et devenir une avec lui. A ses côtés, Soron Hegerty parlait des Ssither, une race saurienne qu'elle avait étudiée des années plus tôt, mais Saba l'écoutait à peine. Elle sortit de son brouillard quand une étrange obscurité l'enveloppa.

Elle leva la tête, et constata qu'il ne s'agissait pas d'un dirigeable, comme elle l'avait cru. L'obscurité était totale.

— C'est quoi ? demanda-t-elle.

— Mobus, répondit Soron Hegerty. Nous sommes passés dans sa zone d'ombre.

Saba comprit. Inutile de voir la géante gazeuse pour savoir que le soleil avait sombré derrière l'horizon.

— Nous appelons ce lieu le Sanctuaire, dit Rowel, ses yeux scintillant dans le crépuscule.

Le peuple de Zonama Sekot avait longtemps cherché un lieu sûr. Maintenant, les Ferroans étaient de nouveau envahis. Que ressentaient-ils ? Et quoi d'étonnant à ce qu'ils se montrent méfiants ?

Ils avancèrent dans le tampasi, aussi silencieux que le monde qui les entourait. Malgré l'obscurité, ils progressaient sans peine, car les branches des boras étaient éclairées par des insectes émettant une bioluminescence vert pâle. Saba retint son souffle : un nouvel écosystème s'anima devant elle quand les animaux diurnes laissèrent la place aux nocturnes.

Le soleil reparut une heure plus tard, alors qu'ils approchaient d'un village ferroan. Saba fut mélancolique à l'idée que leur voyage dans le tampasi s'achevait.

— Difficile d'imaginer que les boras deviennent si grands en si peu de temps, dit Jacen. Chez nous, il faudrait des milliers d'années pour qu'un arbre atteigne cette taille…

— Pourquoi votre monde mettrait-il si longtemps à vous donner ces trésors ? Quel serait l'intérêt d'attendre, si ses habitants n'avaient pas le temps d'apprécier sa beauté ?

Jacen sourit et Saba siffla doucement. Pour Rowel, les planètes étaient des créatures vivantes et pensantes, pas seulement des endroits où résider. Ce que la plupart des gens auraient trouvé normal était bizarre à ses yeux.

Darak les conduisit vers une série d'habitats en forme de champignons réunis à la base d'un bora. Chaque maison avait un pilier central haut de deux étages, et un toit qui descendait jusqu'au sol. Les murs étaient souples, un peu comme du caoutchouc, et les portes et les fenêtres avaient l'air d'avoir poussé, non d'avoir été taillées.

A cause de la ressemblance avec la technologie organique des Yuuzhan Vong, Saba se sentit mal à l'aise.

Darak les fit entrer dans la plus grande des habitations.

— Nous nous y retrouverons dans une heure, au coucher du soleil, dit-elle.

Darak et Rowel partirent, laissant les visiteurs s'installer.

Au rez-de-chaussée les attendaient des tables lestées d'assiettes pleines de nourriture. Le premier étage était accessible par un escalier en spirale, autour de la tige centrale.

— Fascinant, commenta Hegerty.

L'estomac de Saba gronda. Elle plongea une griffe dans un bol de substance blanche et la goûta.

— Alors ? demanda Danni.

— Ça ne semble pas empoisonné, répondit la Barabel.

— Si on nous avait voulu du mal, souligna Mara, je ne vois pas l'intérêt d'attendre que nous arrivions ici…

— Elle a raison, dit Luke. Nous tuer pendant notre évanouissement aurait été un jeu d'enfant.

Danni goûta le contenu d'un autre bol : des sortes de noix vertes.

— C'est bon, dit-elle.

Jacen, Mara et Hegerty les rejoignirent autour de la table.

— Il est clair que les choses ont changé depuis le séjour de Vergere, ajouta Luke. Soyons prudents. Et préparons-nous à la rencontre de tout à l'heure.

Saba trouva difficile de contenir son excitation. Ils étaient sur Zonama Sekot ! Ils avaient atteint l'endroit indiqué par Vergere, une planète qui serait peut-être la clé de la victoire sur les Yuuzhan Vong !

Mais que les Vong aient aussi trouvé la planète n'était pas bon signe… Saba se consola. Ils n'étaient pas prisonniers, et il n'y avait pas de gardes, dehors.

Cela dit, la sécurité ne voulait peut-être plus dire grand-chose sur une planète qui pouvait surveiller tout ce qui se passait à sa surface…

Jacen allait prendre encore un peu de nourriture quand il remarqua trois enfants, sur le seuil de la porte. Ils disparurent avec un gloussement dès qu'ils se surent repérés.

— Il est agréable de voir que tous les Ferroans ne nous méprisent pas, commenta Mara.

Jacen allait répondre, mais Saba grogna.

— Qu'y a-t-il ? demanda Mara.

— C'est étrange…, répondit Saba. Je perçois Sekot à la surface, mais aussi dessous.

— Moi aussi, renchérit Jacen. Je perçois de la vie autour de nous, mais également dessus et dessous.

— Dans des salles souterraines ? demanda Mara.

— Non. Dans la roche elle-même.

— Ça n'est pas aussi absurde qu'il y semble, dit Danni.

Certaines espèces de bactéries peuvent survivre très longtemps à d'immenses profondeurs.

— Ce qui expliquerait le système de défense planétaire
que nous avons vu à l'œuvre, déduisit Jacen.

— De quelle façon ? demanda Hegerty.

— Vergere avait parlé d'usines biologiques fabriquant
des vaisseaux spatiaux, rappela Jacen. Sekot a trouvé le
moyen d'utiliser la technologie que les Ferroans ont appor-
tée avec eux en colonisant ce monde, avant qu'il accède à
la conscience. Depuis, la vie s'est infiltrée dans la croûte de
la planète, et peut-être plus profondément. Sekot peut probablement manipuler toute la planète.

— Par exemple, construire d'immenses moteurs à
hyperpropulsion…, dit Hegerty.

— Oui, confirma Jacen, et aussi permettre à la surface
de tenir le coup pendant de longs sauts hyperspatiaux, ou
infléchir les champs magnétiques à volonté. Sinon, le sol
de la planète aurait été entièrement stérilisé.

— Ce que j'aimerais savoir, intervint Mara, c'est d'où
vient Sekot. Si la vie peut évoluer ainsi naturellement,
pourquoi toutes les planètes ne parlent-elles pas ?

Une question difficile.

— La réponse est peut-être à chercher du côté des
Ferroans, suggéra Hegerty.

— Je ne perçois rien de radicalement différent à leur
sujet, dit Luke. Ils sont réglés sur les champs vitaux de la
planète, mais pas à un niveau symbiotique. Cela arriverait à
tout être né et élevé dans un environnement aussi présent
dans la Force que l'est Zonama Sekot.

— S'il s'agit d'une mutation très improbable, ça expliquerait pourquoi elle s'est produite une seule fois, dit
Danni.

— Oui… Je suis sûr que la Magistère pourra nous apporter des éclaircissements.

— On dirait que tu t'es fait une amie, ajouta Mara en
désignant une fillette.

Revenue près de l'entrée, l'enfant regardait Jacen.

Quand il se tourna vers elle, elle lui fit un signe de la main, puis recula.

Il sortit et la repéra près d'un bora.

— Où sont tes amis ? demanda-t-il.

— Ils ont peur, répondit la fillette.

— Ils n'ont pas de raison. (Il tendit la main.) Tu vois ?

— Et ton sabre laser ?

Jacen fut étonné, mais essaya de ne pas le montrer.

— Tu connais les sabres laser ?

— Oui.

— Sais-tu aussi que je suis un Jedi ?

— Les anciens racontent des histoires à votre sujet.

— Que disent-elles ?

La gamine hésita, apparemment inquiète.

— De quelle couleur est le tien ?

— Quelle couleur ? Oh, mon sabre laser ! Tu veux le voir ?

Elle secoua la tête.

— Non ! C'est dangereux !

— Pas entre de bonnes mains. Je ne te ferai jamais de mal, ni à personne ici.

— Les Chevaliers Jedi ont d'autres moyens de faire du mal.

— Que veux-tu dire ?

— Anakin a tué l'Egorgeur sans sabre laser.

Jacen sursauta.

Des mots bizarres… Comment son frère avait-il pu venir sur Zonama Sekot sans qu'il le sache ? A moins qu'il se soit manifesté sous forme de fantôme, comme le professeur de son oncle, maître Kenobi…

— Dis-moi, demanda-t-il doucement, gardant son calme, quel était le nom de l'autre Jedi, celui qui est venu avec Anakin ?

— Obi-Wan Kenobi.

L'enfant le regarda comme s'il était idiot.

— Tescia ! cria une femme. Que fais-tu ? Je t'ai dit de ne pas approcher !

Effrayée, la petite fille détala.

Jacen la regarda disparaître à l'intérieur d'une maison. Le cœur lourd, il rentra raconter à ses compagnons ce qu'il venait d'apprendre.

Sur la passerelle du *Droit de Gouverner*, Gilad Pellaeon assistait à la bataille, qui se déroulait aussi bien que possible. La flotte yuuzhan vong qu'il pourchassait s'était jetée sur Generis avec une fureur sans pareille. Il s'était aperçu de ses intentions en consultant d'anciens rapports des renseignements, apprenant ainsi que Generis était un relais de communication entre les Régions Inconnues et le Noyau. Prises au dépourvu, les forces impériales n'avaient pas pu faire grand-chose, et Generis avait été détruite. Les Yuuzhan Vong étaient aussitôt partis pour Esfandia.

Le commandant chargé de la retraite, B'shith Vorrik, n'était pas un stratège consommé. Il y avait peu de chance qu'il ait tendu un piège à ses ennemis. Et il était peu probable que la disparition de Luke Skywalker dans les Régions Inconnues soit liée à l'attaque. Comment Vorrik aurait-il appris la mission de Luke ?

En attendant, Pellaeon avait l'occasion de répondre à l'insulte des Vong – la destruction du relais…

— Surveillez le flanc nord, ordonna-t-il à ses officiers en désignant le secteur du champ de bataille où les Yuuzhan Vong avaient réussi à se regrouper. Envoyez tout de suite un brouilleur de yammosk !

Il ne s'attendait pas à gagner, mais il entendait infliger le plus de dégâts possibles à Vorrik, pour se laisser le temps de récupérer le matériel et l'équipage du relais. Si les techniciens étaient encore en vie, il les retrouverait.

Il ne partirait pas avant d'être sûr.

— Passez-moi Leia Organa Solo, demanda-t-il.

102

— Le *Faucon Millenium* n'est plus sur nos écrans, monsieur.

— Détruit ? demanda Pellaeon.

— Non. Il est entré dans l'atmosphère. Enfin, nous le supposons. Il descendait vers le pôle sud.

Le *Faucon* volait donc du côté où la bataille était la moins féroce – en bonne position pour éviter d'être repéré par l'ennemi. Que mijotaient les Solo ?

— Passez-moi le commandant de la frégate de l'Alliance Galactique.

— A vos ordres, répondit l'hologramme de Todra Mayn.

L'attitude guindée de la femme fit comprendre à Pellaeon que l'ancienne inimitié entre la Nouvelle République et l'Empire n'avait pas entièrement disparu.

— J'ai une mission pour votre groupe d'attaque, dit-il. Pouvez-vous vous passer de trois chasseurs ?

— Si vous le demandez, monsieur.

— Mais ça vous déplaît ?

— Pour être franche, Grand Amiral, nous infligeons pas mal de dégâts à leur vaisseau de guerre. Avec un demi-escadron pour nous couvrir, je ne suis pas sûre que nous puissions continuer…

— Ne vous en faites pas, je vous donnerai des renforts.

Pellaeon demanda à un officier d'affecter un escadron de Tie au *Sélonia*. Puis il s'adressa de nouveau à Mayn.

— Capitaine, pensez-vous que l'Alliance Galactique, les Chiss et l'Empire puissent travailler ensemble ?

— Nous le découvrirons bientôt. Je donne l'ordre au colonel Fel de prendre ses ordres directement auprès de vous.

— Parfait. Continuez, capitaine.

La femme salua, l'air un peu moins raide, et coupa la transmission.

— Connectez-moi au colonel Fel, ordonna Pellaeon.

— Jumeaux Un.

— Colonel, j'ai une mission pour trois de vos meilleurs pilotes. Le flanc nord ennemi résiste toujours. J'aimerais que vous renforciez le message que je m'apprête à lui envoyer.

— Oui, monsieur.

— Les Vong ont un yammosk, quelque part dans ce groupe. Nous n'avons pas pu approcher assez pour le repérer, mais nous y travaillons. Quand nous l'aurons localisé, j'aimerais que vous le distrayez. Pour qu'il ne puisse plus s'occuper de ses vaisseaux.

— Compris, monsieur. D'autres instructions ? Vecteur d'approche, attaques… ?

Pellaeon sourit.

— Non. Pourquoi ne pas me surprendre, colonel ?

Jag fronça les sourcils.

— Vous *surprendre*, monsieur ?

Jag aurait juré que le Grand Amiral avait gloussé. Mais c'était bien entendu impossible !

— Oui. Cela vous pose un problème, colonel ?

— Non, mais…

— Bien. Obéissez. Nous n'avons pas le temps de discuter !

La communication coupée, Jag en resta comme deux ronds de flan.

Surprendre le Grand Amiral… ?

Cette notion allait contre tout ce qu'on lui avait enseigné à l'Académie chiss. En principe, une défense coordonnée et logique était la seule façon d'assurer la victoire ! Si tous les pilotes suivaient leur instinct, la bataille dégénérait rapidement en foire d'empoigne.

Surprendre le Grand Amiral…

Un défi ! La façon dont Jag le relèverait prouverait sa valeur – mais aussi celle des forces de l'Alliance et des Chiss…

Et Jag avait déjà une petite idée de la meilleure manière d'aborder la question. A sa place, qu'aurait fait Jaina ?

Il y réfléchit tout en contactant Mayn pour l'informer qu'il laisserait Soleils Jumeaux entre les mains compétentes de Jumeaux Sept. Entraînant Jumeaux Quatre et Huit avec lui, il s'éloigna de la zone des combats aériens, autour du *Sélonia*.

Les forces impériales envoyaient des flots de télémétrie. Elles se battaient sur plusieurs fronts, cherchant à détourner les Yuuzhan Vong de la base de relais. Des débris de toutes sortes s'étaient accumulés dans l'espace. Certains tombaient dans l'atmosphère, constellant le ciel noir de traces brillantes.

Jag espéra que le *Faucon* saurait s'en abriter.

Surprendre le Grand Amiral…

Une corvette et un analogue de croiseur yuuzhan vong tournaient en orbite basse autour de la planète, sur le flanc nord. Le yammosk était probablement dans un de ces deux vaisseaux, défendus par des essaims de coraux skippers. A un contre quatre, les Tie essayaient d'enrayer la progression de leurs ennemis. Dès qu'ils se seraient organisés, l'*Inflexible*, le deuxième destroyer de Pellaeon, serait vulnérable sur ce flanc, ainsi que la planète et le relais. Et, si le relais tombait, la bataille n'aurait plus aucun sens…

Jag mesurait toute l'importance de ce secteur. Mais envoyer trois chasseurs contre une corvette, un croiseur et d'innombrables coraux skippers était de la folie pure. Qu'était-il censé faire ? Eperonner le croiseur ? Même s'il traversait le champ protecteur des basal dovins, que pourrait un seul petit chasseur contre un vaisseau de cette taille ?

Que ferait Jaina ? se redemanda-t-il.

Puis une idée lui vint. Absurde à souhait, elle semblait convenir parfaitement à la situation…

Ce n'était pas le genre de tactique qu'il aurait normalement employée, mais une solution pour le moins *surprenante*.

Il contacta Jumeaux Quatre, laissant délibérément de côté le formalisme chiss.

— Jocell, vous êtes d'humeur à livrer un duel ?

— Je ne suis pas sûre de ce que vous entendez par là, monsieur, mais je suis toujours prête à me battre.

— Il ne s'agira pas de n'importe quel duel, précisa Jag.

Sur le flanc nord, il repéra une canonnière vong agonisante, un côté brûlé, l'autre perdant rapidement sa chaleur dans le vide spatial. Elle se déplaçait en orbite elliptique, dans la direction qu'il souhaitait. Il s'en approcha, suivi par ses équipiers.

— Maintenant, il nous faut des skips.

— J'en déduis que vous avez quelque chose à l'esprit, monsieur ? demanda Enton Adelmaa'j – Jumeaux Huit.

— Oui, répondit Jag sans s'expliquer. Comportez-vous de façon normale, et ne soyez pas étonnés si je pars en vrille. Couvrez-moi, en vous assurant que personne ne me tire dessus pendant que je fais le mort.

— Comment saurons-nous que vous n'êtes pas *réellement* mort ?

— Au bout du compte, vous le verrez bien.

Jag vérifia ses calculs. Oui, ça pouvait marcher. Il n'avait pas l'habitude de se fier au hasard, mais pour une fois, il le ferait. Cette idée lui valut un frisson de plaisir. Ça surprendrait Pellaeon… et ça le surprenait déjà lui-même !

Il se dirigea vers des coraux skippers qui attaquaient un escadron impérial, et envoya ses pensées à Jaina. Ne contrôlant pas la Force, il doutait qu'elle l'entende, mais elle comprendrait. Il l'aurait juré.

Souhaite-moi bonne chance, Jaina !

Il se lança à l'attaque.

Jaina se débattait dans l'obscurité. N'ayant jamais connu de fusion mentale comme celle-là, elle croyait « nager » dans de la boue. Le centre de l'esprit de Tahiri, normalement brillant, était comme étouffé.

— Tahiri ?

Jaina chercha dans la « mélasse » la personnalité de son amie. Deux silhouettes se battaient dans le brouillard…

Jaina les vit courir, leurs sabres laser décrivant des traînées brillantes dans l'air. Elle reconnut l'endroit : le vaisseau-monde de Myrkr... là où Anakin avait été tué.

Des statues se dressaient alentour. L'atmosphère empestait la désolation et le chagrin. Dès le début de sa fusion mentale avec la jeune Jedi, Jaina avait été submergée par la douleur qui rongeait Tahiri depuis la mort d'Anakin.

Son paysage intérieur reflétait ce tourment.

Mais pas question de se laisser distraire. Jaina devait rester focalisée sur Tahiri, lui offrir sa force.

Seulement, à qui, de Riina ou de Tahiri, prêterait-elle ses ressources... ?

L'image inversée de Tahiri avait un regard brûlant de haine. Elle se battait contre Riina, oui, mais Jaina voyait toujours Tahiri à sa place, avec les cicatrices yuuzhan vong... La seule manière de les distinguer ? La main qui tenait le sabre laser : dans le monde réel, Tahiri était gauchère. Or, Riina tenait son arme de la main droite.

— Tahiri ? Tu m'entends ?

— *Grishna br'ok ukul-hai*, rugit une voix dans son esprit. *Hrrl osam'ga akren ju – akri vushta.*

— Je ne comprends pas, répondit Jaina.

Le visage déformé par la haine, une image de Tahiri surgit du néant. Jaina sursauta, se demandant une fois de plus si elle savait vraiment ce qu'elle faisait. La guérison psychique était le domaine de Cilghal, pas le sien. Elle avait de bonnes intentions, mais... ça ne suffisait pas.

C'est le moment de sortir d'ici, pensa-t-elle.

Mais elle ne parvint pas à briser la fusion. Elle était prisonnière d'un monde de cauchemar !

— *Ash'nagh urckuul urukh*, railla la voix de Riina. *Esh tiiri ahnakh !*

Voyant Tahiri pourchasser son double, Jaina étouffa un vif sentiment de frustration et de crainte. Elle devait intervenir ! Mais comment... ?

Les pensées de Luke auraient dû être ordonnées quand vint le moment de rencontrer la Magistère, mais ce n'était pas le cas. Depuis que Jacen lui avait rapporté les paroles de l'enfant ferroane, il y repensait sans arrêt.

Anakin a tué l'Egorgeur sans son sabre laser...

Il comprenait la confusion de Jacen en entendant ces mots. Au début, lui aussi avait cru que Tescia parlait d'Anakin Solo... Impossible – il l'avait vite compris. Son neveu n'était jamais venu dans les Régions Inconnues. La fillette parlait du *grand-père* du jeune homme, Anakin Skywalker. Avec Obi-Wan Kenobi, il était venu sur Zonama Sekot avant que la planète disparaisse dans les Régions Inconnues. Mais pourquoi étaient-ils venus là ? Pour chercher Vergere, ou s'approprier la technologie biologique de la planète ? Et que leur était-il arrivé ? Anakin avait-il tué l'Egorgeur en se servant du Côté Obscur ?

Luke trouvait difficile de penser à autre chose, et il y réfléchissait toujours quand Darak et Rowel vinrent leur dire que la réunion allait commencer.

Luke se laissa conduire jusqu'au point de rendez-vous. La nuit était tombée. Des boules bioluminescentes accrochées au bout de longues tiges éclairaient le tampasi.

Ils passèrent entre des rangées de boules avant d'atteindre une grande dépression en forme de cuvette. Des Ferroans – quatre hommes et huit femmes – étaient réunis en cercle autour de la Magistère. Elle seule s'inclina. Ses semblables toisaient les visiteurs avec une hostilité affichée.

Darak et Rowel les firent entrer dans la cuvette, puis la Magistère prit la parole d'une voix douce mais claire.

— Une fois de plus, les Jedi viennent à nous. Et comme toujours, vous nous apportez plus de questions que de réponses.

— Nous allons répondre à vos questions, dit Luke. Et nous aimerions également vous en poser.

Il se demanda pourquoi la Magistère semblait... différente. Sa présence dans la Force était puissante, mais bien moins que sur le terrain d'atterrissage. Cette différence le troubla, sans qu'il sache pourquoi.

La Ferroanne inclina la tête.

— Certains membres du conseil voudraient votre renvoi immédiat par Sekot. De votre propre aveu, vous nous apportez de mauvaises nouvelles. D'ailleurs, vous êtes une menace pour notre manière de vivre…

— Comment ça ? s'insurgea Jacen. Nous ne vous menaçons en rien et ne vous voulons aucun mal !

— A trois reprises, nous avons dû nous défendre, expliqua la Magistère. Or, chaque fois, les Jedi étaient présents. Vous comprendrez que nous nous demandions s'il existe un lien !

— Magistère, dit Luke, si ces attaques sont liées à notre présence, je vous assure que ce n'est pas voulu. Les Etrangers nous ont précédés et leur présence reste un mystère pour nous. Avec votre accord, nous pourrions peut-être vous aider à le résoudre.

— Comment ferions-nous, d'après vous ?

— Pour commencer, en communiquant. Comme je vous l'ai dit, nous venons vous parler de notre ennemi commun, que nous appelons les Yuuzhan Vong. C'est une longue histoire, mais je ne désespère pas de vous convaincre de notre sincérité.

La Magistère réfléchit. Luke perçut de nouveau une différence fondamentale entre leur première rencontre et celle-ci. La Magistère s'était montrée ouverte et curieuse au sujet des Jedi. Maintenant, elle semblait méfiante. Pourquoi ce brusque changement d'attitude ?

Arrivant à une décision, elle s'assit gracieusement sur le sol.

— Je m'appelle Jabitha. Nous vous écouterons.

Elle fit signe à Luke et à ses compagnons de s'asseoir aussi.

Les autres Ferroans restèrent debout.

— Sekot vous invite à parler librement, dit-elle.

Luke inspira à fond et commença son récit par l'invasion de Belkadan, pour terminer par la chute de Coruscant. Il parla des milliards de morts, dans la galaxie, essayant de transmettre ce qu'il avait éprouvé en voyant périr tout ce qu'il chérissait – non seulement le gouvernement qu'il avait contribué à fonder, mais les principes sur lesquels il était basé.

Il parla de la technologie biologique des Yuuzhan Vong, de leur philosophie basée sur la douleur et le sacrifice. Il décrivit la chute d'innombrables mondes, évoquant les plans échafaudés contre l'oppression, et l'espoir des Jedi d'empêcher les peuples de l'Alliance Galactique de commettre un génocide.

Il parla de son amour pour Ben, et de son souhait de voir son fils grandir dans une galaxie en paix.

— Quel rapport avec Zonama Sekot ? demanda Jabitha. Qu'est-ce qui vous a attirés ici, si loin de chez vous ?

— Mon professeur, Vergere, nous a dit que la réponse à nos problèmes se trouvait peut-être sur Zonama Sekot, répondit Jacen.

A son tour, il décrivit leurs recherches à travers les Régions Inconnues, sans oublier la défense de l'Empire et les conflits internes qui divisaient les territoires chiss. Il décrivit le chemin qu'ils avaient suivi pour localiser la planète errante. Comprendre enfin que Zonama Sekot s'était fait passer pour une lune, pas pour un monde avait été la clé de leur réussite.

Intriguée, Jabitha fronça les sourcils.

— Cela n'explique toujours pas pourquoi vous êtes là. Comment Vergere espérait-elle que nous vous aiderions ?

— C'est ce que nous venons découvrir, répondit Mara, contenant son impatience.

— Nous sommes *un* monde, avec une petite population, dit Jabitha. Que pourrions-nous contre les hordes que vous avez décrites ? Notre force majeure est la défense, pas l'offensive.

— Possible, fit Danni, mais si nous avions disposé dès

le début de vos forces défensives, nous aurions peut-être pu repousser les Yuuzhan Vong.

— A vous entendre, Zonama Sekot serait omnipotente ! Ce n'est pas le cas. Certes, elle a réussi à repousser les Etrangers, mais à quel prix ! Cette attaque l'a traumatisée. Nos défenses ne sont pas impénétrables. Sachez aussi que le conflit dont vous avez été témoin a beaucoup troublé Sekot, mentalement, sinon physiquement. La réapparition des Etrangers fut un grand choc. Sekot ne s'y attendait pas. Il n'y avait aucune raison de penser qu'ils rôdaient près de nous. Ils ont voulu nous étudier à notre insu, mais nos détecteurs sont puissants. Les défenses de Sekot s'activant, les Etrangers ont pris cela pour une agression. Et ils ont réagi en conséquence. Nous ignorons qui a porté le premier coup. Mais comme très souvent, la peur et l'incertitude ont déclenché les hostilités. Nous ne voulons pas nous laisser entraîner dans ce genre de spirale.

— Je comprends, dit Luke.

Il restait de nombreuses questions. Il avait cru que les Yuuzhan Vong avaient de nouveau ouvert le feu sur Zonama Sekot…

— Nous ne voulons pas faire courir davantage de risques à Sekot, mais vous devez avoir conscience que vous êtes déjà en danger. Les Yuuzhan Vong ont déjà localisé la planète à deux reprises, d'un bout à l'autre de la galaxie… Ce n'est pas un hasard. Ils vous recherchent. Si un seul vaisseau de leur flotte s'en tire indemne, ils reviendront en masse, et vous ne pourrez plus résister.

— Que devrions-nous faire ? s'écria la Magistère. Vous parlez des horreurs perpétrées par les Etrangers, de leur cruauté… Pourtant, n'êtes-vous pas vous-même en train de planifier leur extermination ? Ne souhaitez-vous pas les éradiquer ?

— Absolument pas, trancha Luke. Nous nous sommes même battus pour éviter que ça arrive, ajouta-t-il, se souvenant du virus Rouge Alpha.

— Les Yuuzhan Vong ne sont pas tous des guerriers sanguinaires, intervint Jacen. Il y a des femmes, des enfants, des esclaves, des parias, des scientifiques et des travailleurs. Autant que nous, ils ont droit à la vie.

— Alors, pourquoi être venus ici ? Quelle aide pouvons-nous vous apporter ?

— Nous devons travailler ensemble à le découvrir.

— Nous *devons* ? répéta Jabitha. C'est vrai, chacun a droit à la vie et à son libre arbitre… Sekot a décidé de s'isoler de la galaxie quand nos tentatives de commercer en paix se sont heurtées à des agressions. Pourquoi devrions-nous souffrir au nom de ceux qui n'ont pas eu le courage de se libérer eux-mêmes du joug de l'oppression ?

— Parce que la Force vivante l'exige, répondit Jacen.

Jabitha le foudroya du regard.

— Vous osez parler au nom de la Force ?

Le silence tomba sur l'assemblée.

Luke sentit que la situation leur échappait.

Avec l'espoir de retrouver les bonnes grâces de la Magistère, il essaya une autre approche.

— Vous dites que vous avez été attaqués trois fois. Nous sommes au courant de deux de ces offensives, lancées par les Yuuzhan Vong. Qu'en est-il de la troisième ?

— Elle fut lancée par les forces de la République, sous les ordres du commandant Tarkin.

Luke leva un sourcil. Un nom dont il se souvenait trop bien !

— C'est alors que vous avez décidé de fuir ?

— Oui.

— Et c'était la dernière visite des Jedi ? Après celle de Vergere ?

— Oui.

Luke crut sentir un adoucissement chez Jabitha. L'encouragement qu'il espérait…

— Parlez-moi d'eux, demanda-t-il. D'Anakin Skywalker et d'Obi-Wan Kenobi.

L'attente sembla durer une éternité.

— Ils étaient venus chercher Vergere, répondit enfin Jabitha. Les vaisseaux vivants que nous avions autrefois vendus à des clients triés sur le volet les intéressaient aussi. Se faisant passer pour des acheteurs potentiels, ils ont subi un test visant à déterminer s'ils feraient de bons partenaires pour un de nos vaisseaux. Le benjamin, Anakin, était un mystère pour nous. Pendant le rituel, trois partenaires-graines se lient au client pour former la base d'un nouveau vaisseau. Anakin en a attiré *douze* ! Son navire était vraiment magnifique. La Force étincelait en lui… Il a été brièvement mon ami.

— Vous l'avez rencontré ? demanda Luke, troublé.

— Il m'a sauvé la vie, répondit-elle. Et il m'a révélé la vérité sur mon père.

Luke se souvint soudain des paroles de Jacen.

— Et l'Egorgeur ?

— C'était un tueur chargé d'abattre Anakin. Il s'est servi de moi pour faire pression sur lui. Furieux, Anakin l'a tué par la seule force de son esprit. Jusqu'à cet instant, nous ignorions qu'une telle chose était possible.

— Elle l'est, confirma Luke, refoulant les émotions provoquées par les révélations sur son père. Mais tuer ainsi est mal. Le Côté Obscur est aussi séduisant que dangereux. Les Jedi n'ont jamais entériné son utilisation.

— Pourtant, Anakin y a recouru.

Luke se demanda comment s'expliquer.

— Ça lui a coûté cher, dit-il enfin.

— Vous êtes son fils, n'est-ce pas ? Je ne dis pas seulement ça à cause de votre nom. Il est en vous. (Elle se tourna vers Jacen.) Et en vous, aussi.

— Il était mon grand-père, confirma Jacen.

— A votre arrivée, Sekot a identifié les échos de mon ami… C'est en partie pour ça qu'il vous a été permis d'atterrir. Mais vous parlez des actes d'Anakin comme si c'étaient des erreurs. Nous ne nous souvenons pas de lui ainsi. Il

113

aimait notre monde, et nous ne vous laisserons pas ternir sa mémoire.

— Le Côté Obscur est le Côté Obscur, intervint Mara. Si vous aviez revu le père de Luke, vous ne prendriez plus sa défense aujourd'hui.

— Anakin a agi par bonté. C'est plus important pour nous que les moyens qu'il a utilisés. C'était encore un enfant, et il m'a sauvé la vie !

— Autrefois, j'ai abhorré tout ce que mon père représentait. Maintenant, je suis revenu à de meilleurs sentiments. Il m'a aussi sauvé la vie quand l'Empereur a voulu me tuer. Notre famille a gardé son nom. Si vous le permettez, je considérerai comme mon allié tout ami d'Anakin Skywalker. Mais l'ombre de Dark Vador, l'homme qu'il était devenu en cédant au Côté Obscur, pèse toujours sur nous. Nous avons longtemps et durement combattu son oppression, et nous refusons aujourd'hui de commettre la même erreur que lui pour vaincre les Yuuzhan Vong. Cela rendrait dérisoire tout ce que mon père a défendu au début et à la fin de sa vie.

Jabitha baissa la tête.

L'avait-il convaincue ?

— Il est tard, dit-elle. Vous avez fait un long voyage et vous devez être fatigués. Nous vous fournirons un abri pour la nuit.

— La réunion est terminée ?

— J'ai besoin de parler au Conseil, répondit Jabitha. (Debout en cercle, les Ferroans gardaient un visage fermé.) Nous déciderons s'il y a lieu de continuer ce débat.

— Alors, je vous conseille de bien réfléchir, dit Mara. Les Yuuzhan Vong ne respectent pas les traités, et ils ne font pas de prisonniers. S'ils s'emparent de cette galaxie, ils vous détruiront aussi. Peu importe que Sekot se croie très puissante, elle ne leur échappera pas éternellement. Et quand le désastre s'abattra sur vous, il sera trop tard pour vous chercher des alliés. Nous serons tous morts.

— Les paroles de ma femme sont brutales, mais justes, renchérit Luke. Si vous avez le moindre doute sur les motivations des Yuuzhan Vong, nous vous raconterons en détail les péripéties de cette guerre.

— Ce ne sera pas nécessaire, dit Jabitha. Nous pensons assez bien comprendre la nature de cet adversaire.

La Magistère semblait très fatiguée, et Luke fut de nouveau frappé par la différence flagrante entre leur première rencontre et cette entrevue. Elle avait été vive et pleine d'énergie… Elle semblait maintenant vidée de toutes ses forces.

— Nous reparlerons demain, conclut-elle en se levant.

Darak et Rowel reculèrent d'un pas, brisant le cercle. Luke aurait aimé rester, mais ce n'était pas le moment de pousser leur avantage. Il s'inclina légèrement, puis entraîna les siens hors de l'amphithéâtre naturel.

Le cercle des Ferroans se referma autour de Jabitha. Ses yeux voyaient des mondes que Luke ne pensait pas pouvoir un jour comprendre.

L'image-miroir pivota et affronta Tahiri.

— *C'est là !*

— *Quoi ?*

— *L'ombre !*

Tahiri regarda autour d'elle mais ne vit rien. Riina et elle étaient momentanément unies par la peur de ce qui les traquait. Tahiri sentait ses forces l'abandonner à l'idée de se retrouver face à… elle-même. Elle était fatiguée de se battre. Si elle s'avouait vaincue maintenant, elle rejoindrait peut-être Anakin dans un autre monde… Et peut-être aurait-il la force de lui pardonner…

— *Tu pourrais m'assister*, murmura Riina tout près de son oreille. *Aide-moi à tuer ce monstre.*

— *Comment ?* demanda Tahiri.

— *Tu m'as tenu tête. Tu es forte !*

Tahiri secoua la tête. Non, elle n'était plus une guerrière. Naguère, ça lui avait coûté le seul être qu'elle eût aimé.

Anakin.

— *Je n'ai jamais eu la force de t'éliminer*, répondit la jeune femme. *J'ai seulement réussi à t'enfouir au fond de moi.*

— *Tu n'essayais pas de m'abattre*, dit Riina. *C'est toi-même que tu voulais détruire…*

Tahiri aurait voulu nier, mais les cicatrices, sur ses bras, corroboraient les paroles de Riina.

— *Et tu sais que je ne te laisserai jamais faire !* ajouta Riina.

— *Pourquoi pas ?* demanda Tahiri, brûlante de honte.

— *Je ne veux pas mourir avec toi.*

— *Mais tu es déjà morte ! Tu es la mort nichée en moi !*

— *Et toi la mort froide qui m'entoure*, répliqua Riina. *Nous sommes liées. Acceptons notre sort.*

— *Je n'accepterai rien !*

Riina avança vers Tahiri.

— *Ne crois-tu pas que je t'accorderais la fin que tu désires tant, si je le pouvais ? Hélas, nous sommes liées ! Admets-le ! Je ne pourrais pas vivre dans ce corps sans toi, ni toi sans moi. T'accorder ton souhait le plus cher, c'est me condamner moi-même à mort ! Et je ne suis pas prête à l'accepter.*

— *C'est impossible*, gémit Tahiri.

— *C'est réel, et tu dois l'accepter.*

— *Je ne peux pas.*

— *Alors, tu ne me laisses pas le choix.*

Sabre laser levé, Riina recula de deux pas. Tahiri se raidit, attendant un coup fatal… qui n'arriva jamais. Le sabre de Riina s'envola en jetant un éclair bleu dans l'obscurité.

Stupéfaite, Tahiri suivit le trajet du sabre.

Quand la lame redescendit, Riina tendit la main pour l'attraper. Tahiri vit aussitôt que la jeune Yuuzhan Vong avait mal jugé la trajectoire de l'arme, mais elle ne parvint pas à l'avertir. Elle vit la lame entailler la main de Riina et tomber.

Comme de très loin, avec une douleur aveuglante, Tahiri s'entendit hurler.

C-3PO inclina la tête.

— Tu as entendu ? demanda Yan.

— Oui, monsieur, répondit le droïd. Le signal est très clair.

— Nous n'avons pas encore localisé sa source. Mais peux-tu le traduire ? Et inutile de me rappeler combien de langues tu parles. Dans cette pièce, le seul à ignorer encore tes vantardises, c'est Droma, et il s'en fiche !

— Comme vous voudrez, monsieur.

Leia réprima un sourire quand elle vit C-3PO hocher doctement la tête. Le signal était clair, car les filtres audios du *Faucon* l'avaient nettoyé de ses parasites. Si C-3PO ne pouvait pas le traduire, personne n'en serait capable.

Pendant que le droïd s'y employait, Yan fit plonger le *Faucon* dans une autre tranchée. Droma lança un missile à concussion vers une montagne, espérant que l'explosion couvrirait leurs traces. Jusque-là, il n'y avait eu aucune tentative d'interception. Il fallait supposer que cette tactique marchait.

Mais toujours pas de trace de la base…

— La transmission semble être une forme bizarre de langage mécanique trinaire, déclara C-3PO. La grammaire est illogique, et le vocabulaire… très particulier. Cela dit, je suis certain que c'est bien le langage-source.

— Vient-il de la base ? demanda Yan.

— J'en doute, monsieur. A moins qu'elle s'adresse à elle-même.

— Y a-t-il plus d'un signal ? demanda Leia.

— J'en ai identifié au moins dix-sept.

— Dix-sept ? s'exclama Yan. Impossible !

— A moins que ce ne soient des leurres, avança Droma. Prévus pour détourner les recherches…

— A quoi sert un leurre, si son point d'origine reste indétectable ?

117

— Ça occupe. Les Yuuzhan Vong et nous-mêmes nous retrouvons logés à la même enseigne…

Leia repensa aux silhouettes en forme de fleur qu'ils avaient croisées plus tôt, et une idée lui vint soudain.

— Les transmissions utilisent-elles une variation identique de ce code trinaire ?

— Non, maîtresse. Chaque source de transmission a son propre code.

— Que veux-tu dire ? demanda Yan.

Leia lui fit signe d'attendre.

— Et de quoi parlent ces signaux ?

— Difficile à dire. Certains noms ne me sont pas familiers, et les déclinaisons ont évolué de différentes manières qui…

— Donne-moi ta meilleure estimation, coupa Yan.

— A priori, il serait beaucoup question de la bataille, répondit le droïd. Les perturbations atmosphériques sont sévères en certains endroits, et la flore aurait subi des dégâts considérables.

— La *flore* ?

— Oui, monsieur. L'écosystème de ce monde est un des autres sujets de conversation, surtout parmi ceux dont les réserves de nourriture sont menacées.

— Les réserves de nourriture ? fit Yan, tourné vers la verrière. Ce qui envoie ces signaux serait un être *vivant* ?

— Eh bien, oui, monsieur… Je croyais que vous l'aviez compris.

— Mais comment est-ce possible, dans un tel environnement ?

— On a déjà trouvé des formes de vie dans des atmosphères similaires, rappela C-3PO. Celle-là a pu évoluer quand le noyau de la planète était bien plus chaud. Des organismes unicellulaires seront apparus – peut-être même des formes de vie plus grandes.

— Mais tu parles de vie *intelligente* ! s'écria Yan. Capable de *parler* !

— Oui, monsieur. Il est aussi possible que ces formes de vie ne soient pas indigènes, mais aient été importées.

Yan regarda Droma.

— Ça n'est pas absurde, dit le Ryn. Si la vie existait ici, elle aurait dû se disperser, car un monde avec un niveau d'énergie si bas n'aurait pas une population très dense. Et il lui faudrait une forme de communication qui couvre de grandes distances. Les fréquences com seraient adéquates.

— Mais… Un code *trinaire* ?

— Quelqu'un leur a sûrement appris, dit Leia.

— Quelqu'un de la base ? demanda Yan.

— Autrefois, oui… Le langage a eu le temps d'évoluer. (Leia se tourna vers C-3PO.) Peux-tu communiquer avec ces créatures ?

— Je ne vois pas pourquoi ce serait impossible, princesse. Nous avons leurs fréquences com, et je parle une version approximative de leur langue.

Le droïd se pencha vers le communicateur.

— Basse puissance, seulement, ordonna Yan. Et si ces êtres ne savent rien sur la base, pas question de papoter avec eux. Nous ne sommes pas les seuls à écouter.

C-3PO parla d'une voix étrange. Leia essaya en vain de distinguer des mots…

C-3PO se redressa.

— J'ai diffusé une demande d'information sur le *vrgrlmrl*.

— Le verger-quoi ? demanda Yan.

— Le *vrgrlmrl*, la station de relais, précisa C-3PO. S'ils répondent, nous saurons que…

Un signal plus fort retentit sur l'unité com.

— Ciel ! fit le droïd, l'air inquiet. Je crois que la traduction n'a pas été fidèle. Ils ont pris ma requête pour une invitation.

— Une invitation à quoi ? demanda Yan.

— Je ne suis pas sûr, monsieur. Mais je peux essayer de nouveau…

— Epargne-nous les détails, grogna Yan. Fais-les parler !

C-3PO lâcha une autre série de vocables étranges. La réponse, presque immédiate, fit penser à de la polyphonie…

— Tu as appris quelque chose d'utile ? demanda Solo.

— Certes, monsieur. Les *Brrbrlpp*, comme ils se nomment eux-mêmes, forment une espèce sociable, et ils acceptent de nous parler. Ils connaissent la station de relais, mais ils ne nous révéleront pas son emplacement jusqu'à ce qu'ils soient sûrs de nos intentions.

— Qu'attends-tu ? Rassure-les !

— Je l'ai fait, monsieur, mais… J'ai peur qu'il faille plus que ma parole pour les convaincre.

C-3PO hésita, l'air gêné.

— Qu'y a-t-il ? demanda Leia.

— Princesse, pour les Brrbrlpp, nous sommes des assassins, et ils se méfient de nous.

— Des assassins ? Ce n'est pas nous qui bombardons leur planète ! Au contraire, nous voulons faire cesser les bombardements.

— Ils ne parlent pas des bombardements, monsieur. Ils affirment que, depuis notre arrivée, nous avons tué quinze personnes.

— Quoi ? Comment ça ?

— Les voix de leurs amis se sont tues quand ils ont croisé notre chemin.

Leia repensa aux étranges silhouettes qui, passées près du *Faucon*, s'étaient dissoutes dans la traînée de chaleur des moteurs du cargo.

— Coupe les moteurs ! lança-t-elle à son époux.

— Quoi ? Leia, tu…

— Vite ! Eteins aussi les répulseurs !

Perplexe, Yan obéit. Le *Faucon* se posa au fond de la tranchée. Leia expliqua alors sa théorie sur la nature de ces êtres.

— Nous ne le savions pas, dit Yan, désolé d'avoir par

inadvertance tué autant de créatures intelligentes. Dis-le-leur, C-3PO. Nous ne pouvions pas le savoir !

— J'essaierai, monsieur, mais à leurs yeux, je crains que ça ne change pas grand-chose...

— Il doit y avoir un moyen de les faire changer d'idée.

Leia posa une main sur l'épaule de son mari quand une des silhouettes dériva vers eux. La voyant mieux, la princesse remarqua que ses « ailes » la propulsaient dans l'atmosphère. Une rangée de photodétecteurs dotés de cils entourait les créatures. Sous la chair translucide, un squelette rigidifiait des sortes de « pétales », et des taches plus sombres représentaient probablement les organes.

En dépit de l'absence d'yeux ou de visage, Leia devina que la créature examinait les intrus.

— Peuvent-ils nous nuire ? murmura Droma.

— J'en doute, dit Yan, peu convaincu.

Leia sentit la Force fluctuer légèrement quand une deuxième créature, puis une troisième se présentèrent... Bientôt, le vaisseau fut entouré d'une couronne vivante de ces mystérieuses « fleurs ».

Nous avons tué leurs amis et leurs familles, pensa Leia.

Elle savait qu'un « *désolé* » ne suffirait pas...

Saba sentit l'orage avant qu'il n'éclate. Bientôt, les nuages crevèrent, déversant leur eau sur la cime des boras, poussée par un vent violent.

Les Ferroans avaient remis aux visiteurs des tapis et des couvertures. Après un repas frugal, Jacen, Danni et Mara se reposaient, pendant que Luke et Hegerty reparlaient des événements. Fatiguée, Saba veillait aussi. Se méfiant de leurs hôtes, elle préférait monter la garde. Allongée sur un tapis, les yeux fermés, elle écoutait attentivement la conversation entre maître Skywalker et Hegerty.

— ... mentionné le Potentium à Jacen, dit Skywalker. Elle ne lui a pas donné de détails. Je n'en avais jamais entendu parler. Et vous ?

— Moi non plus. Mais l'étude de la Force n'est pas vraiment mon domaine.

— Et les Ferroans ? Qu'est-ce qui m'échappe, à votre avis ?

— Vous avez remarqué leur intolérance vis-à-vis de nous…, répondit la scientifique. Mais comment les en blâmer ? A notre connaissance, ils ont été contactés six fois par des étrangers : trois fois par les Jedi, deux par les Yuuzhan Vong, et une par Tarkin. Là-dessus, trois attaques… où les Jedi étaient toujours présents.

— Je vois ce que vous voulez dire, et je ne leur en veux pas. A nous de les faire changer d'avis… Sinon, notre quête aura été vaine.

Rattrapée par la fatigue, Saba glissait insensiblement dans le sommeil. La respiration des autres l'apaisait, la pluie la berçait… Elle se rappela qu'elle devait monter la garde. Mais maître Skywalker était capable de veiller sur tout le monde. Il n'y avait aucune raison de lutter contre un sommeil réparateur…

Jag dévia le tir avec ses boucliers bâbord et fit crachoter ses moteurs comme s'il était touché. Partie en vrille, sa griffe traversa le champ de bataille. Les étoiles tourbillonnant autour de lui, il dut se fier à son instinct.

Tout dépendait de sa capacité à faire croire aux adversaires que sa désorientation était réelle – en maintenant assez de contrôle sur son vaisseau pour éviter d'être véritablement atomisé.

Une fraction de seconde avant de percuter la canonnière ennemie, il tira. L'explosion projeta un jet de corail yorik en fusion au-dessus de la canonnière, l'enveloppant dans un nuage de débris enflammés. Les boucliers et les amortisseurs d'inertie absorbèrent le choc, comme Jag l'avait espéré, et sa griffe freina à l'intérieur du vaisseau ennemi…

Secoué, il lui fallut une minute pour se remettre et vérifier qu'il n'avait rien. Ses boucliers se rechargeaient, son vaisseau était intact, et ses armes fonctionnaient toujours.

Jusque-là, tout allait bien.

Par la verrière avant, il vit un phénomène évoquant le cœur en fusion d'un soleil. L'impact avait libéré une quantité phénoménale d'énergie à l'intérieur de la canonnière. Des morceaux de pont en fusion dérivèrent contre les boucliers, consumés par le peu d'atmosphère qui subsistait dans le vaisseau. En se consumant, des composants organiques lâchaient des nuages de gaz toxiques. Jag espéra qu'une colonne de débris et de fumée sortait du trou qu'il avait fait dans la coque de la canonnière… C'était le plan, en tout cas.

Il cliqua une fois. Il ne voulait pas révéler prématurément sa survie. Il avait dévoilé ses intentions à Jocell et Adelmaa'j, leur indiquant comment réagir. Le clic leur confirmerait qu'il avait survécu. Il en reçut deux en retour. Le plan était un succès ! Les Yuuzhan Vong avaient cru la griffe pulvérisée.

Le jeune homme soupira de soulagement, sentant un nœud de tension disparaître en lui.

Il explora l'épave avec ses radars. Il n'y avait plus signe de vie. Si l'épine dorsale du vaisseau transmettait toujours des données, le cerveau était mort. Certains morceaux de corail yorik survivraient un temps, mais le vaisseau était *fichu*. Et il lui restait cinq basal dovins, les générateurs de trou noir miniatures que les Yuuzhan Vong utilisaient pour la propulsion, la défense et l'attaque.

Ravi, Jag remit ses moteurs en marche. La griffe se déplaça dans les débris, puis se stabilisa. S'en remettant aux instruments de bord pour s'orienter, il augmenta lentement la puissance. En l'absence d'autres clics de ses équipiers, il devait partir du principe que tout se déroulait comme prévu. Faisant lentement accélérer l'épave de la canonnière, il poussa ses moteurs au maximum.

Un autre clic lui confirma que la colonne de débris dissimulait la traînée de ses moteurs. Si quelqu'un observait la canonnière, il déduirait qu'elle brûlait et s'en détournerait. Il y avait assez d'éléments aptes à détourner l'attention de l'ennemi : les destroyers, les escadrons Impériaux, les deux chasseurs de l'Alliance Galactique qui harcelaient tout ce qui approchait un peu trop…

Pendant ce temps, Jag pouvait passer à l'étape suivante de son plan.

Maniant ses canons laser comme un bistouri, il entreprit de « sculpter » l'intérieur de la canonnière. Evitant avec soin les poutres de soutien, il découpa de grands morceaux d'infrastructure qu'il laissait tomber dans la colonne de fumée. La poussée qu'il était en mesure d'appliquer à la canonnière restait faible, car le vaisseau ennemi avait une masse bien supérieure à celle que ses moteurs propulsaient d'habitude. Dans l'incapacité de changer les paramètres de sa poussée, Jag pouvait néanmoins modifier la masse à laquelle elle s'appliquait. En découpant des morceaux et en les lâchant dans le trou, il augmenterait progressivement l'effet des moteurs de sa griffe. Et l'accélération soudaine de l'épave n'alerterait pas forcément les Yuuzhan Vong. Les débris volants n'étaient pas rares dans les batailles spatiales.

Deux autres clics lui confirmèrent qu'il était sur la bonne voie. Pour le moment, il n'avait pas été repéré. Ses moteurs chauffaient, mais il estima qu'ils maintiendraient la puissance pendant les dix minutes nécessaires.

Il orientait l'épave lentement mais sûrement vers le flanc nord de la bataille. Les débris chauffés au rouge bouillonnaient autour de lui. De temps à autre, il croisait un cadavre qu'il se forçait à ignorer. Un rappel constant que son plan était vraiment dingue !

Mais s'il prenait les Yuuzhan Vong par surprise, ça en vaudrait la peine.

— Grand Amiral, Jumeaux Un semble se servir de cette canonnière comme d'un bélier !

Pellaeon ne détourna pas les yeux de l'écran.

— Je vois ce qu'il veut faire, commandant.

— Mais les Yuuzhan Vong disposent de systèmes anti-collision au moins aussi bons que les nôtres. Ils ne laisseront pas une épave se jeter sur leurs vaisseaux. A la seconde où ils auront la puce à l'oreille, ils pulvériseront la canonnière ! Qu'espère donc votre tête brûlée ?

— Me surprendre, bien entendu. Et surprendre les Yuuzhan Vong, par la même occasion…

Malgré sa confiance en Jagged Fel, Pellaeon ne pouvait se départir d'une certaine inquiétude. Certes, il avait lancé un défi que le pilote chiss avait choisi de relever… Mais il ne s'était pas attendu à un acte aussi téméraire !

La répartition des belligérants n'avait pas changé. Toujours supérieurs en nombre, les Yuuzhan Vong massaient leurs forces sur le flanc nord. La corvette et le croiseur vong avaient réussi à déjouer toute tentative d'envoyer entre eux un brouilleur de yammosk. C'était un point capital. Si ça se passait mal, Esfandia retomberait entre les mains des Yuuzhan Vong…

Mais Pellaeon était décidé à l'empêcher par tous les moyens. Plutôt éperonner lui-même les vaisseaux vong !

— Des signes du *Faucon* ? demanda-t-il.

— Non, monsieur. Il doit être sous les couches basses de l'atmosphère.

Devait-il envoyer des renforts ? Les forces de l'Alliance Galactique s'en étaient abstenues… Sans doute par manque de ressources. Dans ce cas, une offre d'assistance serait bienvenue…

L'aide de camp du Grand Amiral contacta Mayn.

— S'il vous faut des renforts, dit Pellaeon, n'hésitez pas.

— Merci, Grand Amiral, mais ce ne sera pas nécessaire. J'ai reçu il y a peu une transmission codée à basse puissance du *Faucon*, nous demandant instamment de ne plus envoyer pour l'instant d'autres vaisseaux dans l'atmosphère de la planète. J'étais sur le point de vous appeler pour vous transmettre cette demande.

— Solo sait-il que des patrouilles de Yuuzhan Vong explorent la planète ?

— Je l'ai prévenu.

— Et il ne veut quand même pas de renforts ?

— Il est catégorique là-dessus.

— Sait-on pourquoi ?

— Non, monsieur. Le message était bref. Quand sa position sera moins délicate, notre interlocuteur a promis de s'expliquer.

— Et quel est cette position ?

— Je l'ignore, monsieur, répéta Mayn, parfaitement neutre. Le signal était trop diffus et bref pour que nous puissions le localiser. A dessein, je suppose.

Pellaeon fronça les sourcils. Mayn ignorait-elle vraiment la position du *Faucon*, ou lui cachait-elle l'information sur ordre de ses supérieurs ? Penser que le *Faucon* cherchait la station de relais était une hypothèse logique. Pas un problème en soi, mais… Pellaeon détestait qu'on lui dissimule des éléments.

— Merci, capitaine. Veuillez me tenir informé de la suite, je vous prie.

— Bien compris, monsieur.

La capitaine du *Sélonia* coupa la communication. Pellaeon se demanda ce qu'elle ne lui avait *pas* dit. Se fier à ce groupe de l'Alliance Galactique, comme il l'avait fait pour Luke Skywalker et ses compagnons, était-il de la naïveté ? Certes, Leia Organa Solo était la sœur jumelle de Luke, mais aussi une politicienne accomplie…

— Grand Amiral ?

— Oui ?

— J'ai un message texte du colonel Fel, relayé par Jumeaux Neuf.

— Que dit-il ?

— « Tenez-vous prêt. »

Pellaeon regarda l'écran qui montrait le flanc nord. La

trajectoire de la canonnière passait entre deux grands vaisseaux ennemis. Le pilote chiss les raterait…

Soudain, la canonnière explosa.

— C'était risqué, Leia, commenta Yan après l'envoi du message au *Sélonia*. La transmission a peut-être été détectée.

Regardant sur l'écran les êtres que C-3PO avait appelés des Brrbrlpp, la princesse croisa les bras.

— Je sais. Mais nous ne pouvions pas courir le risque de tuer davantage de ces créatures.

— Il y a des Yuuzhan Vong dans l'atmosphère, rappela Droma, sa queue s'agitant nerveusement.

— Je n'oublie pas. Mais je n'ai pas encore décidé que faire à leur sujet.

Un gargouillis bizarre retentit dans l'unité de com.

— Les Brrbrlpp disent qu'il y a maintenant beaucoup d'objets chauds sur Esfandia. Ils veulent protéger leur peuple, mais sans savoir quelle sera la prochaine cible, ils ne peuvent pas mettre tout le monde à l'abri.

Leia comprenait le problème. Il existait une seule solution, mais elle ne l'appréciait pas particulièrement. Qu'est-ce qui importait le plus : la station de relais et les communications avec les Régions Inconnues, ou la vie d'une espèce extraterrestre prise au milieu d'une guerre ?

— Nous ne pouvons pas rester ici indéfiniment, rappela Yan.

— Ni bouger tant que ces êtres sont dehors, rappela Droma en désignant les créatures réunies autour du vaisseau.

S'ils réactivaient les moteurs du *Faucon*, elles seraient inéluctablement détruites…

— Je sais ! s'emporta Leia.

— Télémétrie, lâcha Yan, laconique. Le trafic augmente dans cette zone. Les Vong ont dû intercepter une partie de notre émission.

— Si nous gardons profil bas, fit Droma, ils ne nous verront pas, exact ?

— Oui, mais ce n'est pas ce que nous ferons, dit Leia. Envoyons un autre message.

Yan n'eut pas l'air ravi.

— Là, ils nous repéreront sans coup férir.

— C'est en partie mon but.

Soudain, l'époux de Leia comprit où elle voulait en venir.

— D'accord, mais et nos amis, là dehors ?

— Quelle est la portée de nos boucliers ?

— Je dirais qu'elle est très bonne… Pourquoi ?

— Pourrais-tu créer une bulle de protection séparée ?

— Pas sans modifications importantes.

— Mais c'est possible ?

— Je suppose.

— Parfait, dit Leia, un peu rassurée.

Son plan sauverait les Brrbrlpp à court terme – mais se solderait peut-être par leur destruction finale.

— Je doute que nous ayons le choix.

Yan commença à appuyer sur des boutons.

— Ne perdons pas de temps !

— Auriez-vous la bonté de m'expliquer ce qui se passe ? demanda Droma.

— C'est simple, répondit Leia. Nous allons attirer les Yuuzhan Vong ici en envoyant une autre transmission.

Le Ryn fronça les sourcils.

— Avant, déposez-moi au bar le plus proche !

Leia ignora cette pointe d'humour.

— C'est notre seule solution. Les Vong ont déjà repéré quelque chose dans le secteur. Ils croiront qu'il s'agit de la station de relais, et arriveront immédiatement pour nous éliminer.

— Et c'est une bonne idée ? fit le Ryn, dubitatif.

— Droma, intervint Yan, nous allons demander au *Sélonia* de guetter ceux qui convergeront vers nous pour les canarder. Simple !

— Le seul ennui, c'est que nous sommes là, nous aussi...

— Si le *Sélonia* vise bien, il n'y aura pas de problème. A l'arrêt, nous serons une petite cible.

— Et les indigènes ?

— Avec un peu de chance, ils seront à l'abri sous nos boucliers. Détends-toi, Droma. Leia sait ce qu'elle fait.

— Elle t'a épousé, non ? Ça ne me rassure pas...

Leia se tourna vers le droïd.

— C-3PO, préviens-les... (Elle s'interrompit, incapable de prononcer le nom des créatures.) Demande-leur d'approcher au plus près du *Faucon* et d'y rester jusqu'à avis contraire.

— A vos ordres, princesse.

— Qu'ils préviennent les autres de ne pas venir dans ce secteur. Ça va barder, et je ne veux pas qu'il y ait d'autres tués.

C-3PO transmit le message dans la langue musicale des créatures.

— Ils obéiront, dit-il enfin. Mais ils s'inquiètent d'être éventuellement pris en otages. Et ils nous demandent de faire très attention aux plaines de nidation, non loin d'ici.

Yan leva les yeux au ciel.

— Une nurserie ! Il ne manquait plus que ça !

— A quoi ressemblent ces plaines ?

— Il s'agit de tunnels souterrains où les Brrbrlpp femelles pondent leurs œufs, pour que les mâles les fertilisent. C'est un lieu réchauffé par le noyau de la planète.

— Et la proximité d'un site de ponte explique probablement qu'il y ait eu tant de monde ici.

— Exactement, maîtresse, répondit C-3PO.

— Mais nous ne pouvons pas nous déplacer maintenant, dit Yan.

— Dis-leur que nous redoublerons de prudence. C'est le mieux que nous puissions promettre.

C-3PO transmit le message, et Leia réfléchit à la difficulté de ce qu'elle avait entrepris. Le *Faucon* ne pouvait plus fuir ni retourner le feu des Yuuzhan Vong, de crainte de blesser les créatures. Si on ajoutait à cela la proximité des plaines de nidation, ainsi que leur ignorance de la localisation de la base, la situation n'avait rien de brillant.

— J'ai envoyé le message, dit Yan, et ajusté les boucliers.

Sur l'écran, Leia vit les Brrbrlpp se rapprocher du vieux cargo.

— Maintenant, le plus difficile : l'attente... conclut la princesse.

— Et espérons qu'ils ne seront pas trop occupés, là-haut, pour voler à notre secours, ajouta Droma.

Pour mon foyer...

Le cœur battant à tout rompre, Saba se réveilla en sursaut. Perturbée, elle inspira à fond. La planète en flammes, sa colère, le vaisseau d'esclaves, les torpilles... Une fois de plus, elle venait de revivre la destruction de Barab I. La culpabilité la minait toujours.

Pour mon peuple...

Elle se secoua pour chasser le rêve et les émotions qui l'accompagnaient. Qu'elle parvienne à le rejeter totalement restait improbable. Ces événements la hanteraient jusqu'à la fin de ses jours.

Elle soupira. Tout le monde dormait... Seules la pluie et la respiration paisible de ses camarades troublaient le silence. Tout paraissait normal. Et pourtant...

Ses écailles se raidirent d'appréhension. Quelque chose n'allait pas. Elle sonda la Force, cherchant à isoler la raison de son malaise. Elle perçut les autres Chevaliers Jedi, les signaux vitaux venus des dirigeables et des Ferroans à proximité, de...

Soudain, elle comprit ce qui la perturbait. C'était si subtil qu'un humain aurait pu ne pas le percevoir. Elle ne captait plus la force vitale émanant de l'habitation. Elle était *morte* !

Elle repoussa sa couverture et voulut se lever. Trop tard. Quelque chose de lourd la percuta, la repoussant sur le sol.

Elle rugit pour réveiller ses compagnons. Activant son sabre laser, elle taillada au jugé son agresseur… et sentit le poids disparaître.

Saba passa la tête et les bras à travers le trou qu'elle venait de faire. Et reçut un coup sur le crâne… Elle retomba avec un grognement, une douleur cuisante lui vrillant un côté du visage.

Elle se débattit. Quelqu'un avait tué l'habitation, qui s'était effondrée sur les dormeurs… Les agresseurs les guettaient à mesure qu'ils essaieraient de se dégager des décombres de la maison. Mais ces misérables ignoraient à qui ils avaient affaire ! Quatre Chevaliers Jedi étaient amplement capables de se défendre.

— Saba !

Soron Hegerty… Au ton de sa voix, elle avait des problèmes.

Saba tenta de se dégager pour secourir la scientifique, mais l'arme la frappa de nouveau. Echaudée, Saba dévia le coup et fit glapir de peur son adversaire en se redressant, sabre laser brandi. A la lumière de sa lame, elle découvrit son agresseur : un Ferroan de taille moyenne, l'air aussi résolu qu'effrayé…

Restait à retourner sa peur contre lui.

Saba lâcha un rugissement féroce en brandissant de plus belle son sabre laser.

Le Ferroan s'enfuit sans demander son reste.

Saba se retourna vers Hegerty, qui affrontait trois autres Ferroans vêtus de noir. Skywalker et ses compagnons, eux, se débrouilleraient sans elle. Mais Soron Hegerty avait besoin de son aide. Elle vit Luke procéder à l'évacuation de l'habitation tout en repoussant leurs assaillants. Mais ceux qui s'en étaient pris à Hegerty l'entraînaient avec eux !

Sabre laser brandi, Saba s'élança. A cette vue, un des ravisseurs trébucha. Ses complices se préparèrent à affronter le danger. Ils avaient peur, mais ne reculèrent pas. Deux d'entre eux portaient de lourdes massues. Le troisième pointa vers la Barabel une sorte de longue racine à la pointe en cristal.

Un éclair miniature jaillit du cristal.

Sabre laser levé, Saba l'intercepta aisément.

— Je ne vous laisserai pas blesser mon amie ! rugit-elle.

Le Ferroan au cristal baissa son arme, et celui qui était tombé fit mine de se relever. Le troisième, qui tenait Hegerty, la laissa retomber dans la boue.

Tous prirent la fuite.

Saba résista à l'envie de les poursuivre. Une main tendue, elle aida Hegerty à se relever.

— Merci, dit la scientifique en essuyant la boue de son visage et de ses cheveux gris. Quand le toit s'est écroulé sur nous, ils étaient là… J'ai d'abord cru qu'ils venaient à notre secours. Puis ils m'ont tapé dessus avec leurs massues… Pourquoi voulaient-ils me capturer ?

Saba le savait.

Toujours s'attaquer au plus faible de la horde…

C'était la première règle des prédateurs – les plus faibles étant en l'occurrence les non-combattants. Et ça signifiait…

— Il faut retourner auprès des autres ! s'écria Saba.

Elles trouvèrent Luke et Mara aux prises avec des Ferroans venus voir ce qui se passait. Surpris, ils s'offusquèrent en entendant Mara les accuser de négligence.

— Voulez-vous dire que nous sanctionnerions un tel comportement ? protesta Rowel.

— Tout ce que je sais, c'est que nous avons été attaqués. Et vous nous aviez assuré que nous serions en sécurité.

— Je croyais que les Jedi savaient se débrouiller seuls, railla Darak.

— La preuve, c'est que nous avons survécu ! répliqua Mara. Malgré la lâcheté de nos assaillants, qui ont attendu que l'habitation s'effondre sur nous pour attaquer.

— Les habitations ne s'effondrent pas toutes seules, dit Darak.

— Donc, nos agresseurs avaient planifié leur assaut, souligna Skywalker.

Rowel eut l'air exaspéré.

— Je ne vois toujours pas pourquoi quelqu'un aurait fait ça !

— Peu m'importe ! répliqua Mara. Je veux qu'on retrouve les coupables !

— Sous cette pluie ? lâcha Rowel. Ils ont pu aller n'importe où. Vous ne les aurez pas.

— Il faut essayer, dit Jacen. Elle n'est plus là.

— Qui ? demanda Darak.

Le plus faible de la horde…

— Danni Quee, répondit Saba.

Jacen hocha la tête.

— Et je n'attendrai pas que ses ravisseurs aient trop d'avance.

— Jacen… !

Mara tenta de retenir son neveu par l'épaule.

Il se dégagea et s'enfonça dans l'obscurité.

— Je veillerai sur lui ! promit Saba.

Elle courut sur les talons du jeune homme.

L'aide de camp de Pellaeon étouffa un cri quand la canonnière-leurre explosa – avec le vaisseau de Jag Fel à l'intérieur. D'autres clameurs retentirent sur la passerelle. Apparemment, le sort du fils du baron Fel ne laissait personne indifférent. Le Grand Amiral lui-même était sous le choc.

Il se tournait vers un officier pour lui ordonner de rappeler les chasseurs du flanc nord quand quelque chose d'étrange se produisit. La canonnière détruite s'était séparée en plusieurs morceaux. Deux des plus gros dérivaient rapidement vers le croiseur, le plus imposant étant catapulté en direction de la corvette. Enormes, ils infligeraient de sérieux dégâts à l'ennemi. Mais autour des deux vaisseaux, l'équivalent yuuzhan vong des systèmes anti-collision se déclencha. Une langue de plasma jaillit en direction du premier fragment à l'approche du croiseur.

Au lieu de pulvériser le débris, la salve de plasma disparut.

— Que… ?

Il fallut un instant au Grand Amiral pour comprendre ce qu'il avait sous les yeux. Le deuxième fragment approchant du croiseur, le même phénomène se produisit. Les salves de plasma étaient absorbées par des basal dovins encore présents sur les fragments de coque !

Soudain, le plan de Jag Fel lui apparut clairement.

— Tous les chasseurs sur le flanc nord, ordonna Pellaeon à son aide de camp. Qu'ils se concentrent sur ces deux cibles ! Dirigez toute la puissance de feu sur ces failles !

— Quelles failles, monsieur ? demanda l'officier en fronçant les sourcils.

— Celles-là ! répondit Pellaeon, désignant la décharge d'énergie quand le premier gros débris atteignit le croiseur yuuzhan vong.

Il attendit que son ordre soit transmis, les chasseurs convergeant vers le vaisseau endommagé…

Jag Fel sentit le troisième fragment, auquel son vaisseau était arrimé, rouler follement dans le vide. Il fonçait vers la corvette. Très vifs, les Yuuzhan Vong avaient déjà concentré leur tir sur son débris, espérant surcharger les basal dovins et le faire exploser. Quand leur tir commença à ébranler ses boucliers, Fel riposta, conscient de créer la surprise. Un débris, même dangereux, était une chose. Mais qu'il fasse feu les prendrait certainement de court !

La salve eut l'effet escompté. Les canonniers yuuzhan vong furent assez distraits pour que le fragment percute la coque de la corvette. Juste avant la collision, Jag veilla à ce que le débris volant soit entre la corvette et lui. Mais l'impact fut assez violent pour faillir désactiver ses boucliers…

L'onde de choc de l'explosion lui fit perdre conscience quelques instants. Quand il reprit ses sens, il était immergé dans une boule de gaz et de débris chauffés au rouge. Utilisant la même tactique que pour la canonnière, il fonça à partir du point d'impact, s'enfonçant profondément dans la corvette.

Il ignorait jusqu'où il irait avant que ses boucliers soient surchargés, mais il ferait autant de dégâts que possible. Les guerriers vong étant formés à se battre jusqu'à la mort, les occasions d'explorer l'intérieur de leurs vaisseaux étaient rares. Jag ignorait donc où se trouvait l'équivalent des générateurs de puissance. Il fonça vers l'arrière du bâtiment, le long de son axe central. L'équipement important devait être par là. Déclencher une autre explosion comme celle de la canonnière serait sans doute ardu, mais il pouvait toujours essayer…

Des débris enflammés tourbillonnaient, l'enfermant dans une bulle de feu. Le plasma qui l'isolait du monde extérieur empêchait les clics de ses équipiers de l'atteindre. Jusqu'à ce qu'il sorte, il ignorerait si sa manœuvre avait suffi pour que la chance tourne en faveur de Pellaeon. Il espérait ne pas tomber sur un essaim de coraux skippers en ressortant… ça mettrait sûrement un point final à son plan audacieux…

Qu'aurais-tu fait, Jaina ? Serais-tu allée si loin ?

Il continua à tirer jusqu'à ce que ses lasers menacent de fondre, ses boucliers sur le point de s'effondrer. Au cas où il aurait besoin d'eux en sortant, il les mit au repos le temps de revenir en arrière. Autour de lui, des débris et des parties de la structure du vaisseau dérivaient, surchauffés et déformés. La corvette frémit… Allait-elle exploser ? Ou avait-elle simplement changé de direction ?

Un œil rivé sur ses instruments, il se fraya un chemin à travers les débris. De temps en temps, la mousse anti-flammes qui lui obstruait le chemin l'obligeait à la traverser en la brûlant et en déclenchant de nouveaux incendies.

A l'approche de la coque, il accéléra.

Le site de l'impact avec la canonnière lui offrait plus de marge de manœuvre, mais il se sentait aussi plus exposé. A l'intérieur, il avait été en relative sécurité. Dès qu'il émergerait de l'épave, il se retrouverait sous le feu de la corvette, et de tous les skips du secteur... Mieux valait qu'il jaillisse de sa cachette à fond les manettes !

Soudain, face à lui, il n'y eut plus que... les étoiles. Il bascula ses boucliers au maximum sur la poupe et accéléra à pleine puissance. Noirci du nez à la queue, son chasseur jaillit hors du vaisseau en flammes à la vitesse d'une particule éjectée du canon d'un charric...

Jag lutta pour garder le contrôle de ses stabilisateurs endommagés, sourd aux crépitements soudains de son unité com. Tant qu'il ne serait pas sûr d'avoir sa griffe sous contrôle, il ne pourrait se permettre aucune distraction.

Cela fait, il prit note de sa situation, surpris de voir que son plan semblait avoir marché... La corvette brûlait, sur le point d'exploser. Des dizaines de chasseurs impériaux la mitraillaient. A côté, le croiseur aussi encaissait une attaque similaire. Les endroits où il avait été percuté par les fragments de la canonnière étaient canardés sans relâche. Des brèches béantes jaillissaient des gaz, des débris et des cadavres qui rendaient la zone dangereuse pour les Yuuzhan Vong comme pour les Impériaux.

Que le flanc nord serve de point de ralliement de la résistance semblait désormais peu probable...

— Jag ! Vous vous en êtes sorti !

— Ravi d'entendre votre voix, Enton, répondit Fel. Comment ça va, ici ?

— Beaucoup mieux, monsieur, répondit Jumeaux Quatre. Je crois que vous avez montré un ou deux trucs à ces Impériaux !

Je l'espère...

— Congratulations pour cette excellente manœuvre, colonel Fel, intervint le Grand Amiral. Sachez que j'ai été surpris.

— J'espère que j'aurai réussi à faire la différence, monsieur.

— C'est certain ! Il devient clair que nul ne prendra le contrôle de cette planète. Ni les Yuuzhan Vong, ni nous. Je m'attends à une impasse, et personne n'ira au-delà d'une orbite basse. Ça donnera au moins le temps à l'équipe au sol de trouver la station.

— Avons-nous des nouvelles d'elle, monsieur ?

— Pas à ma connaissance, répondit Pellaeon. Mais vérifiez avec la capitaine Mayn. Si elle a du nouveau, qu'elle me contacte.

Sourcils froncés, Jag trouva bizarre le ton de Pellaeon. Mais ce n'était pas son affaire…

— Je la contacte immédiatement, monsieur.

— A votre place, je rentrerais, dit le Grand Amiral. Il faudra plus qu'un coup de peinture pour remettre votre chasseur en état.

Souriant, Jag Fel orienta sa griffe vers le *Sélonia*. Si le Grand Amiral avait pris la peine de parler de son chasseur, l'appareil devait être sacrément endommagé !

Il appela Mayn, qui lui ordonna de revenir. Elle aussi semblait perturbée.

— Nous n'avons pas de nouvelles du *Faucon*, dit-elle. Un message est arrivé il y a peu, mais nous n'avons pas pu le déchiffrer. Les Yuuzhan Vong doivent brouiller les transmissions venant de la surface.

— C'est mauvais, fit Jag. Nos amis pourraient avoir demandé de l'aide… Est-il envisageable de les rejoindre ?

— Non, colonel. Et ne pensez pas un instant à le tenter tant que nous n'aurons pas vérifié le bon fonctionnement de votre chasseur.

— Ne vous inquiétez pas, capitaine. Une folie par jour, ça suffit !

Alors qu'il s'apprêtait à atterrir, il posa la question qui le tracassait depuis un moment.

— Capitaine, Jaina est-elle là ?

— Mieux vaut en parler quand vous serez à quai, répondit l'officier, mal à l'aise.

Jag eut un pincement au cœur.

— Il y a un problème ?

— Honnêtement, colonel, nous l'ignorons. Aucun de nous n'est un Jedi, et nous n'avons pas idée si son état est normal ou pas.

— *Quel* état ?

Il entendit Mayn inspirer à fond.

— Elle est inconsciente, peut-être dans le coma, répondit Dantos. Nous ne savons pas quand c'est arrivé, ni si elle en sortira bientôt ou pas. *Si* elle en sort. Désolée, colonel. J'aurais voulu vous donner de meilleures nouvelles. Mais les faits sont là : nous ne parvenons pas à l'atteindre.

— Quand cela s'est-il produit ? Où l'avez-vous trouvée ?

— Dans la chambre de Tahiri, répondit Mayn. Elle est comme ça depuis notre arrivée.

Jag Fel serra les mâchoires. Il manœuvra avec soin son chasseur pour le poser à quai, alors que tous ses instincts lui criaient de se dépêcher.

— Vous êtes toujours là, colonel ? demanda Mayn.

Il n'eut pas le temps de répondre. Il était déjà sorti de son cockpit. Dès que ses pieds touchèrent le pont, il courut vers la chambre de Tahiri.

Les abords du palais de Shimrra avaient bien changé depuis l'expulsion de Nom Anor. Des formes de vies suintaient des murs, des sols et des plafonds des bâtiments. Digérant lentement les constructions inertes des précédents occupants de la planète, elles fabriquaient des extensions pour loger les serviteurs et les exécuteurs du seigneur suprême.

Le palais lui-même, un vaisseau-monde, s'élevait

comme une montagne majestueuse au-dessus des ruines de l'ancienne cité. Splendide, avec ses puissantes ailes couleur d'arc-en-ciel, il trônait sur Yuuzhan'tar afin que tous puissent l'admirer.

Les murs du sanctuaire intérieur, les appartements privés de Shimrra, avaient été décorés de flèches incurvées qui jaillissaient vers le ciel, comme pour attraper les nuages. Le nombre d'accès avait été réduit, chacun étant maintenant bien gardé.

Malgré tout, la prêtresse Ngaaluh n'eut aucun mal à y infiltrer un villip. Habilement dissimulé dans ses robes sophistiquées, il montrait tout ce qui se passait à Nom Anor.

La cour s'était rassemblée pour écouter le rapport de Ngaaluh sur la région de Vishtu. Nom Anor reconnut beaucoup de visages – des gens avec qui il avait servi jadis.

À la cour, les possibilités d'avancement étaient bonnes, mais les risques se révélaient élevés. Tous restaient sur leurs gardes.

À la vue de Shimrra, Nom Anor sentit l'adrénaline l'envahir. Dans le feu de l'hérésie, oublier à quel point Shimrra était impressionnant s'avérait facile. Ici, cette force de la nature attirait tous les regards.

— … ressources fournies par le préfet Ash'ett se sont révélées à peine adéquates, dit Ngaaluh.

Elle pimentait savamment son rapport d'un grand luxe de détails – sans rien dévoiler de vraiment nouveau.

— Mais ma découverte est très perturbante. De nombreuses cellules d'hérétiques se sont formées dans l'équipe du consul, à tous les niveaux de la hiérarchie. Il est clair, mon seigneur, que la situation demande à être examinée de plus près.

Des murmures coururent dans la salle. Le haut préfet Drathul eut l'air particulièrement inquiet. Le préfet Ash'ett faisait partie de ceux qu'il supervisait. Tout problème rencontré avec Vishtu lui retomberait dessus.

— Oui, c'est très préoccupant, grogna Shimrra.

Son trône à la fois somptueux et grotesque dominait la scène. De Shimrra lui-même, l'obscurité et la puissance émanaient par vagues.

— Une fois de plus, Ngaaluh, vous faites montre d'une bravoure certaine en m'apportant de telles nouvelles.

Il y eut une nouvelle vague de murmures. Le seigneur suprême avait tué des messagers porteurs de moins mauvaises nouvelles.

La prêtresse s'inclina.

— Je fais mon devoir, seigneur.

— Vous avez des preuves, je suppose ?

Ngaaluh claqua des doigts. Des gardes traînèrent des prisonniers enfermés dans des cages en corail où des perforations laissaient l'air circuler. Les cages s'ouvraient d'une simple pression sur leur crête médiane. Gémissant, les cinq prisonniers sortirent et se redressèrent.

Aucun n'implora la clémence.

— Ces hérétiques répandaient le message du Prophète. Ils travaillent pour Ash'ett.

Les gardes les poussèrent sur le sol. Attachées avec de la gelée blorash, ces créatures déformées étaient hideuses, comparées à la perfection impériale du seigneur suprême.

— Toi, dit Shimrra, en désignant un hérétique. Es-tu un serviteur des *Jeedai* ?

— Je vis pour eux…

— Tu ne crains donc pas les dieux.

— Non.

— Me redoutes-tu ?

— Non.

— Que veux-tu ?

— Notre liberté et notre honneur !

La cour murmura de plus belle en entendant l'hérésie proclamée au cœur même de l'Empire yuuzhan vong. Tous, même Nom Anor, s'attendaient à ce que Shimrra se venge aussitôt du prisonnier qui osait le défier. Mais, comme souvent, le seigneur suprême surprit tout le monde.

— Intéressant…, dit-il d'une voix mesurée, presque ennuyée. Il en va comme vous l'avez dit, Ngaaluh. Les *Jeedai* instruisent-ils en personne ces hérétiques, ou leur délèguent-ils des agents ?

Le prisonnier répondit avant que Ngaaluh puisse répondre.

— J'obéis à ma conscience. Et au Prophète !

Nom Anor jura à voix basse. Cet imbécile n'était pas censé dire ça !

— A mon avis, Ash'ett est impliqué, dit la prêtresse, soucieuse de faire passer le message convenu.

— Mais vous n'avez aucune preuve directe ?

— Le moment voulu, je vous en fournirai.

— Ce ne sera pas nécessaire. (Shimrra se tourna vers les prisonniers.) Qu'on les jette dans la fosse des yargh'un. Leurs cris ponctueront agréablement ma communion avec les dieux. Et pendant que vous y êtes, amenez-moi le préfet.

— Il serait bon d'entendre sa version des faits, intervint Drathul. Je suis sûr qu'il prouverait son innocence. Il a toujours été un loyal serviteur…

D'un geste, Shimrra le fit taire.

— Que le préfet Ash'ett soit corrompu ou non n'est pas la question. Il a laissé l'hérésie s'implanter dans son domaine. Inacceptable ! Il faut lui rappeler les conséquences de ce laxisme. Que tous ses proches soient exécutés dans la fosse des yargh'un. Si quelqu'un ose résister, exécutez tous les membres de son domaine et nommez quelqu'un d'autre à la tête du secteur de Vishtu. Une confession est inutile. Les soupçons suffisent. Tel sera le sort commun à tous ceux qui laisseront l'hérésie s'installer.

Des murmures coururent dans l'assistance. Même pour Shimrra, la sentence était d'une exceptionnelle cruauté. Le haut préfet Drathul blêmit.

Ravi par le sort des intendants, qu'il méprisait, le maître de guerre Nas Choka sourit de toutes ses dents.

Loin de là, Nom Anor gloussa de satisfaction.

— J'en ai assez ! continua Shimrra. S'il existait une

chance que ces animaux atteignent leur but, j'admirerais leur détermination et leur loyauté. Mais ils sont inéluctablement condamnés. Leur cause est sans espoir, et leur mort ne leur apportera aucun honneur. Les dieux les rejettent comme les abominations qu'ils sont. Je ne souffrirai pas qu'ils vivent, ou que quiconque pollué par eux vive !

Nom Anor était ravi. Avoir ourdi la disgrâce d'Ash'ett lui apportait un bonus inattendu. Shimrra entendait donner un avertissement aux castes, tout en éliminant les domaines douteux… Dorénavant, les soupçons suffisaient, et l'échec ne serait plus rejeté sur les subordonnés… Pour les hérétiques, ce n'était pas un désastre. Au contraire, ça donnerait une arme encore plus puissante à Nom Anor. Un seul mot de Ngaaluh pousserait désormais Shimrra à massacrer ses plus fidèles serviteurs.

Parfait !

Ngaaluh, la glorieuse reine de la tromperie, fut la première à réagir.

— Seigneur suprême, votre volonté est celle des dieux, dit-elle en s'inclinant. Nous vous obéissons.

N'ayant pas le choix, les courtisans s'inclinèrent aussi. Le haut préfet Drathul parut sur le point de protester, mais l'avertissement de Shimrra était clair. Ceux qui s'opposeraient à la punition pour hérésie seraient déclarés hérétiques eux-mêmes. Drathul bouillait de colère quand il s'inclina pour assurer le seigneur suprême de sa loyauté.

Pourtant, lorsqu'il regarda Ngaaluh, il n'y avait pas de haine sur son visage. Nom Anor y chercha des signes de ressentiment, à cause de la façon dont elle avait impliqué Ash'ett et tous les intendants, mais il lut seulement de la résignation dans son regard.

Etonnant… Accepter les choses ainsi ne ressemblait pas à Drathul…

Ngaaluh recula, laissant d'autres pénitents parler.

On passa bientôt aux problèmes de la surface. Un champ de lambents surchauffé s'était embrasé, compromettant les moissons. Des vers-poumons du district de Bluudon avaient pris la fâcheuse habitude d'émettre du sulfure d'hydrogène au lieu de l'oxygène qu'ils étaient censés produire. Deux troupeaux d'énormes conteneurs vivants, devenus fous, avaient semé la panique.

Le tout était lié au mauvais fonctionnement du duryam en charge des transformations de Yuuzhan'tar…

Le nouveau maître modeleur, Yal Phaath, n'avait pas encore de solution au problème.

Pendant ce temps, à deux mille kilomètres de là, une cellule d'hérétiques avait infiltré une équipe de cultivateurs de coraux skippers, glissant des parasites dans les conduits d'alimentation. Des vaisseaux à demi développés avaient explosé dans le chantier naval, ruinant une année de travail. C'était la troisième fois que le mouvement pro-Jedi frappait en une semaine.

Nom Anor se frotta les mains. Même s'il n'était pas responsable des problèmes du cerveau-monde, ça ne l'empêchait pas de s'en attribuer le crédit. Le message se répandait rapidement. Les hérétiques pouvaient frapper n'importe où. Son pouvoir grandissait de jour en jour. Plus rien ne l'arrêterait…

TROISIÈME PARTIE

ENLÈVEMENT

Les feuilles humides fouettaient le visage de Jacen, lancé dans une course éperdue à travers le tampasi.

Il laissait la Force le guider.

Quelque part devant lui, il sentait l'aura de Danni, mais d'une manière distordue, comme si quelque chose interférait avec la Force.

Sautant par-dessus des branches mortes, Jacen se hâtait dans le sous-bois épais.

Il trébucha plus d'une fois. La pluie plaquait sur son corps ses cheveux et ses vêtements, gênant sa vision. Mais une seule chose comptait : rejoindre Danni et s'assurer que rien ne lui arriverait. Concentré sur la faible perception qu'il avait d'elle, il continuait à courir.

Soudain, il déboucha sur un sentier étroit qu'il remonta, comprenant d'instinct que ce chemin expliquait la progression fulgurante des Ferroans. Il projeta de nouveau son esprit dans la Force et repéra l'étincelle qui était Danni. Il ne détectait plus Saba, qu'il avait sentie derrière lui, et ne détectait pas de bruit dans le tampasi.

Le Jedi n'avait pas le temps de se demander pourquoi. Il devait rester concentré…

Il accéléra encore. Il se rapprochait, et cela l'incitait à dépasser ses limites. Il captait les mouvements des ravisseurs – cinq, l'esprit calme et détendu… Ils étaient persuadés d'avoir réussi leur coup.

Et d'autres conspirateurs venaient à leur rencontre !

Jacen sentit les deux groupes se rejoindre dans une clairière et se saluer joyeusement… Personne ne manifestait de peur.

Jacen sortit son sabre laser et accéléra encore. Il entendait maintenant les voix des ravisseurs et captait des mouvements entre les puissants boras.

Si vous lui avez fait le moindre mal… !

Se servant du tronc d'un bora abattu comme d'un tremplin, Jacen bondit dans la clairière et alluma son sabre laser en plein vol. Il se réceptionna en position défensive, prêt à intercepter les trois rayons d'énergie qui jaillirent des armes des ravisseurs.

Il brandit son sabre laser au-dessus de sa tête, également prêt à frapper le premier audacieux qui approcherait trop près.

Les ravisseurs se pétrifièrent.

Couchée sur une civière composée de deux branches épaisses et de lianes entrecroisées, Danni ne bougeait plus. Ça n'était pas bon signe.

— Nous sommes prêts à nous battre, dit un des ravisseurs en avançant d'un pas.

Son arme tremblait dans sa main…

A leurs postures et à leurs mines, Jacen voyait bien que les Ferroans n'avaient rien de combattants expérimentés. Il les éliminerait sans mal. Mais ce n'était pas ce qu'il voulait. Régler le problème pacifiquement et récupérer Danni saine et sauve devait être simple…

— Vous ne pouvez pas gagner, dit un Ferroan. Nous sommes à quinze contre un.

Jacen allait baisser son arme pour tenter une autre approche quand un hurlement perçant retentit. Une forme sombre jaillit du sous-bois et atterrit dans la clairière.

Le sabre laser de Saba crépita en s'activant.

— Quinze contre deux ! gronda-t-elle.

Affolés par la Barabel, huit ravisseurs s'enfuirent. Sur les sept entourant la civière, cinq levèrent leur massue, tandis que leurs camarades brandissaient leurs armes-racines.

— Attendez ! cria Jacen. S'il vous plaît !

S'il désirait régler pacifiquement le problème, c'était maintenant ou jamais.

Les Ferroans le regardèrent désactiver son sabre laser et le remettre à sa ceinture. Puis il leva les deux mains.

— Voulez-vous vraiment mourir ici, cette nuit ?

— Nous sommes plus nombreux que vous, Jedi ! cracha un des ravisseurs.

Jacen tendit sa volonté à travers la Force – vers la racine que le Ferroan tenait. D'un geste nonchalant, il attira l'arme à lui. Paniqué, le Ferroan recula d'un pas.

— Les apparences peuvent être trompeuses, dit Jacen en laissant l'arme tomber sur le sol.

Puis il avança d'un pas.

— Il doit y avoir une autre solution.

— Laquelle ? demanda l'homme à qui il venait de confisquer son arme.

— Parlementons. Si vous m'expliquiez les raisons de ce rapt ? Nous pourrions peut-être résoudre le problème sans violence.

— Je n'ai pas confiance en eux, dit une Ferroane aux cheveux noirs et au visage rond. Je me méfie des étrangers !

— Il n'y a aucune raison d'avoir peur de nous, affirma Jacen.

C'était la vérité. Et il cherchait à influencer la partie la plus réceptive de leurs esprits pour les rassurer.

— Nous n'avons pas peur de vous, grogna la Ferroane. Nous ne voulons pas d'étranger ici !

— Mais nous y sommes, répliqua Jacen. Et sur l'invitation de Sekot.

— Alors, Sekot se trompe, dit le premier homme. Comme le déclare Senshi, c'est…

— Silence ! coupa un autre.

Jacen réfléchit à toute vitesse. Ce « Senshi » était probablement un personnage influent au sein de leur conspiration – voire leur chef. C'était à lui que Jacen devait parler, plutôt que perdre son temps à discutailler sous la pluie avec ses sbires. Leur reprendre Danni et rentrer au camp aurait été facile, mais à long terme, ça ne résoudrait rien. D'autres tentatives suivraient. Il fallait régler la question une fois pour toutes. Maintenant !

— Vous vouliez des otages, et vous en avez une. Mais que diriez-vous de trois ? Ce serait mieux, non ?

— Quoi ? fit la Ferroane, décontenancée.

— Inutile de nous battre. Saba et moi vous suivrons.

— Je n'ai toujours pas confiance en eux, dit la Ferroane.

— Si vous m'affrontez, vous perdrez, affirma Jacen. Et vous serez peut-être tués. Avec ma proposition, personne ne mourra, et vous retournerez près de Senshi avec plus d'otages qu'il ou elle espérait.

Jacen utilisa la Force pour influencer les Ferroans. Il sentit ses paroles trouver un écho dans leurs pensées – surtout celles de l'homme qui avait fait taire ses camarades.

— Vous savez que c'est sensé, insista Jacen.

— Oui.

Furieuse, la Ferroane se tourna vers son compagnon.

— Tu es devenu fou, Tourou ? Nous ne pouvons pas les conduire devant Senshi ! Ils le tueraient certainement !

— Personne ne tuera personne, assura Jacen. Regardez. (Il dégrafa son sabre laser de sa ceinture et le lui lança.) Gardez mon arme pour le moment.

La Ferroane regarda le sabre laser comme s'il allait la mordre.

Jacen fit signe à Saba. Non sans hésiter, elle désactiva aussi son sabre laser et le remit au Ferroan que le Jedi avait désarmé.

Si la décision de Jacen la mettait mal à l'aise, elle n'en laissa rien voir.

— Très bien, céda Tourou.

Le groupe entoura Jacen et Saba.

— Ramassez la civière, ordonna Tourou à ses nouveaux otages. Vous porterez votre amie. Comme ça, vous ne serez pas en mesure de nous réserver de mauvaises surprises.

Prenant les poignées arrière de la civière, Jacen regarda Danni. Trempée et couverte de boue, elle avait un hématome sur une tempe. Reviendrait-elle bientôt à elle ?

Soulagé de la savoir tirée d'affaire, Jacen pourrait mieux réfléchir aux griefs des Ferroans rebelles. Pour le moment, il se concentrait sur la marche, tout en envoyant des ondes rassurantes vers son oncle. Mais plus ils s'éloignaient, moins il arrivait à le contacter dans la Force.

Plus ils s'enfonçaient dans le tampasi, plus les signaux de ses compagnons faiblissaient. Il regretta d'avoir omis d'emporter un comlink. Saba n'avait sans doute pas le sien non plus. L'appareil avait dû rester sous l'habitation effondrée, avec le reste de leurs affaires…

Bref, ils étaient très mal préparés à une mission qui les entraînerait loin de leurs amis.

Si je me débrouille bien, pensa Jacen, *nous ne resterons pas absents longtemps…*

Saba se tourna vers lui.

— J'espère que tu sais ce que tu fais.

— Pas vraiment, non. Mais l'incertitude rend la vie plus intéressante, tu ne trouves pas ?

Ne jugeant pas la plaisanterie très drôle, Saba continua à marcher en silence.

Le cri de Tahiri donna à Jaina l'impression d'être poignardée en plein cœur. Un déluge d'émotions la submergea : la peur, la douleur, la surprise, le chagrin… Et elle était incapable d'offrir son aide.

Puis elle eut une vision de Riina, debout devant Tahiri, du sang coulant à flots de sa main blessée.

Tahiri tomba, se tenant le bras. Elle lâcha son sabre laser bleu-blanc, qui laissa une marque de brûlure sur le sol.

Jaina se demanda ce qui était arrivé. Dans une image-souvenir précédente, elle avait vu les deux jeunes femmes s'affronter. Riina était blessée. Et Tahiri semblait l'être aussi. Leur duel mental les affectait-il désormais physiquement ?

Tahiri, tu vas bien ? Par l'enfer, écoute-moi ! Tu dois m'entendre !

Jaina secoua les barreaux sans substance de sa prison mentale. L'esprit de Tahiri ne voulait toujours pas la libérer, et elle répugnait à précipiter les choses, de peur de faire plus de mal que de bien. Personne de l'extérieur ne pouvait aider Tahiri, et Jaina pensait que sa présence était peut-être utile. S'il lui était impossible de sortir, c'était parce que *quelque chose* voulait qu'elle reste là, même si Tahiri et Riina semblaient l'ignorer pour le moment.

Jaina avait assez suivi le duel pour comprendre que Riina se battait avec toutes les capacités d'une guerrière vong – ajoutées à la maîtrise de la Force de Tahiri.

Si elle prenait le contrôle du corps de Tahiri, cela ferait d'elle une adversaire redoutable.

Jaina ne pouvait pas laisser la jeune Yuuzhan Vong gagner. Elle poussa Tahiri à se relever.

Elle « vit » les deux jeunes femmes bouger. Dans la lumière bleue, le sang brillait d'un éclat sombre. Jaina remarqua alors que Tahiri avait la même blessure que Riina – mais sur l'autre bras.

Alors, elle comprit : Tahiri et Riina, des images inversées l'une de l'autre, se livraient un duel à mort. Ce que l'une faisait à l'autre, elle le subissait aussi… Si Tahiri tuait Riina, elle se tuerait du même coup.

Aucune ne pouvait gagner !

Les deux jeunes femmes se lancèrent dans un dialogue animé. Jaina ne percevait pas de son, car la scène semblait se dérouler sur un plan différent de celui que les images-souvenirs lui montraient…

Ensemble, les duellistes se tournèrent soudain vers Jaina.

L'image-souvenir s'effaça, mais la Jedi eut la certitude que les deux jeunes femmes parlaient d'elle…

Elle se sentit menacée par leur double regard.

Une autre image…

Les jeunes femmes s'étaient relevées. Leurs sabres laser vinrent se nicher d'eux-mêmes dans leurs mains, laissant une traînée de lumière dans les ténèbres.

Anakin est mort, dit la voix de Tahiri. *Je ne pourrais jamais le ramener à la vie !*

Une tristesse terrible envahit l'esprit de Jaina. Elle repoussa ses émotions, soucieuse de soutenir Tahiri.

Je fuis depuis trop longtemps…

Tahiri avança, brandissant son sabre laser.

Il est temps que j'affronte mes peurs.

Jaina se demanda ce qu'elle pouvait faire.

De très loin, elle entendit la voix de Jag Fel…

Je t'aime, Jaina. Reviens vers moi, je t'en prie…

Une illusion, elle le savait… Jag éprouvait peut-être de tendres sentiments pour elle, mais il ne lui en avait jamais rien dit. Pourtant, cette simple idée lui donna la force dont elle avait besoin.

Affronte tes peurs, Tahiri ! lança-t-elle.

Le paysage mental trembla, comme sur le point de se dissoudre.

Krel os'a. Hmi va ta !

L'obscurité s'épaissit quand la voix dure de la Yuuzhan Vong retentit.

Le rêve *se resserra* autour de Jaina.

Leia encaissa l'onde de choc du mieux qu'elle put. Les cloisons du *Faucon* tremblèrent. Les bras levés, C-3PO glapit de terreur.

— Ce coup-là est passé bien près ! Encore un peu et on sera frappés de plein fouet !

— Doucement, Bâton d'Or…, grogna Yan, la tête plongée

dans un entrelacs de câbles. Les Ryns portent facilement la guigne !

— Seulement à bord de vaisseaux comme celui-là ! rétorqua Droma.

Yan et le Ryn bricolaient les générateurs de boucliers pour améliorer leurs performances et les rendre plus efficaces.

— Le *Faucon* est parfait ! s'écria Solo en surgissant de l'écoutille. La pince hydraulique, vite !

Droma lui tendit l'outil.

— C'est le plan le plus stupide que j'aie jamais entendu, grommela Droma.

— Quelle partie, en particulier ? demanda Leia.

— Le tout ! Mais surtout *cette partie-là* ! Le seul truc qui nous maintienne encore en vie, ce sont les boucliers ! Si nous les désactivons accidentellement…

— Ça n'arrivera pas, coupa Solo.

— C'est la voix de l'expérience, peut-être ? railla Droma. Tu l'as déjà fait combien de fois ?

Yan ressortit la tête de l'écoutille en gesticulant avec la pince.

— Ce n'est pas parce que je ne l'ai jamais fait que je ne peux pas le faire quand je veux !

— Alors, pourquoi ne l'as-tu jamais fait ?

— Je n'en avais pas besoin ! Leia, ramène cet enquiquineur dans le cockpit !

Yan disparut dans l'écoutille.

C-3PO se tourna vers Leia.

— Nous sommes perdus ! gémit-il.

— Et emmène aussi Bâton d'Or ! cria Yan.

— Où sont-ils, princesse ? demanda le droïd. Ils devraient être arrivés !

La princesse n'avait rien à lui répondre. Là était le problème. Ils avaient demandé de l'aide à la capitaine Mayn. Un appel resté sans réponse… Leia commençait à avoir un « mauvais pressentiment », comme aurait dit son époux.

Mais elle cacha ses appréhensions. Ça aurait seulement perturbé C-3PO, et exaspéré Yan.

— Essaye ça, Leia ! cria Yan.

La princesse retourna au cockpit augmenter la puissance des boucliers. Un – léger – succès…

— Tu es sur la bonne voie, dit-elle.

Peu après, de retour dans le cockpit, Solo se jeta sur son siège et ajusta les commandes.

— Allons, mon joli, montre-nous ce que…

Une explosion les délogea à demi de leurs sièges. Dans la coursive, Leia entendit C-3PO tomber avec un bruit de ferraille.

Yan appuya frénétiquement sur des boutons.

— Nous allons tous mourir ! glapit C-3PO.

Droma entra à son tour dans le cockpit.

— Votre droïd a raison ! Notre unique bon point, pour l'instant, c'est que les Yuuzhan Vong ignorent où nous sommes *exactement*. Mais s'ils continuent à bombarder la zone comme ça…

— Ton inquiétude est dûment notée, coupa Yan. En attendant, retourne donc jouer au dejarik avec Cakhmain et Meewalh, et fiche-nous la paix ! C-3PO, comment vont nos passagers, dehors ? Ils sont bien plus fragiles que nous…

Le droïd revint dans le cockpit et gazouilla un message aux Brrbrlpp blottis près du *Faucon*.

— Les Brrbrlpp m'assurent qu'ils vont très bien, rapporta C-3PO, mais ils craignent – comme maître Droma et moi – que nous soyons bientôt tous détruits. Ils aimeraient savoir si nous avons un plan de secours.

— Croient-ils que nous resterions plantés là si nous en avions un ? grommela Yan.

— Réponds-leur que nous y réfléchissons, C-3PO, ajouta Leia.

Le droïd transmit le message pendant que la princesse se creusait la cervelle à la recherche d'une idée de génie susceptible de les sortir de cette impasse.

— Le moment est venu de bouger ! insista Droma.

— Impossible, trancha Solo. Nous ferions *fondre* nos invités.

— Ils fondront de toute façon, quand les boucliers céderont. Et nous mourrons tous !

— Attirer sur nous les foudres des Yuuzhan Vong semblait une bonne idée au début, mais elle dépendait surtout de la réception de notre message par nos amis, là-haut.

— Ils l'ont peut-être eu, mais ils ne peuvent rien faire pour le moment, avança Leia. Qui sait ce qui est en train d'arriver…

— Pouvons-nous utiliser les répulseurs ? demanda Droma.

— Sur un kilomètre ou deux, répondit Yan. Mais nous serions toujours dans la zone de bombardement.

— Et si nous demandions à nos invités de s'écarter du vaisseau ? En filant d'ici, nous attirerions les bombardements loin d'eux et nous pourrions riposter.

— Mais combien de créatures seraient tuées ? Et combien de Yuuzhan Vong nous guetteraient à la sortie ?

— Bon. Et si nous creusions un trou ? Le sol est assez meuble, par ici. Une bonne salve, et nous…

— … offririons des cibles idéales aux Yuuzhan Vong qui nous survoleraient. Désolé, mon ami. Pour la même raison, plus question d'envoyer un autre message : s'ils découvrent notre position, ils seront sur nous en un éclair. J'ai bien peur que nous soyons…

… *Fichus*, termina Leia mentalement.

Mais il devait y avoir un moyen de se tirer de là ! pensat-elle, frustrée. Sans tuer d'indigènes, et sans se jeter dans un piège !

— J'imagine que feindre une reddition ne marcherait pas, lâcha Droma.

— Pas avec les Vong, répondit Yan. On leur a déjà fait le coup, et maintenant ils se méfient.

La queue flasque de découragement, le Ryn baissa les yeux. Les bombardements continuaient. Chaque fois que le vaisseau était secoué par une explosion, Leia se raidissait, craignant que les boucliers ne cèdent.

— Eh bien, fit Droma, puisque nous n'avons aucun moyen de filer, il y a une chose que je devrais vous dire…

— Excusez-moi, l'interrompit C-3PO, ses photorécepteurs étincelant. Je crois que les Brrbrlpp ont la solution à notre problème.

Yan se tourna vers le droïd.

— Vraiment ?

— Oui, monsieur. Les Brrbrlpp suggèrent que nous nous abritions dans leur plaine de nidation – souterraine, et assez grande pour notre vaisseau. C'est ce qu'ils affirment.

— Et pourquoi nous disent-ils ça maintenant ? s'écria Yan, exaspéré.

— Monsieur ?

— Pourquoi ne l'ont-ils pas suggéré avant ? Ils n'y avaient pas pensé ? Ou ils aiment laisser les gens sur des charbons ardents ?

— J'en doute, monsieur, répondit C-3PO, imperméable à l'ironie de son maître. Il semble que nous ayons gagné leur confiance. Avoir protégé ce groupe au péril de nos vies leur a montré que nos erreurs étaient dues à l'ignorance, pas à la méchanceté.

— Qu'en penses-tu, Leia ? demanda Yan.

— C-3PO, les répulseurs suffiront-ils ?

— Les Brrbrlpp affirment que la zone de nidation est tout près.

— Dans ce cas…

Une explosion l'interrompit, si proche que le vaisseau parut sur le point de se casser en deux.

Solo vérifia les instruments.

— Un de plus comme ça, et nous sommes fichus, annonça-t-il.

— J'ignore ce que vous en pensez, dit Droma en se relevant, mais la suggestion des indigènes me paraît merveilleuse.

— Allons-y, ajouta Leia.

C-3PO échangea quelques borborygmes avec les Brrbrlpp.

— Ils nous guideront. Nous devrons suivre la direction qu'ils nous indiqueront.

Yan vit les créatures s'aligner devant les tubes à missiles du *Faucon*, formant une flèche vivante orientée à tribord.

Yan activa les répulseurs, et le vaisseau quitta la surface d'Esfandia. L'atmosphère dense ne parut pas gêner les Brrbrlpp. Protégés par les boucliers, ils n'en subissaient pas les perturbations. Le vaisseau avança, mais leur position par rapport à la coque ne changea pas.

Ils contournèrent une protubérance noueuse du sol, plongèrent dans un cratère creusé par une bombe vong et en ressortirent pour déboucher dans une plaine vallonnée. Au loin, les éclairs des explosions quadrillaient le secteur. Un de ces missiles finirait bien par les trouver…

— C'est encore loin ? demanda Yan, inquiet.

— Non, répondit C-3PO.

— Qui a le sentiment – comme moi – que nous venons d'échanger une tombe pour une autre ? lança Droma. Si nos copains là-haut perdent la bataille, nous serons coincés ici. Les Vong n'auront plus qu'à guetter notre sortie pour nous cueillir en beauté…

— Je n'aime pas ça, marmonna Yan en surveillant nerveusement ses écrans.

A la limite du détecteur à longue portée, des points lumineux qui se déplaçaient en formation se séparèrent, puis zigzaguèrent à travers l'écran.

— Ils procèdent à un balayage systématique de la zone, traduisit Yan.

— J'imagine qu'ils se sont lassés de leur bombardement…, dit Droma. Et ils ont décidé de mettre la main à la pâte.

— Nous ne pourrons plus leur échapper longtemps, confirma Solo.

— Excusez-moi, monsieur, dit C-3PO, mais les Brrbrlpp ont changé de direction.

La ligne de créatures pointait maintenant vers le bas.

— Je ne comprends pas, avoua Yan. Je ne vois rien. Ni cavernes, ni tunnels, ni…

Une lumière rouge clignota sur la console.

— A ta place, Yan, j'essaierais de comprendre, et vite ! lança Leia. Un corail skipper fonce sur nous !

— Que sommes-nous censés faire, C-3PO ? demanda Yan en rasant le sol au maximum.

C-3PO se hâta d'expliquer aux créatures l'urgence de la situation.

— Dépêche-toi ! marmonna Solo. Nous n'avons pas toute la vie devant nous…

— Pas même une minute, renchérit Leia. Ce skip nous aura bientôt rattrapés.

— Exact. Je prépare l'artillerie et les moteurs. Peu importe ce qui nous attend, je tente le coup !

— Yan…, commença Leia.

Sans crier gare, le sol entra en éruption. Leia crut d'abord qu'une bombe vong les avait touchés.

La terre s'ouvrit comme une gueule géante hérissée de crocs. Dans l'obscurité brillèrent des milliers d'yeux jaunes.

Puis la gueule se referma, avalant ses proies.

Aveuglée par les larmes, Tahiri luttait pour remettre de l'ordre dans ses pensées. La voix, dans l'ombre, la faisait trembler de peur. Elle ignorait ce qu'elle était, ou ce qu'elle voulait. Mais cette voix était implacable.

Et Riina voulait qu'elle l'attaque…

Que suis-je en train de faire ? se demanda-t-elle.

L'obscurité l'oppressait, menaçant de la dévorer.

— *Quelle que soit cette créature*, dit Riina, *mieux vaut te battre contre elle que contre toi-même.*

— *Tu n'es pas moi !*

— *Et tu n'es pas moi. Mais l'une sans l'autre, nous ne sommes plus personne.*

— *Non !*

C'était un cri de douleur et de colère mêlées. Une réaction aux paroles de Riina que Tahiri projeta vers la créature de l'ombre… Elle aspirait à la détruire – et avec elle toutes les vérités qui la gênaient.

— *Je ne veux pas cesser d'être moi-même*, souffla-t-elle.

L'admettre, même à voix basse, donnerait-il prise à l'entité qui la menaçait ?

L'expression de Riina changea, exprimant une colère que Tahiri sentit courir dans son propre corps.

— *Moi non plus !*

La jeune Yuuzhan Vong se jeta sur l'ombre. Quelque chose parut bouger, mais Tahiri n'en était pas sûre. Un monstre était-il vraiment tapi dans les ténèbres, ou s'agissait-il d'un rêve ?

Anakin aurait été capable de le déterminer…

La remarque blessante ne venait pas de Tahiri mais… de l'obscurité ! La jeune femme baissa la tête pour cacher ses larmes à Riina. Rien ne semblait pouvoir atténuer la douleur de cette mort prématurée. Toutes les larmes du monde ne l'absoudraient jamais de son sentiment de culpabilité. Elle aurait dû pouvoir le sauver… Et vivre ensuite heureuse avec lui, le monde entier leur souriant…

Une brise effleura l'humidité, sur ses joues.

— *J'ai peur*, reconnut Tahiri. *Ce monde m'effraie…*

— *Il est tout ce que j'ai connu depuis Yavin 4*, dit Riina.

Pour la première fois, Tahiri comprit vraiment la réalité de sa situation.

— *Ce n'est pas un rêve ?*

— *Je suis aussi réelle que la créature de l'ombre que nous combattons.*

— *Mais Anakin t'a tuée ! Tu es morte !*

— *Il a cru m'avoir tuée*, rectifia Riina. *Il m'a seulement obligée à me réfugier dans ton inconscient. En un sens, j'étais effectivement morte : je n'avais pas de corps, plus de sens... rien qui m'appartienne en propre. Il n'y avait que moi, prisonnière de l'obscurité. Un cauchemar ! Par moments, j'ai cru devenir folle. Mais à la fin, j'ai refait surface...*

Tahiri trembla. C'était la vérité. Elle l'avait toujours su... Elle avait seulement refusé de le reconnaître.

— *Il m'a fallu des mois pour tout reconstituer*, continua Riina. *A mesure que je récupérais, tu t'affaiblissais. J'ai compris que je n'avais pas à rester dans ce monde de cauchemar. J'ai commencé à lutter. Il m'est même arrivé de gagner. Quand tu t'évanouissais, j'étais capable d'émerger. Mais mon emprise sur la réalité restait précaire, et tu me repoussais sans arrêt. Souvent, j'ai cru que je resterais à tout jamais prisonnière de ces ténèbres – ou, pire, que je disparaîtrais entièrement !*

— *J'aurais préféré*, dit Tahiri.

— *Aux pires moments, je n'ai pas abandonné la lutte. J'ai essayé de te repousser dans l'ombre pour que tu saches ce que cette réclusion représentait. Puis ta culpabilité nous a pourchassées toutes les deux ! Alors, j'ai compris que nous étions inséparables. Mon tourment était le tien. Ton sentiment de culpabilité était le mien. Et même si ça te semble impossible, nous sommes liées à jamais. Nous vivons et nous mourrons toutes les deux. Nous n'avons pas le choix.*

— *Non ! Il doit y avoir un autre moyen !*

— *Il n'y en a pas*, insista Riina. *Regarde ta main : c'est la preuve. Si tu me coupes, tu saignes. Si tu me tues, tu meurs.*

Tahiri examina la blessure de la main de Riina, qui l'avait affectée aussi, comme par magie. Du sang en perlait toujours. Les propos de Riina pesaient sur elle comme un millier de pierres tombales, mais la Yuuzhan Vong ne mentait pas. Inutile de s'obstiner à nier. Depuis Yavin 4, son esprit était inextricablement lié à celui de Riina. Elles étaient comme des sœurs siamoises. A cette différence près qu'aucun scalpel de chirurgien ne pourrait jamais les séparer.

— *Que sommes-nous ?* demanda-t-elle. *Des Yuuzhan Vong ? Des Jedi ?*

— *Les deux*, répondit Riina, *et aucune des deux. Nous devons accepter la créature hybride que nous sommes devenues. Fusionner. Devenir une…*

— *Mais qui serai-je ?*

— *Quelqu'un de nouveau*, assura Riina. *De fort.*

Etouffée par l'émotion, Tahiri ne put plus articuler un son. Elle chercha des yeux la créature qui incarnait son sentiment de culpabilité. Etait-ce ainsi qu'elle devait fusionner avec Riina ? En tuant cette créature ? Ensuite, se réveilleraient-elles ensemble de ce cauchemar ? D'une certaine façon, cela semblait la meilleure chose à faire. Mais il y avait dans tout ça un côté obscur et malsain… Et pourtant, quelle autre solution envisager ?

Un cri déchira les ténèbres. La créature de l'ombre, sa culpabilité, la harcelait de nouveau. Tahiri n'en comprenait pas les mots, mais le sens.

— *Ma culpabilité m'appelle*, dit-elle.

— *Il n'y a rien dont tu doives te sentir coupable*, dit Riina.

— *Celui que j'aimais est mort. Et je porte toujours en moi le baiser qu'il voulait que nous échangions. J'ai dit que je le lui donnerais plus tard, mais il n'y a pas eu de « plus tard ».*

— *Qui pourrait t'accuser de cela ? Ta culpabilité est imaginaire, Tahiri, et tu le sens au fond de toi.*

— *Comment sais-tu ce que j'éprouve ?*

— *Comment je le sais ? Tu ne m'as pas écoutée ? Nous sommes une seule personne, un seul esprit !*

Tahiri frémit d'horreur à cette idée… C'était la pure vérité. Elle continuait à la repousser, mais ses pensées étaient comme un livre ouvert pour sa jumelle.

— *Tu te punis, tu nous punis*, continua Riina, *et ça n'a*

rien à voir avec la mort d'Anakin ou le baiser que tu lui as refusé.

— *Alors, c'est quoi ?*

— *Tu te sens coupable de continuer à vivre sans Anakin. Et surtout d'apprendre à exister sans lui.*

Tahiri aurait voulu réfuter les paroles de Riina... Impossible. La vérité lui crevait les yeux.

— *Oublie, Tahiri. Il n'y a aucune honte à ça. Le moment est venu de laisser le chagrin derrière toi. Tu l'as déjà fait, mais tu ne le sais pas encore. Voilà tout.*

Tahiri détesta Riina, qui avait percé à jour ses sentiments. Furieuse, elle projeta son sabre laser dans les ténèbres. Il tourbillonna, illuminant les ombres, les crevasses et les rochers du vaisseau-monde où elles étaient. Et, pendant qu'il virevoltait dans l'obscurité, elle sentit son chagrin s'apaiser.

Elle eut le sentiment de s'*éveiller*.

— *Riina, je sais maintenant ce que j'ai à faire.*

Elle frémit à l'idée de tout ce qu'elle abandonnerait peut-être derrière elle : la famille Solo, son devoir de Jedi, ses souvenirs...

Elle se demanda soudain dans quelle mesure tout cela la concernait. La famille d'Anakin n'était pas la sienne. Les Chevaliers Jedi survivraient très bien sans elle. Et ses souvenirs lui apportaient seulement de la souffrance. Tant qu'elle ne sombrait pas dans le Côté Obscur, elle pourrait en toute bonne conscience tourner le dos à ce qu'elle avait été.

L'heure n'était plus à la réflexion. Lentement, avec la sensation de tomber, elle tendit la main, et son sabre laser revint se nicher dans sa paume.

Les ombres se dissipant, la jeune femme découvrit ce qui les traquait... Non un dieu surgi des méandres d'un esprit non-humain, le Côté Obscur, son sentiment de culpabilité ou son désespoir...

C'était Jaina.

Une dernière fois, Tahiri fit face à son double.

— *Je sais ce que tu penses*, dit Riina. *N'écoute pas ! Elle te ment, elle jette de l'huile sur le feu... Elle ne veut pas t'aider, seulement te garder prisonnière. Avec moi.* (Riina approcha de Tahiri et lui tendit la main.) *Joins-toi à moi ! Ensemble, nous ferons le nécessaire pour être libres.*

— *Oui. Je crois que je comprends, maintenant.*

— *Ne réfléchissons plus. Agissons !*

Tremblante, Tahiri prit la main de Riina. Ensemble, elles affrontèrent l'obscurité.

— Si nous n'avons pas bientôt des réponses, dit Mara, furieuse, je vous assure que vous aurez toutes les raisons de craindre les Jedi !

Luke posa des mains conciliantes sur les épaules de sa femme, mais elle était trop énervée.

— Je vous dis la vérité, insista Darak. Nous ignorons qui est responsable de cette attaque !

— Quelqu'un doit le savoir ! Les dissidents comme celui-là ne naissent pas en une nuit. La rébellion couve depuis longtemps...

— Absurde ! feula Rowel. Il n'a plus eu d'agitation sur Zonama depuis des dizaines d'années !

— Il y a en maintenant ! Cette attaque n'avait rien d'improvisé. Je ne critique personne, je veux juste savoir ce qui est arrivé à nos amis. Et que vous sembliez indifférents à leur sort m'irrite profondément !

— Nous ne sommes pas indifférents ! protesta Rowel. Au contraire, la présence d'étrangers livrés à eux-mêmes sur notre planète nous inquiète beaucoup ! Nous nous soucions...

Luke interrompit Rowel avant qu'il ne fasse sortir Mara de ses gonds.

— Sekot pourrait nous aider. Peut-on lui demander si elle sait où sont nos compagnons ?

Les Ferroans échangèrent un coup d'œil.

— Depuis l'attaque des Etrangers, répondit Darak, Sekot

se régénère. Son attention est ailleurs. Il est peu probable qu'elle sache où sont vos amis.

— Essayons, insista Mara. Et la Magistère ? Elle pourrait peut-être le lui demander en notre nom.

— Elle se repose.

— Nous ne voudrions surtout pas la déranger ! grogna Mara sèchement.

— Je vous en prie, réveillez-la, demanda Luke. Je suis sûr qu'elle souhaiterait être informée de ce qui se passe.

Les Ferroans échangèrent un autre coup d'œil.

Puis Darak s'en fut.

Luke éprouva peu de satisfaction. Que les Ferroans se soient décidés à avertir la Magistère était seulement une première étape.

Il pleuvait toujours. Dans le tampasi, Jacen, Saba et Danni restaient hors de portée de ses perceptions. S'ils ne revenaient pas par leurs propres moyens, il aurait du mal à les localiser sans l'aide de Sekot ou de la Magistère.

— Vous vous trompez en pensant que Sekot est informée de tout ce qui se produit à sa surface, dit Rowel. Elle n'en est pas plus capable que vous de surveiller chaque cellule de votre corps.

— Pourtant, à notre arrivée, elle nous a localisés aisément.

— Dans l'espace, c'est différent. Dans le vide cosmique, les éléments isolés sont plus faciles à repérer. Nous avons prié les communautés voisines de surveiller tout mouvement insolite à travers le tampasi. En dépit du mauvais temps, Darak essaiera de convaincre les vaisseaux de survoler la région.

— C'est un bon début, approuva Luke. Merci.

— Je vous en prie, n'allez pas imaginer que ce genre de comportement est habituel chez nous. Nous sommes pacifiques. Ici, les attaques et les prises d'otages n'arrivent jamais.

— La peur de l'inconnu ou de la différence rend souvent les gens irrationnels, dit Mara, radoucie. Mais pour l'instant, nous voulons une seule chose : retrouver nos amis sains et saufs.

— Soyez sans crainte. Nous ferons tout ce qui est en notre pouvoir.

Un étrange sentiment troubla soudain la Force. Luke ferma les yeux pour se concentrer. Ça venait du tampasi, mais où ? Luke fut dans l'impossibilité de le déterminer.

— Tu l'as senti, toi aussi ? demanda Mara.

— Oui. C'est Jacen. Je crois qu'il va bien. Je n'ai pas perçu de danger imminent.

— Ils reviennent ? demanda Hegerty.

— Je ne suis pas sûr, avoua Luke. Il m'a semblé que non.

— Et les autres ? insista la scientifique. Ils vont bien ?

— Je ne peux pas le détecter par la Force, mais je crois, oui.

— Essayons quand même de les retrouver, dit Mara.

— Oui.

Rowel ouvrit la bouche, mais il fut interrompu par le retour de Darak, qui avait l'air très inquiète.

— Elle n'est plus là ! cria-t-elle.

— Qui ? demanda Mara.

— La Magistère ! Elle a été emmenée hors de ses appartements !

— Emmenée ? Que veux-tu dire ? demanda Rowel. Pourquoi aurait-on fait ça ?

— Je crois comprendre, dit Luke. Ce n'était pas Danni que les ravisseurs voulaient, mais Jabitha. Pendant que vous étiez occupés avec nous, ils l'ont enlevée.

Darak et Rowel eurent l'air horrifié.

— Danni, Jacen, Saba... Et maintenant la Magistère. Qui d'autre sera capturé avant la fin de la nuit ? demanda Mara.

Jag battit des records de vitesse pour arriver dans la chambre de Tahiri. Il y retrouva Dantos Vigos, l'officier médical en chef du *Sélonia*, et Selwin Markota, le second de la capitaine Mayn – qui ouvrirent des yeux ronds en le voyant entrer en trombe.

Le souffle rauque, Jaina était allongée sur le lit à côté de Tahiri.

— Qu'est-il arrivé ? lança Jag en arrachant son casque de vol.

— Détendez-vous, implora Markota.

— Je me détendrai quand je saurai ce qui se passe !

— C'est tout le problème, répondit Vigos. Nous n'en savons rien ! Peu après l'arrivée en orbite autour d'Esfandia, nous avons trouvé Jaina inconsciente, effondrée à côté de Tahiri, la main dans la sienne… Nous les avons scannées. Aucun signe d'anomalies physiques, mais leurs cerveaux sont en pleine activité.

— Comment expliquez-vous ça ? demanda Jag.

— Je ne l'explique pas, répondit Vigos en haussant les épaules.

— Vous devez au moins avoir une hypothèse de travail !

Vigos soupira.

— Exact… Mais c'est seulement une théorie, basée sur ce qu'on m'a rapporté du comportement récent de Tahiri. A mon avis, elle s'est retranchée en elle-même. Elle souffre d'une sorte de dédoublement de la personnalité. Je crois qu'elle a délibérément intériorisé le conflit pour éviter qu'une des deux personnalités prenne le pas sur l'autre – *et* s'abroge le contrôle de son corps.

— Je vois, fit Jag. Mais quel rapport avec Jaina ?

— Je pense qu'elles ont fusionné, expliqua Vigos. Je ne suis pas un Jedi, mais je soupçonne Jaina d'avoir tenté cette fusion pour secourir Tahiri. L'aider à survivre…

Même inconsciente, Jaina avait l'air épuisée.

— Alors, pourquoi ne réagit-elle pas ? Si elle s'est volontairement infiltrée dans l'esprit de Tahiri, pourquoi ne se réveille-t-elle pas pour nous dire ce qui se passe ?

— Impossible à savoir, soupira Vigos. Je suis désolé.

Une image bizarre s'imposa à l'esprit de Jag. L'esprit de

Tahiri ? Un piège attirant inexorablement ceux qui s'y aventuraient. Une nasse… Les Jedi qui s'y jetaient risquaient de s'y perdre à jamais.

Mais en quoi cela serait-il utile à Riina ?

Frustrés, les trois hommes regardèrent les deux jeunes femmes inconscientes. Jag ne voulait pas en rester là, mais que faire ? Sensible à la Force, il n'aurait pas hésité à se joindre à la fusion pour essayer de rejoindre la femme qu'il…

Il s'interrompit, puis accepta l'idée. Oui, celle qu'il aimait était en danger. Il devait réagir !

— Vous avez sans doute tenté tout ce que vous pouviez, dit Jag. Mais moi, je refuse de baisser les bras.

Vigos eut l'air incertain.

— Qu'avez-vous l'intention de faire ?

— Lui parler. Elle m'entendra.

— Colonel, nous avons essayé de…

— S'il vous plaît, laissez-moi seul avec elle, coupa Jag.

Markota hésita, puis fit signe au médecin.

— Appelez-moi s'il y a un changement, demanda Vigos.

— D'accord, répondit Jag.

Les deux hommes sortis, Jag posa son casque et s'assit au bord du lit, à côté de Jaina. Il lui prit la main. Malgré sa détermination, il s'avoua qu'il ignorait quoi faire. Il n'y avait pas d'ennemi sur qui tirer : seulement Jaina, prisonnière de l'esprit d'une jeune femme très malade qui avait aussi besoin d'aide…

— Je suis là, murmura-t-il. Et je ne bougerai pas tant que tu ne reviendras pas à toi, Jaina. Tu sais ce que ça veut dire, n'est-ce pas ? Soleil Jumeaux n'a plus de chef. Et c'est inacceptable !

Il la dévisagea. Sa démarche aurait-elle un effet immédiat ? Contre toute attente, il l'espérait. Mais sur le visage de Jaina, il ne détecta aucun signe miraculeux de retour à la conscience.

Il serra la main de la jeune femme dans les siennes. La

pièce était probablement sous surveillance, mais peu lui importait. Seule comptait Jaina.

— Je t'aime. Je t'en prie, reviens !

Tous ses sens en alerte, Saba avançait. Ses compagnons avaient quitté le sentier et foulaient maintenant le tampasi sauvage. En dépit de l'absence de piste, les Ferroans semblaient s'orienter sans peine. De temps à autre, ils donnaient la direction à suivre à Saba ou Jacen, sans engager la conversation. Et ils gardaient leurs distances.

Plus ils progressaient, plus le malaise de Saba augmentait, surtout à cause de l'état de Danni. Jacen, qui n'aurait jamais volontairement mis en danger la vie de la jeune femme, avait l'air aussi soucieux qu'elle. Saba brûlait d'envie de soulever Danni dans ses bras et de prendre la fuite avec elle pour rejoindre leurs compagnons. Là, Danni recevrait rapidement des soins médicaux… Mais Saba faisait confiance à Jacen. Il voyait les choses différemment, sur un plan plus fondamental, et pour cette raison, elle était prête à lui laisser le commandement.

Ils atteignirent un énorme tronc d'arbre jeté en travers d'une rivière en crue. Trois Ferroans s'y engagèrent les premiers, faisant signe à Saba et à Jacen de les suivre. Les quatre derniers indigènes formaient l'arrière-garde. Des épines pointues tailladèrent la peau épaisse de Saba, qui recourut à la Force pour les écarter de Danni et d'elle.

Ils débouchèrent devant une paroi rocheuse cachée à la vue par un bosquet d'immenses boras. A la base de la paroi saillait un surplomb de cinq mètres de haut sur dix de large.

Saba et Jacen furent poussés dessous, où s'étaient massés des Ferroans.

Ils entourèrent les étrangers dans la zone sablonneuse qu'abritait le surplomb, puis laissèrent le passage à un très vieux Ferroan, aussi ridé que Jabitha. Ses cheveux courts étaient encore noirs.

— J'ai demandé qu'on m'amène *un* otage, et voilà que

vous revenez avec une délégation entière ! Que signifie cette comédie ?

— Trois, ça paraissait mieux qu'un, Senshi..., fit Tourou.

La suggestion implantée par Jacen dans son esprit commençait à s'effacer.

— Imbécile ! grogna Senshi. Ces étrangers ont des pouvoirs qu'ils utilisent pour que leurs paroles semblent raisonnables.

— Il est exact que j'ai influencé leur décision de nous conduire ici, avoua Jacen, mais je l'ai fait seulement parce que je souhaitais m'entretenir avec vous. Il importe que vous compreniez de quoi il retourne. Nous ne sommes pas venus sur votre planète pour causer des problèmes, mais parce que...

Senshi éclata de rire.

— N'essayez pas de me persuader, Jedi ! Je réagis aux actes, pas aux paroles vides de sens. Les actes récemment commis contre notre planète parlent d'eux-mêmes.

— Ces attaques sont le fait des Etrangers, souligna Jacen. Elles n'ont rien à voir avec nous.

— Vous êtes tous des étrangers à nos yeux, répliqua Senshi. Les actes des uns reflètent les intentions des autres.

— Et *vos* actions ? demanda Saba. Qu'est-ce qu'un rapt révèle sur vous-mêmes ?

Avant que Senshi puisse répondre, un coup de tonnerre éclata et la pluie reprit de plus belle.

Quand le tonnerre se tut, Senshi écrasa ses otages de son mépris, ne daignant pas répondre à Saba.

A cet instant, d'autres Ferroans arrivèrent, portant, sur une civière, un corps couvert d'une bâche. Saba crut d'abord que les ravisseurs étaient retournés s'emparer d'Hegerty. Mais quand les Ferroans enlevèrent la bâche, l'inquiétude de Saba se transforma en étonnement. Ce n'était pas Hegerty, mais la Magistère.

— Maintenant, jubila Senshi, ils ne pourront plus nous ignorer.

170

Jacen avança.

— Pourquoi enlever la Magistère ? demanda-t-il.

— Parce qu'elle a oublié nos tourments la dernière fois que des étrangers sont venus ici ! Elle a oublié les incendies, les tremblements de terre, les ouragans qui ont déraciné d'innombrables boras, la fumée qui a envahi le ciel… Elle a oublié tous les morts que nous avons tant pleurés ! Pas question de la laisser faire et de revivre ces temps maudits ! Nous ne sommes pas venus ici pour tout reconstruire, puis tout gâcher ! Nous voulons un *sanctuaire*.

— Vous vous rappelez l'époque antérieure à l'Errance ? demanda Jacen.

— Aussi clairement que si c'était hier, affirma Senshi. J'ai perdu mes enfants, ma compagne, mes parents, mon frère et ma sœur. Et trop d'amis ! J'étais seul, et j'aurais voulu mourir aussi. Mais j'ai survécu. J'ai souffert avec Sekot pendant notre recherche d'un sanctuaire, et je me suis réjoui quand nous avons finalement trouvé la paix. Maintenant, j'ai de grandes craintes devant le retour des Etrangers – et des Jedi ! Nous savons ce que cette association diabolique signifie. Je ne laisserai pas la Magistère nous plonger dans un nouveau cycle de mort et de désolation !

— Sekot nous a accueillis, rappela Jacen.

— J'ai seulement la parole de la Magistère pour le croire.

— Pourquoi mentirait-elle ?

— Parce qu'en oubliant, son esprit est devenu confus. Sa faiblesse nous met en danger. Personne ne veut devenir de la chair à canon dans la guerre des autres.

Saba comprenait la douleur du Ferroan. Elle la sentait aussi bien que la sienne. Dans la situation de Senshi, elle aurait probablement réagi de la même façon. Mais comment penser une seconde que la Magistère puisse passer outre la volonté de son peuple si les sentiments de Senshi étaient partagés par d'autres ? De plus, que Sekot tolère un tel comportement chez sa propre médiatrice était improbable.

— Et maintenant ? demanda Jacen. Qu'espérez-vous accomplir ?

— Nous avons accompli tout ce que nous osions espérer, répondit Senshi. Et démontré ainsi qu'on ne peut pas facilement nous oublier. Quand la Magistère se réveillera, elle n'aura pas le choix : elle devra nous écouter. De toute manière, nous vous gardons en otages. Ainsi, le désastre sera évité.

— En refusant de nous écouter, dit Jacen, vous risquez de provoquer un désastre bien pire.

— Lequel ?

— La domination de la galaxie par un pouvoir plus destructeur que vous ne sauriez l'imaginer. Quand cet ennemi aura établi ses bases sur les ruines de nos mondes, il se jettera sur vous. Les Etrangers ont été repoussés une fois, mais lorsque leurs vaisseaux de guerre envahiront ce système, ce ne sera plus si facile. Ils implanteront des usines biologiques sur toutes les planètes de ce système pour remplacer les navires que vous détruirez. Puis ils placeront des interdicteurs à l'entrée de la bulle d'hyperespace pour vous empêcher de fuir. Qu'arrivera-t-il alors, Senshi ? Qui appellerez-vous à l'aide quand la population de cette galaxie aura été exterminée ou asservie ?

Le jeune humain parlait avec l'assurance d'un homme qui dit la vérité. Saba vit que Senshi n'était pas insensible à cette force de persuasion, même s'il refusait de le reconnaître.

— Vous ne me convaincrez jamais que nous avons besoin de vous.

— Par bonheur, ce n'est pas vous que nous devons convaincre, mais Sekot. Si vous avez l'intérêt de votre planète à cœur, vous accepterez sa décision. Qu'elle m'écoute à travers vous ou à travers la Magistère – et elle décidera.

Un grondement sourd roula dans le tampasi quand Jacen se tut. Saba sentit une contraction musculaire involontaire courir le long de son échine. Silencieux, les Ferroans assistaient à l'affrontement entre Jacen et Senshi. Il y avait dans leurs yeux de la peur et de l'incertitude.

— La journée a été longue, reprit Senshi. Nous sommes tous fatigués. A moins que la Magistère se réveille avant, nous nous reposerons jusqu'à l'aube. A la lumière du jour, les choses seront peut-être plus claires.

— Nous resterons jusqu'à l'aube, répondit Jacen.

Sa voix était calme, mais ferme.

— Vous resterez jusqu'à ce que je décide de votre libération, répliqua froidement Senshi.

— Je suis prête à en discuter avec vous ! lança Saba, tout aussi froidement.

Le Ferroan lui jeta un regard noir, sans relever le défi. Il se détourna des Jedi et distribua des ordres. Les Ferroans déroulèrent leurs sacs de couchage, sortant des provisions. Tourou conduisit Saba et Jacen vers une alcôve rocheuse, au fond du surplomb. Il y fit amener la civière de Danni et l'enroula dans des couvertures.

Saba n'avait pas l'intention de dormir, et Jacen non plus. Il regardait Senshi parler à l'autre groupe.

— Et maintenant ? demanda Saba.

— Maintenant, nous attendons, répondit Jacen.

— Tu as un plan ?

— Pas vraiment pour l'instant, excepté démontrer à Senshi que nous ne voulons pas de mal aux siens, en dépit de leurs provocations.

— Je pourrais porter Danni pendant que tu libérerais la Magistère, et…

— Trop difficile. Et ils sont trop nombreux. Quelqu'un finirait par être blessé. Nous pouvons nous permettre d'être patients…

Saba n'en était pas si sûre.

— Danni est inconsciente depuis trop longtemps. Bientôt, elle aura besoin de soins.

Jacen repoussa une mèche de cheveux humide du front de Danni et, par la Force, lui envoya des ondes de guérison.

— Tout ira bien pour elle. J'en suis sûr.

Mais il ne regarda pas Saba, et sa voix manquait de conviction.

Tahiri frémit en percevant l'ombre de Jaina, dans la prison de son esprit.

— *Tuons-la !* s'écria Riina. *Elle est vulnérable, et nous la prendrons par surprise.*

— *Non*, répondit Tahiri. *Pas question. Je ne dois pas. Loin de me libérer de ma culpabilité, cet acte l'aggraverait. La tuer m'enverrait vers le Côté Obscur. Et tu aimerais ça, pas vrai, Riina ? C'est pour ça que tu as brouillé ma vue, pour que je ne m'aperçoive pas que c'était elle !*

La jeune Yuuzhan Vong sembla… rapetisser.

— *Tu disais vrai en affirmant que nous ne pourrions jamais être séparées, mais tu es persuadée que si je m'allie au Côté Obscur, je deviendrai prisonnière de ces terres de l'ombre. Et du coup, ça ferait de toi la personnalité dominante.*

Riina ne répondit pas.

— *Je préférerais rester prisonnière ici à tout jamais plutôt que te lâcher dans mon univers !*

Riina voulut se retirer, mais Tahiri tint bon. Malgré leurs doigts poisseux de sang, sa volonté l'emporta.

— *C'est le moment*, dit-elle. *J'en ai assez d'être perdue !*

Les lèvres de leurs blessures se rapprochèrent et les plaies se résorbèrent comme si elles n'avaient jamais existé. Troublée par cette sensation étrange, Tahiri et Riina haletèrent. La première regarda, inquiète, leurs doigts fusionner comme si l'épiderme enveloppait indifféremment les mains de l'une ou de l'autre. Dans le regard de Riina, Tahiri vit se refléter toute l'horreur qu'elle éprouvait.

La fusion continua le long de leurs bras, les attirant inexorablement l'une vers l'autre.

Riina se débattit de plus belle, mais Tahiri ne lâcha pas

prise – même si elle partageait la répulsion de la Yuuzhan Vong.

— *Tu as encore le temps de changer d'avis !* cria Riina. *Nous ne sommes pas forcées de faire ça !*

— *Tu te trompes. Nous y sommes obligées. C'est la seule solution.*

Malgré sa détermination, Tahiri mourait de peur. Elle était certaine d'être sur la bonne voie mais… quelles en seraient les conséquences ?

Le nœud atteignit leurs coudes.

— *Nous devons accepter*, insista Tahiri. *Nos cultures, nos croyances, nos connaissances.*

— *Nous devons accepter*, répéta la Yuuzhan Vong, soudain sereine. *Nos émotions, nos vies, nous-mêmes…*

Tahiri inspira à fond quand le nœud de chair atteignit leurs têtes et les unit lentement. Leurs nez se touchaient presque.

— *Le bon et le mauvais*, ajouta Riina, ses lèvres effleurant celles de Tahiri.

— *La lumière et l'obscurité*, conclut Tahiri. *Nous devons accepter…*

— C'est un piège ! cria Droma.

C-3PO bascula en arrière quand le *Faucon Millenium* fut aspiré dans la gueule béante.

Leia luttait pour conserver l'équilibre pendant que Yan se battait avec les commandes. A son air exaspéré, elle comprit qu'il allait enclencher les moteurs sans consulter les Brrbrlpp…

Mais quelque chose, dans l'espace qui s'étendait devant eux, accrocha le regard de Leia. Agrippée à son siège, elle se pencha pour mieux voir.

— Je crois savoir de quoi il s'agit !

— Peu m'importe ! cria Yan. Toute créature qui veut nous manger est un danger !

— Ce n'est pas ça. Regardez !

Au moment où la gueule béante se refermait sur eux,

tous les regards se tournèrent vers l'écran. L'algorithme d'amélioration de l'éclairage ajusta le niveau à l'obscurité environnante, cherchant dans le spectre l'infrarouge et d'autres fréquences des informations sur l'environnement. Le *Faucon* paraissait entouré de nombreuses colonnes verticales, telles les dents d'une bouche gigantesque.

Mais la « bouche » ne mastiquait pas. Pas d'écrasement ni de déchiquetage en prélude à l'ingestion dans l'estomac d'une énorme bête souterraine…

— Tu vois ces colonnes ? fit Leia. Ce sont des poteaux de soutien. Et les yeux…

Yan gloussa.

— Des hublots, pas vrai ?

— La station de relais ? demanda Droma qui en croyait à peine ses yeux – et sa chance.

— Elle était là depuis le début, comprit Yan, en coupant l'alimentation des répulseurs.

Le *Faucon* se posa.

— Peut-être pas, dit Leia.

Un câble se détacha de la structure et se fixa à la coque du cargo déglingué.

— Ici le commandant Ashpidar de la base de communication à longue distance d'Esfandia, dit une voix grave.

Leia vit qu'il s'agissait d'une Gotal, ce qui semblait approprié. Ces extraterrestres à double corne, sensibles à l'énergie, étaient parfaitement à leur place dans un endroit sinistre comme celui-là.

— Désolée que nous ayons mis si longtemps à arriver. Les informations voyagent lentement au sein des Etres de Glace.

— Vous savez qui nous sommes ? demanda Leia, répondant par le même moyen qu'Ashpidar – le câble.

Les équipes de recherche des Yuuzhan Vong étaient trop proches pour utiliser un autre système com.

— Nous savons que vous venez nous aider, et c'est tout ce qui compte. Nous nous étions abrités dans des plaines de

176

nidation à une dizaine de kilomètres d'ici quand votre message est arrivé. Les tunnels qui connectent les plaines sont étroits mais praticables. Nous sommes venus le plus vite possible.

— Combien de personnes avez-vous sous votre commandement ?

— Quinze, répondit Ashpidar. Au début des bombardements, nous avons perdu les deux techniciens qui entretenaient le détecteur. Ici, nous sommes en sécurité. Pour le moment…

Leia espérait que la situation ne se dégraderait pas. Elle aurait détesté être responsable de davantage de morts.

Elle identifia rapidement son vaisseau et l'équipage. Puis elle expliqua le but de leur venue, et précisa qui ils avaient amené pour défendre la base.

— Des Impériaux ! fit la Gotal, surprise. Ce sont les derniers que je m'attendais voir un jour coopérer avec vous !

— Les temps changent, dit Yan. Mais réfléchissons plutôt à la suite des opérations !

— Je vais organiser une liaison par tube ombilical pour nous rencontrer et débattre de vive voix.

— Bonne idée, approuva Leia. Nous vous protégerons jusqu'au départ des Yuuzhan Vong.

— Nous sommes en sécurité, rappela Ashpidar. A moins de rompre le silence com ou de nous exposer inconsidérément, nous pourrions nous cacher ici indéfiniment.

— A supposer que les tactiques de l'ennemi ne varient pas…

— A propos, intervint Droma, taisez-vous un peu et écoutez !

Leia et Yan obéirent… et entendirent seulement les systèmes de recyclage d'air.

— Quoi ? fit Solo.

Le Ryn balaya le sol avec sa queue.

— Le bombardement a cessé. Et ça signifie une seule chose.

— Ils ont abandonné ? suggéra Yan.

Droma fronça les sourcils.

— J'aurais plutôt cru qu'ils avaient décidé de venir jeter un coup d'œil… de plus près.

L'estomac de Leia se noua. Elle préférait la suggestion de son mari, mais celle de Droma était juste.

— Commandant, décrochez ce tube ombilical ! Je crois que nous aurons bientôt de la compagnie !

Luke et Mara restèrent avec les Ferroans qui tentaient de localiser les ravisseurs.

Les dirigeables traversèrent le ciel nocturne orageux. Luke apprit qu'un vaste réseau de racines reliait les boras sur toute la planète. Il relayait les informations entre les habitants. Des Ferroans qui vivaient à l'autre bout de la planète se mêlèrent aux conversations, certains pour essayer d'aider, d'autres afin d'exprimer leur inquiétude à l'idée que la Magistère puisse être en danger.

Darak et Rowel leur assurèrent que tout s'arrangerait. Sous leurs dehors impassibles, Mara les savait tous les deux plus inquiets qu'ils le laissaient paraître.

Cette angoisse augmenta quand le réseau de boras livra les premiers indices sur l'identité et les intentions des ravisseurs. Ils avaient agi avec rapidité.

Presque *trop*, pensa Luke.

— Une idée de ce que veut Senshi ? demanda Mara.

— Aucune, je le crains, répondit Rowel.

— J'ai entendu parler de Senshi, dit Darak. Il a une plantation au nord, où il cultive des rogir-bolns – les fruits blancs qu'on vous a servis au repas. Il est connu pour ses discours enflammés sur l'Errance. Et il n'a pas peur de parler de son idéal : une Zonama parfaite et interdite aux étrangers !

— Est-il connu pour avoir été un dissident actif ? demanda Luke.

— Pas à ma connaissance, répondit Darak. Mais il a

beaucoup de partisans. Il aurait les ressources et les contacts nécessaires à l'organisation de ces enlèvements.

— A-t-il pu conduire les otages dans sa plantation ? demanda Mara.

— Non, affirma Darak. La plantation est à l'opposé de la direction qu'ils ont prise. Nos agents y guettent néanmoins les ravisseurs, au cas où ils seraient revenus sur leurs pas. Mais je doute qu'on y trouve quoi que ce soit.

Luke soupira. De temps en temps, il recevait une onde mentale rassurante de Jacen, mais sa présence dans la Force était très faible.

Après une nuit qui parut interminable, une aube verdâtre se leva. La pluie diminua, et une partie de la faune se montra. Des oiseaux étincelants voletaient entre les branches, et de petits animaux grimpèrent aux arbres pour se gorger de frondes et de fleurs. Des reptiles ondulaient dans les lichens, au pied des boras.

Partout où Luke regardait, la vie s'épanouissait. Cela lui redonna un peu d'optimisme. Quoi qu'il arrive à Jacen, Saba, Danni ou Jabitha, la vie continuerait…

Au crépuscule, la capitaine Yage du *Faiseur de Veuves* le contacta.

— Ici, tout est tranquille, dit-elle. Je reste sur l'orbite qu'on nous a assignée. J'ai envoyé des sondes dans le système, mais il n'y a pas trace des Yuuzhan Vong.

— Des nouvelles de Mon Calamari ?

— Pas la moindre. Ou ils nous ignorent, ou quelqu'un a coupé les communications.

— Je vous parie que je sais qui c'est, dit Mara.

— Les Chiss ont-ils rapporté des mouvements de troupes sur les frontières des Régions Inconnues ?

— De leur côté, il n'y a rien eu. Mais si quelqu'un a détruit les bases de relais, ils ne l'auront pas su.

— Dans ce cas, espérons que quelqu'un d'autre travaille à tout arranger, reprit Mara. Je détesterais avoir des bonnes nouvelles et personne à qui les donner !

179

Luke appela Tekli avec son comlink. La guérisseuse Jedi était désœuvrée, puisque l'*Ombre de Jade* étant toujours retenue par la végétation. Mais Luke fut soulagé d'apprendre qu'il ne s'était rien passé. Apparemment, leur politique de non-agression avait l'effet escompté. Sekot ne réagirait pas tant qu'ils n'attaqueraient pas…

Au fil des heures, il devint clair que les ravisseurs échappaient à toutes les recherches.

Après avoir mangé des fruits au petit déjeuner, Hegerty se dégourdit les jambes. Au terme d'une nuit blanche, elle était éreintée. Luke lui avait suggéré de dormir, mais tant que leurs compagnons n'auraient pas été retrouvés, avait-elle répondu, le sommeil la fuirait. Hegerty n'était pas une guerrière, et l'attaque de la veille l'avait secouée.

— Vous avez l'air épuisée, Soron, dit Luke.

— Ça va. Je réfléchissais…

— A quoi ?

— Senshi devait avoir une raison de capturer la Magistère, non ?

— Exact.

— Si ce n'est pas pour lui faire du mal, ou exiger une rançon, je ne vois qu'une seule autre raison.

— Laquelle ?

— Il veut lui parler. La Magistère n'a peut-être pas fait à Senshi l'honneur de lui accorder un entretien. Ou elle l'a écouté, sans donner suite. Maintenant, elle n'a peut-être plus le choix…

— Et ce serait une mauvaise chose ?

— Tout dépend de ce qu'il a à dire, j'imagine. Et s'il peut être convaincant ou pas…

Sur la passerelle du *Droit de Gouverner*, Pellaeon savourait le silence – sans se détendre pour autant. Le retrait des Yuuzhan Vong en orbite géosynchrone, au-dessus de l'hémisphère occidental d'Esfandia, tombait à pic. Il avait permis aux pilotes impériaux de se reposer. Mais c'était seulement un répit, dû à l'habile manœuvre de Jag Fel. Le commandant Vorrik disposait toujours de forces supérieures en nombre, et pouvait reprendre le combat à tout moment.

Pellaeon n'en doutait pas.

Au moins, pour l'instant, l'ennemi ne pilonnait plus Esfandia. Mais il devenait aussi plus facile, pour les deux camps, de détecter et d'intercepter tout vaisseau adverse tentant de rallier la surface… Ceux qui se trouvaient sur la planète étaient pour le moment en sécurité, mais… coincés.

— Monsieur. J'ai les informations que vous avez demandées.

— Allez-y, répondit Pellaeon sans se retourner.

— Une analyse détaillée de la télémétrie révèle au moins deux atterrissages pendant la bataille. L'un des vaisseaux était sans aucun doute le *Faucon Millenium*.

— J'aurais dû m'en douter. Il fonce au cœur de l'action, comme toujours. Et le second ?

— Un transport de troupes en corail yorik. Nos chasseurs ont détruit deux navires similaires avant qu'ils n'atterrissent, mais l'un d'eux a disparu pendant la bataille. On a supposé qu'il avait brûlé en entrant dans l'atmosphère. Mais nous pensons maintenant qu'il a atterri.

— Savons-nous où ?

— Nous avons déterminé une zone de cent kilomètres de rayon. Mais il peut s'être déplacé.

— Nous l'avons perdu de vue ?

— Oui, monsieur.

— Et le *Faucon* ?

— Aussi. Nous ne cherchions pas à localiser ces vaisseaux, monsieur, sinon…

— Cherchez-les immédiatement !

— Oui, monsieur.

— Et le bombardement ? Pourrait-il être lié à la position du *Faucon* ?

— C'est possible, monsieur. A moins que les Yuuzhan

Vong aient détecté dans ce secteur des signes de la présence de la station de relais.

— L'essentiel est qu'ils aient cessé de tirer… Bon travail. (Pellaeon regarda attentivement son aide de camp. Elle avait l'air épuisée.) Maintenant, quittez la passerelle et prenez un peu de repos.

— Monsieur ?

— Je vous rappellerai quand la situation l'exigera. Je vous l'assure !

— Mais…

— C'est un ordre. Je veux que mon équipage soit en forme. Ça vaut pour tout le monde. Assurez-vous que les hommes soient remplacés par rotation, afin que tous aient le temps de manger et de se reposer. Un nouveau répit comme celui-là risque de ne pas se représenter avant longtemps.

La jeune femme salua, une lueur de gratitude dansant au fond de ses yeux, et s'éloigna.

Pellaeon se tourna vers l'officier le plus proche.

— Passez-moi la capitaine Mayn.

— Tout de suite, monsieur.

Un hologramme apparut quelques instants plus tard.

— Grand Amiral, que puis-je pour vous ?

— Nous avons remarqué la présence du *Faucon Millenium* à la surface d'Esfandia. Quelle est la nature de sa mission ?

Mayn hésita.

Pellaeon soupira.

— Capitaine, puis-je vous rappeler que nous sommes dans le même camp ?

— Ils tentent de secourir l'équipage de la base de relais.

— Avez-vous eu des nouvelles, depuis ?

— Nous avons eu une transmission venue de la région bombardée par les Yuuzhan Vong, mais elle était brouillée. Nous supposons qu'elle émanait du *Faucon*, mais nous n'avons pas pu la déchiffrer.

Une fois de plus, l'Impérial se demanda jusqu'à quel

point il pouvait se fier aux officiers de l'Alliance Galactique avec qui on l'avait forcé à collaborer... Si Leia Organa Solo avait décidé de garder secrets certains aspects de la situation quitte à mettre en danger la vie de ses équipages, la capitaine Mayn le lui dirait-elle ?

Il en doutait...

— Le commandant Vorrik leur a envoyé une patrouille, dit-il. Nous pensons qu'ils cherchent la même chose, probablement dans la zone récemment bombardée. Avez-vous un plan de sauvetage ?

— Aucun pour le moment. Mais nous mettrons quelque chose sur pied dès que... (Mayn hésita.) Dès que la situation sera stabilisée.

— Serait-il possible de m'avertir si vous envisagez une telle opération ?

— Nous vous aviserons de nos intentions...

Mayn partageait-elle les soupçons de Pellaeon ? Craignait-elle qu'il essaie de l'empêcher de sauver les Solo ?

— Excellent, dit-il. Nous pourrions même vous aider, si l'occasion se présente.

Mayn salua et coupa la transmission.

Pellaeon aurait aimé se reposer un peu. Il était encore convalescent. Mais il lui restait un devoir à accomplir.

— Voyez si vous pouvez contacter le commandant Vorrik, dit-il.

L'officier com s'attela à la tâche. Ils n'avaient plus communiqué directement avec l'ennemi depuis qu'ils l'avaient chassé de l'espace impérial, mais chaque fois, ç'avait été tout un poème !

Pellaeon se força à se détendre et à prendre l'air décontracté et amusé. Il ignorait à quel point les Yuuzhan Vong savaient interpréter les expressions humaines, mais il ne raterait pas une occasion de perturber l'ennemi.

Un visage couturé de cicatrices apparut sur l'écran principal de la passerelle. Les communications visuelles avec les Yuuzhan Vong étaient médiocres, à cause de la technologie fondamentalement différente qu'ils employaient, mais ce visage ricanant restait reconnaissable entre tous. Vorrik avait fait enlever la peau de ses joues, exposant les muscles et les veines. Son crâne avait en partie subi le même traitement, et des bandes de cuir chevelu pendouillaient par endroits. Ce qui subsistait d'épiderme était couvert de tatouages.

Tout ça conférait au commandant un aspect réellement terrifiant.

— Mes sens sont insultés chaque fois que je dois supporter votre image, infidèle ! gronda le Yuuzhan Vong. Soyez bref, que je ne supporte pas votre vue davantage qu'il n'est absolument nécessaire !

— C'était un appel amical, fit Pellaeon. Je me demandais comment le *Kur-hashan* s'en sortit ?

— Vous osez vous moquer de moi, misérable…

— Me moquer du grand commandant Vorrik ? coupa Pellaeon. Je ne me le permettrais pas. Je préfère laisser ce soin à vos supérieurs, qui vous ont envoyé ici pour rien pendant qu'ils se prélassent dans le Noyau.

Le hurlement de rage qui lui répondit ravit Pellaeon. Vorrik était si facile à ébranler… Il s'apprêtait à lancer un chapelet d'insultes, mais le Grand Amiral l'interrompit.

— Je me suis dit que c'était le moment de débattre de la situation, reprit-il, assez fort pour couvrir la voix du Yuuzhan Vong. Nous sommes dans une impasse, Vorrik. Je pensais que quelques idées sur la façon d'en sortir auraient peut-être traversé votre cerveau épais.

Vorrik parut sur le point d'exploser.

— Nous en sortirons quand nous écraserons votre misérable flotte ! hurla-t-il. Lorsque nous vous pulvériserons comme des insectes puants ! Ensuite, je vous briserai de mes propres mains – un os à la fois, jusqu'à ce que vous soyez réduit en bouillie !

— Dois-je en conclure que négocier une retraite avec vous est exclu ?

184

— Battre en retraite n'est pas un comportement digne d'un Yuuzhan Vong.

— C'est pourtant bien ce que vous avez fait à Borosk… Et moi qui croyais que nous avions réussi à faire entrer un peu de bon sens dans vos cerveaux barbares ! Je vois qu'il nous reste du travail.

Vorrik devint gris de rage et écrabouilla d'un coup de poing le villip oggzil qui transmettait son image. Il y eut un éclair bleu, un bruit mat… puis plus rien.

Satisfait, Pellaeon se détourna de l'holoprojecteur. Vorrik serait trop furieux pour réfléchir clairement avant un bon moment. La colère perturberait son sens tactique, et c'était excellent. Pellaeon devrait survivre jusqu'à ce qu'un supérieur rappelle à Vorrik que ses ordres n'étaient pas de perdre son temps à propos d'un monde perdu au bout de la galaxie, pendant que des batailles capitales se livraient ailleurs.

La fatigue le rattrapant soudain, Pellaeon quitta la passerelle pour prendre un peu de repos. Les forces impériales et celles de l'Alliance Galactique étant – à long terme – dans une position intenable, il espérait que les supérieurs de Vorrik le rappelleraient bientôt à l'ordre…

Jacen émergea de sa transe de récupération au moment où il entendit Saba bouger derrière lui.

Pendant qu'il s'occupait de Danni, la soutenant avec la Force, Saba avait mentalement exploré la planète, pour repérer les zones où la vie se concentrait. Mais Sekot était-elle présente uniformément dans toute la biosphère, ou se limitait-elle à certains endroits ?

Si l'esprit de Sekot était dans les environs, il y avait une chance de la contacter et s'adresser aux autres à travers elle.

La voix de la Magistère résonna dans la caverne, les arrachant à leur méditation.

— Dites à Senshi que je veux lui parler, fit-elle calmement.

Elle était toujours couchée et attachée, un bandeau sur les yeux. Mais une grande autorité émanait d'elle.

Un des Ferroans affectés à sa surveillance partit chercher Senshi. Les quatre autres reculèrent, comme effrayés.

Senshi arriva rapidement, et s'agenouilla à côté de la prisonnière.

— Vous avez épié nos conversations, je vois, dit-il, amusé.

— Vous deviez vous y attendre. En réalité, vous comptiez dessus, non ? Sinon vous auriez neutralisé mes tympans comme mes yeux.

Quand Senshi lui retira son bandeau, Jacen vit la lueur verdâtre de l'aube se refléter dans les yeux de Jabitha.

— Asseyez-la ! ordonna-t-il aux gardes.

— Je suppose que me détacher est hors de question.

— Vous avez amené des étrangers ici. C'était une erreur.

— J'agis au nom de notre planète.

— Vous nous avez tous mis en danger, Jabitha.

— Si je l'ai fait, c'est à la demande de Sekot. Elle reconnaît les Jedi. Et elle est curieuse à leur sujet.

— Nous les reconnaissons aussi, dit Senshi. Mais ça n'en fait pas forcément nos amis. Vous reconnaissez les Etrangers. Les inviteriez-vous pour autant ?

— Vous savez comme moi qu'ils ne sont pas les bienvenus ici ! Contrairement aux Jedi, ils ne sont pas partie prenante du flot continu de la vie.

— Si des poissons nagent dans la même direction, ça ne signifie pas qu'ils puissent s'entendre.

— Les Jedi ne nous ont fait aucun mal. Je ne comprends pas pourquoi vous vous êtes donné tant de peine pour aller contre une décision qui a reçu l'approbation de…

— Cessez de prétendre que Sekot l'a souhaité ! Sekot n'est pas contente, Jabitha.

— Comment le sauriez-vous ? *Je* suis la Magistère. L'interface ! Si quelqu'un peut prétendre connaître les pensées de Sekot, c'est moi.

— Mais vous ne les partagez pas avec nous. L'esprit

186

d'un monde vivant est plus vaste et plus complexe que nous ne pouvons l'imaginer. Même en cent vies, nous saisirions à peine une fraction de ses pensées !

— Elle me transmet sa volonté, insista Jabitha, et je vous la communique. Cette méthode fonctionne depuis des décennies. Pourquoi la remettre en cause maintenant ? Suis-je soudain devenue indigne de votre confiance ?

— Vous n'avez pas changé, Jabitha. *Les temps* sont différents ! A nous de nous y adapter.

— Je suis d'accord, dit Jacen. C'est précisément la raison de notre présence. Nous voulons que Sekot abandonne son sanctuaire, la sécurité qu'elle a trouvée dans le système de Klasse Ephemora, et qu'elle rejoigne la galaxie en guerre contre les Etrangers. Une guerre peut-être perdue… Seul l'avenir le dira. Si vous vous joignez à nous, vous risquerez vos vies. Mais si vous restez neutres, et que nous perdons, plus rien ne se dressera entre les Etrangers et vous. Voilà le message déplaisant que nous venions délivrer à Sekot et à votre peuple. Si vous souhaitez vivre dans cette galaxie, affrontez les Etrangers.

— Et ça vous rapportera quoi ? demanda le Ferroan rebelle. A quoi vous servira une planète de plus ?

— Ce n'est *pas* une planète comme les autres ! dit Saba. Dans toute la galaxie, il n'existe aucun monde plus merveilleux que Zonama Sekot !

Senshi se tourna vers Jabitha.

— Et vous êtes d'accord avec ça ? Vous nous poussez sur le chemin de la destruction ?

— Je n'ai rien fait de tel ! cracha Jabitha. Moi aussi, j'ai connu les horreurs de la guerre. Je sais ce que l'Errance nous a coûté. Mais je ne renverrai pas les Jedi. Senshi, je ne les traiterai pas en pestiférés sous prétexte qu'ils viennent solliciter notre aide. Ils méritent mieux que ça !

— Pourquoi ? Parce que ce sont des Jedi ?

— Ils ne nous veulent aucun mal.

— C'est votre avis, ou celui de Sekot.

— Celui de Sekot. J'ai conseillé la prudence, comme vous. Pas question d'accepter aveuglément la parole d'étrangers. Mais pas question non plus de nous faire de nouveaux ennemis. Si les Jedi ont raison au sujet des Etrangers, nous aurons besoin d'eux.

— Et ça, c'est l'idée de Sekot, ou la vôtre ?

— La mienne, reconnut Jabitha.

Senshi lui jeta un regard méprisant.

— Vous pariez sur vos *impressions*, quand notre survie et celle de Sekot sont en jeu ? Je ne peux pas vous le permettre, Jabitha.

— Et que ferez-vous si je refuse de vous écouter ? Vous me tuerez ? Vous massacrerez les Jedi ?

— Cette option ne vous est pas ouverte ! lança Saba.

Inquiet, Senshi la regarda.

— Je vous parle en sachant que vous êtes les yeux et les oreilles de Sekot. Elle m'entendra, et prendra sa décision. Mais elle saura la *vérité*.

— Vous ne lui avez rien dit qu'elle ne sache déjà, Senshi.

— Vous vous trompez. Je lui ai dit que nous étions prêts à tout pour protéger la paix. Elle n'avait jamais entendu notre défi. Bientôt, elle verra jusqu'où nous sommes prêts à aller. (Il se tourna pour donner des ordres.) Nous partons dans cinq minutes. Remettez-lui le bandeau. Je ne veux pas qu'elle sache où nous allons.

— Et les Jedi ? demanda Jabitha.

Senshi croisa le regard de Jacen. Il essayait de cacher sa nervosité, mais Jacen la perçut. Senshi savait qu'il ne pouvait pas les obliger à le suivre.

— S'ils veulent venir avec nous, ils sont libres. Plus nous aurons de témoins, mieux ça vaudra. Mais ils peuvent aussi partir, s'ils le souhaitent. Même s'ils retournent directement à leur camp, ils ne reviendront pas à temps avec des renforts. Inutile de nous encombrer d'autres prisonniers.

— Je crains que vous ne m'ayez pas bien écoutée, dit Saba.

D'une simple pression de la Force, elle arracha les deux sabres laser de la ceinture d'un Ferroan. Elle rengaina le sien, et tendit l'autre à Jacen.

— Nous n'avons jamais été vos prisonniers…

Le garde blêmit, mais Senshi ne broncha pas.

— Si vous essayez d'intervenir, nous nous battrons. Nous ne pourrons peut-être pas vaincre des guerriers de votre trempe, mais ça ne nous arrêtera pas !

Il se tourna et partit.

— Ne vous inquiétez pas, Magistère, nous ne vous abandonnerons pas, dit Jacen.

— Rien de mal ne vous arrivera tant que vous serez sous ma surveillance, ajouta Saba.

Pensant à Danni, toujours dans le coma, Jacen se demanda dans quel guêpier ses amis et lui s'étaient fourrés.

Jag sentit la main de Jaina frémir sous ses doigts. Il s'arracha au demi-sommeil épuisé où il avait sombré et se pencha. Les yeux entrouverts, la jeune femme replia les doigts sur ceux de Jag.

— Jaina ! Tu m'entends ?

— Jag ? fit-elle d'une voix rauque.

Elle voulut continuer à parler, mais un gémissement l'interrompit. Tahiri se réveillait aussi !

Jag se pencha et appela le médecin-chef du *Sélonia*.

— Vigos, venez tout de suite !

Sans perdre une seconde, le médecin cliqua pour accuser réception, et coupa la communication.

— Ne…, murmura Jaina, les lèvres sèches.

Jag lui tendit un gobelet d'eau avec une paille et la laissa boire, regardant son amie remuer à côté d'elle. Des iris verts apparurent sous ses paupières frémissantes.

Qui se réveillait ? Tahiri ou Riina ?

Jaina sentit l'inquiétude de Jag.

— Tout ira bien, dit-elle. Je crois…

Avant qu'il puisse lui demander de préciser sa pensée,

Vigos et l'équipe médicale arrivèrent. Tahiri gémit de nouveau, puis plia les jambes, agitée. Ses muscles ne réagissaient pas correctement. Vigos et son équipe la maintinrent doucement sur le lit et l'auscultèrent. Deux médics vinrent vérifier les signes vitaux de Jaina. Elle assura qu'elle se sentait bien, mais ils firent quand même les relevés.

Malgré ses yeux rouges et sa peau pâle, Jag pensa que Jaina allait en effet bien.

— Je t'ai entendu, murmura-t-elle.

Il fronça les sourcils.

— Que veux-tu dire ?

— Dans mon rêve, j'ai entendu ta voix. Ce que tu as dit...

Elle lui fit un sourire éblouissant. Alors, il comprit que les sentiments qu'il avait exprimés étaient réciproques.

— Tahiri ? lança Vigos à la jeune femme, examinant une de ses pupilles avec une petite lampe. Vous m'entendez ?

— Mon nom... Quel est mon nom ?

Jag sentit un frisson glacé courir le long de sa colonne vertébrale.

— *Ish'ka !*

Il se leva et se plaça entre Jaina et l'ennemie tapie dans le corps de Tahiri.

— Appelez la capitaine Mayn, ordonna-t-il à Vigos. Dites-lui que...

Jaina lui saisit le poignet.

— Attends. Ecoutons ce qu'elle a à dire.

— Si elle ignore qui elle est, comment savoir si nous parlons à Tahiri ? Je ne veux pas prendre le risque de laisser Riina se rétablir et nous poignarder dans le dos avec le sabre laser de Tahiri !

— Je suis..., gémit Tahiri, toussant désespérément. Je ne suis pas...

— Je les ai vues, Jag, dit Jaina. Je ne prétends pas avoir tout compris, mais je les ai vues ensemble, dans l'esprit de Tahiri... Riina luttait contre elle. C'était une sorte de rêve.

190

Après s'être affrontées, elles se sont retournées contre... moi, je crois. Riina voulait me tuer, mais Tahiri s'y est opposés. Elle...

Jaina hésita.

— Explique-moi pourquoi je ne dois pas donner l'alarme tout de suite et la faire emprisonner ! insista Jag.

— Pas *seulement* Tahiri, dit la jeune femme étendue à côté de Jaina. Et je ne suis pas *seulement* Riina non plus. Je suis un être nouveau. J'ai changé, mais mon visage est resté le même.

— Changé ? répéta Vigos.

— Elle n'est plus l'une ou l'autre, comprit Jaina. Elle est *les deux*. Tahiri ne pouvait pas se débarrasser de Riina. Inversement, les modeleurs vong n'ont pas réussi à oblitérer Tahiri. Elles ont été obligées de fusionner. C'était ça, ou devenir folles.

Une idée troublante. Comment deux personnalités aussi divergentes pouvaient-elles se fondre ? Tahiri resterait-elle fidèle à elle-même ? Et si sa moitié yuuzhan vong la détournait du droit chemin ?

Un millier de questions se bousculèrent dans l'esprit de Jag. Aucune réponse ne serait facile à trouver.

— Pour la première fois depuis des années, je me sens... intacte, continua la jeune femme. Et c'est bon signe, non ? (Elle regarda Jaina.) Je me souviens de ta présence... Tu essayais de m'aider. Tu étais juste là... Même quand une partie de moi a voulu t'attaquer, tu n'as pas bronché. Ça m'a convaincue que se battre était mal. Ça a guéri mon esprit blessé. Sans toi, nous nous serions détruites mutuellement.

Les doigts de la jeune femme esquissèrent un geste étrange devant son visage. Puis elle prit la main de Jaina.

— Ça s'appelle *us-hrok*, et ça indique que j'ai une dette envers toi. Je te serai loyale. Je ne t'offre pas ce geste en qualité de Yuuzhan Vong, ni d'humaine au courant de traditions exotiques... C'est *moi* qui te l'offre. (Sa certitude parut vaciller, puis se raffermir.) Je te serai éternellement reconnaissante, Jaina Solo, sœur de celui que j'aimais. Je te considérerai toujours comme un membre de ma famille, et je te protégerai. Je le jure sur mon honneur, de toutes mes forces.

Jaina regarda Jag, gênée.

— Je te remercie.

L'assurance de la jeune femme étonnait Jag. Là où il avait toujours connu le doute et l'incertitude, il voyait maintenant de la force et de la sérénité.

— Il me faudra du temps pour m'habituer, avoua Jag.

Tahiri eut un petit signe fatigué.

— A nous tous aussi, dit-elle.

— Vous n'aurez pas de problème, dit Vigos, son examen terminé. Votre respiration est régulière, et votre pouls normal. Vous n'êtes pas restée assez inconsciente pour que vos muscles commencent à s'atrophier. Vous serez sur pieds en un rien de temps.

Tahiri avait la gorge trop sèche pour répondre.

— Maman sera contente d'entendre ça, dit Jaina. Au fait, où est-elle ?

Vigos regarda Jag, qui répondit aussitôt :

— A bord du *Faucon*.

— Qu'est-il arrivé ?

— Pas mal de choses, pour être franc. Je ne sais pas par où commencer.

— Dis-moi ce qui se passe en ce moment, demanda Jaina, inquiète.

— Nous sommes en orbite autour d'Esfandia. Les Yuuzhan Vong sont là, et Pellaeon aussi. (Evoquerait-il la petite « surprise » que le Grand Amiral lui avait demandée ? Il décida de remettre ça à plus tard.) La station de relais s'est cachée, et tes parents sont partis à sa recherche. Ils sont coincés à la surface de la planète. Nous ne pouvons pas les rejoindre, et ils semblent incapables de revenir.

— J'ai dû être inconsciente un bon moment.

— Ne t'inquiète pas, dit sa compagne de lit d'une voix râpeuse. Une guerrière n'abandonne jamais sa famille. Nous les retrouverons, je te le promets.

— Repose-toi, dit Jaina en souriant à son amie. Ensuite, nous nous battrons. Mais d'abord, j'aimerais prendre une douche sonique ! Je me sens à peine humaine. Et toi ?

— Aussi fraîche que l'aisselle d'un vua'sa…, plaisanta Tahiri.

Jag sentit la tension quitter la jeune femme. S'il ignorait ce qu'était un vua'sa, il avait saisi le sens de la plaisanterie.

Les prunelles pétillantes, Jaina le dévisagea. Jag se convainquit que tout se passerait bien. Jaina n'avait pas exprimé de réserves sur la « nouvelle » personnalité de Tahiri. Elle paraissait persuadée que tout se terminait bien pour la jeune Jedi.

Et tant que Tahiri se battrait pour le Côté Lumineux, il serait ravi de la considérer comme une amie.

Les yeux de Nom Anor s'ouvrirent dans l'obscurité. Déconcerté, il essaya de déterminer ce qui l'avait réveillé. Un rêve ? Aurait-il oublié quelque chose ? Il lui fallut un instant pour comprendre que l'absence de lumière l'avait dérangé. En s'endormant, il avait laissé une torche de lichen briller sur son bureau.

Immobile, il tendit l'oreille et capta un petit bruit, au centre de la pièce…

Devait-il appeler les gardes postés dehors ? Ils étaient peut-être déjà morts, éliminés par les intrus…

Fallait-il tendre la main pour prendre son coufee ? Ce faisant, il rendrait sa gorge vulnérable.

Valait-il mieux bondir à l'endroit où il avait entendu le bruit insolite ? Il aurait toutes les chances de rater son agresseur, ou… de finir embroché sur une arme.

Réagissant aux hormones de stress qui commençaient à courir dans ses veines, son plaeryn bol se prépara automatiquement. S'il avait *une* occasion de se rapprocher de son agresseur...

— Allons-y !

En un instant, Nom Anor fut pris en tenaille. Sentant des mains l'agripper pour l'immobiliser, il se débattit. Mais à un contre plusieurs...

Il tenta de voir son attaquant de gauche... Une silhouette dans l'obscurité... Il se détendit et se concentra... Le plaeryn bol cracha son jet de venin au visage de l'individu qui tomba avec un cri.

Le bras dégagé, Nom Anor flanqua un coup de poing à celui qui lui tenait l'autre bras, le frappant à la tempe.

L'inconnu grogna de douleur, sans lâcher prise.

— Tenez-le ! cria quelqu'un.

D'autres silhouettes émergèrent de l'ombre.

Des mains lui saisirent le crâne et une pression s'exerça sur l'orbite oculaire qui contenait son plaeryn bol. L'arme vivante se contracta, mais fut incapable de libérer son venin.

Combien sont-ils ? pensa Nom Anor, désespéré, en tentant de flanquer des coups de pied à ceux qui lui tenaient les jambes et les bras.

En vain.

Les épaules bloquées, il sentit quelqu'un s'asseoir sur ses jambes. Il se détendit, laissant son corps retomber sur le lit. Ses assaillants étaient trop nombreux. Mieux valait conserver ses forces plutôt que les épuiser pour rien.

Il inspira à fond pour se calmer. On gagnait rarement des batailles en cédant à la rage. Connaître son ennemi revenait souvent à le vaincre... Or, dans cette obscurité, il ne savait rien.

Un lambent scintilla à l'entrée, jetant une pâle lumière sur les visages de ceux qui le maintenaient. Nom Anor ne les identifia pas – et il n'en fut guère surpris. Ils appartenaient peut-être à son groupe, mais il s'intéressait peu à ceux qui n'étaient pas essentiels à ses plans. De toute façon, il s'agissait des vulgaires laquais du cerveau de l'attaque – un traître, probablement.

Mais celui qui tenait le lambent était une autre histoire !

Coufee au poing, Shoon-mi avança dans la pièce, les yeux brillants d'une lueur mortelle.

A la fois étonné et ravi de l'impudence de son conseiller religieux, Nom Anor fronça les sourcils. Il ne s'était pas attendu à ça !

— *Shoon-mi ?* fit-il, feignant la peur.

Le Honteux le toisa avec dédain. Les poches bleues, sous ses yeux, pulsèrent de satisfaction.

— Vous voyez ? lança-t-il à ses acolytes. Ce n'est pas un dieu !

— Je n'ai jamais prétendu en être un, bougre d'imbécile ! Si tu avais écouté ce que je t'ai enseigné…

— Mais il aurait pu en être un, continua Shoon-mi.

L'absurdité de la situation arracha un éclat de rire à Nom Anor.

— Tu es bien plus intelligent que je le pensais. Ou plus bête que je ne l'aurais cru possible !

Le honteux gifla Nom Anor d'un revers de main. Puis il lui appuya son coufee contre la gorge.

— Vous osez me traiter d'imbécile alors que je tiens votre vie entre mes mains ?

— Presser un coufee contre ma gorge ne te rend pas particulièrement intelligent, Shoon-mi. Je suis désavantagé pour le moment, c'est tout.

— Pour le moment ? Vous croyez pouvoir survivre à ça, *maître* ?

La lame était tout près de la carotide de Nom Anor. Une légère poussée, et c'en serait fini de lui.

Mais il dissimula son inquiétude – très réelle.

— La question n'est pas de savoir si j'échapperai à mon destin, mais si *tu* y échapperas !

Shoon-mi foudroya son maître du regard.

— Vous me menacez, alors que vous êtes à deux doigts de la mort ?

Le regard de Shoon-mi brillait étrangement...

— Je ne suis pas en position de te menacer, répondit Nom Anor. Je me demandais seulement comment tu espérais échapper à ton sort. Dès qu'ils découvriront ce qui est arrivé, les fidèles se dresseront contre toi. Tu le sais, n'est-ce pas ? Sans moi, il n'y aura plus rien pour préserver leur cohésion.

— Ce serait un problème s'ils apprenaient votre mort.

— Ah, fit Nom Anor. Le Prophète vivra, même si je meurs. Tu as l'intention de devenir *moi*, c'est ça ? Avec le masque, tu joueras mon rôle pour prendre le contrôle de l'hérésie.

— Exactement...

— Et tu expliqueras ta disparition en mutilant mon corps pour faire croire que c'est le tien. Puis tu déclareras avoir abattu celui qui était censé être ton partisan le plus loyal.

— Ça paraît un bon plan, ironisa Shoon-mi. Cacher la vérité *derrière* la vérité – une pratique que je vous dois, maître.

Nom Anor sourit. Encore maintenant, Shoon-mi ignorait l'*entière* vérité au sujet de l'identité de Nom Anor...

— Et ceux que tu as enrôlés pour cette petite aventure, Shoon-mi ? Que leur as-tu promis ?

Le Honteux hésita assez pour que Nom Anor comprenne. A la première occasion, ses complices seraient éliminés. Ils en savaient déjà trop sur Shoon-mi et ses ambitions.

— Ils resteront à mes côtés quand nous obtiendrons notre liberté. Ils seront les gardes du corps attitrés du Prophète.

— Oui... Et ils peuvent s'attendre à ce que tu leur témoignes la même loyauté qu'à moi...

— Je vous serais resté loyal jusqu'au bout, dit Shoon-mi. Un moment, j'ai même cru en vous. Mais maintenant... Ce mouvement a besoin d'un véritable chef !

— Tu as omis quelque chose, Shoon-mi, dit Nom Anor.

— Je n'ai rien oublié !

— Si, insista Nom Anor.

Il devait continuer à faire parler Shoon-mi, pour gagner du temps. Chaque seconde lui offrait une chance supplémentaire de renverser la situation. Et le meilleur moyen était de jouer sur les angoisses du Honteux.

— Je suis même étonné que tu sois assez naïf pour ne pas t'en être aperçu.

— Si vous espérez un instant que je renoncerai à vous tuer…, commença Shoon-mi, le coufee appuyant un peu plus sur la gorge de sa victime.

— Je suis certain que tu me tueras ! haleta Nom Anor. (Mais quelque chose, dans le regard de Shoon-mi, l'incita à se demander s'il pourrait réellement assassiner son maître… Il mettait un temps certain à passer à l'action !) Ma vie est entre tes mains, qui le nierait ? Mais quelle est la *véritable* cause de ta trahison ? Les ordres que je te donne sans cesse ? Ou savoir que je t'ai caché certaines choses ?

Shoon-mi lâcha un peu prise. Nom Anor en profita pour inspirer à fond.

— Dis-le-moi, que je comprenne pourquoi je vais mourir de ta main.

— Parce que vous n'offrez à vos fidèles rien de mieux que ce qu'ils avaient sous le règne de Shimrra ! Ces malheureux viennent à nous, et vous les manipulez comme s'ils n'étaient *rien* ! Vous les sacrifiez sans avoir la décence de leur demander leurs noms, alors que le vôtre était sans arrêt sur leurs lèvres. Ils croyaient en vous ! Ils croyaient aux *Jeedai* ! Mais les *Jeedai* n'auraient jamais fait ce que vous faites, Amorrn. Tout ça a seulement servi votre propre gloire. Vous n'avez pas répandu la parole des *Jeedai* pour le bien des Honteux, mais pour atteindre vos objectifs égoïstes !

— Comme tu le fais maintenant, Shoon-mi ?

La lame appuya plus fort. Nom Anor sentit du sang couler le long de son cou.

— Je devrais…

— Oui. Tu devrais, coupa l'ancien exécuteur. Tue-moi ! Allons, Shoon-mi, du courage ! Je suis sûr que tu as des choses plus urgentes à faire que papoter avec moi… Tu dois commencer à planifier ta libération, tu te souviens ?

— Vous vous moquez de moi, alors que la mort est à un souffle de vous emporter ?

Nom Anor se permit un grand sourire. Son assurance et son calme insolents perturbaient vraiment ce pauvre Shoon-mi !

— J'avais peut-être tort en disant que tu as oublié un détail. En fait, tu ne l'as jamais su.

— Su *quoi* ? s'écria Shoon-mi, de plus en plus déconcerté.

L'ancien exécuteur sourit.

— Que tout ça ne marchera pas.

— C'est insensé ! Vous êtes pratiquement mort et…

— Pas à cause de moi, imbécile : à cause de Shimrra ! Tu ne le convaincras jamais de te rendre ton honneur et ta liberté. Pourquoi t'écouterait-il ? Tu ne vois pas ce qui se passe sous ton nez tordu. Alors, comment comprendrais-tu ce qui arrive à la cour d'un chef un million de fois plus puissant que ne le sera jamais le Prophète – quelle que soit la personne cachée sous le masque ? Le pouvoir que tu gagneras ce soir dans le sang s'évanouira avec ta mort, et celle de tous ceux que tu auras contaminés. Depuis que tu as mis un pied dans cette chambre, tu t'es condamné toi-même. Mon seul regret est de ne pas être là pour assister à ta chute.

Le Honteux sourit.

— Ne pensez pas pouvoir me tromper, Amorrn. Je sais que vous tentez seulement de…

On poussa Shoon-mi par-derrière. Il tomba, lâchant le coufee.

Nom Anor s'écarta pour éviter le tranchant de l'arme.

Shoon-mi bascula sur lui, perdit aussi le lambent et plongea la chambre dans les ténèbres.

Des bruits de lutte rendirent espoir à Nom Anor. Il se tortilla en vain pour se débarrasser du poids mort de Shoon-mi. Il entendit des armes taillader les chairs, des grognements de douleur…

Immobile, Shoon-mi respirait lourdement. Un cri de douleur retentit, suivi par le choc mat de la chute d'un corps.

Nom Anor parvint enfin à se dégager, récupérant le coufee dans la foulée.

Le vaincu gémit, sans chercher à se défendre. Nom Anor ramassa le lambent…

Le retour de la lumière fit sursauter un des guerriers. Kunra en profita pour l'éliminer, pivota et plongea sa lame dans le flanc du deuxième.

Kunra se redressa et essuya sa lame sur ses robes.

— Vous allez bien ?

Nom Anor regarda les cadavres, autour de lui.

— Maintenant, oui.

— Désolé d'avoir été si long, ajouta l'ancien guerrier. Trois traîtres m'ont sauté dessus dans ma chambre. Comme ils ne m'ont pas assassiné tout de suite, j'en ai déduit que ce n'était pas après moi qu'ils en avaient. Ils voulaient me tenir à l'écart le temps que Shoon-mi vous règle votre compte. Ils devaient croire que je me joindrais à lui quand il aurait repris le rôle de chef.

Nom Anor posa une main sur l'épaule de Kunra.

— Quoi qu'il en soit, tu es arrivé à point nommé ! Une chance…

— Pas vraiment. J'étais dehors depuis un moment. J'écoutais…

Nom Anor étudia l'ancien guerrier.

— Je comprends… Tu as envisagé de laisser Shoon-mi me tuer. Puis tu l'aurais abattu un peu plus tard, pour reprendre le rôle du Prophète. C'est ça ?

— Peut-être, éluda Kunra en rengainant son arme.

Il ne fit pas mine de s'excuser. Mais Nom Anor se fichait

des intentions de ses sbires, si le résultat final allait dans le bon sens.

— Tu aurais fait un meilleur Prophète que Shoon-mi…

Nom Anor baissa les yeux sur le Honteux qui gémissait pitoyablement, le manche d'un coufee saillant de son dos.

La lame avait sectionné sa colonne vertébrale. Il était paralysé.

— Ce que vous lui avez dit avant que j'entre…, commença Kunra, gêné.

— A quel sujet ? demanda Nom Anor.

— Que notre plan ne marcherait pas. Que le seigneur suprême ne nous écouterait pas.

— Je bluffais, pour gagner du temps.

— Non. A votre ton, vous étiez sincère.

Nom Anor comprenait les doutes de Kunra. Leur quête était-elle vraiment sans espoir ? Il le craignait aussi. Surtout après avoir revu Shimrra dans sa splendeur impériale…

— Qui sait, Kunra ? Shimrra est puissant, mais peut-être le convaincrons-nous quand même. Si j'avais à mes côtés un millier de guerriers aussi fidèles que toi, je n'en douterais pas.

Nom Anor fit rouler Shoon-mi sur le dos, lui enfonçant un peu plus le coufee dans les chairs.

Défiguré par la souffrance, le traître implora son vainqueur.

— Pardonnez mon égarement, maître ! Vous êtes réellement un dieu !

— Non, tu avais raison. Je ne suis pas un dieu. Je les rejette tout comme je te renie. Car je préfère la compagnie des vivants !

Se penchant, il saisit le Honteux à la gorge et serra.

La terreur s'évanouit rapidement des yeux de Shoon-mi, remplacée par une expression presque sereine.

Nom Anor se redressa.

— Débarrasse-toi des corps, dit-il d'une voix calme. Que personne ne se doute de ce qui s'est passé ici. Je n'ai pas envie que d'autres idiots se mettent en tête que le Prophète est vulnérable.

— Je comprends, répondit Kunra.

Il commença à traîner les cadavres vers la porte.

Préoccupé, Nom Anor palpa la blessure, sur sa gorge.

— Beau travail, Kunra. Je ne l'oublierai pas.

Hochant la tête, l'ancien guerrier s'acquitta de sa sinistre mission.

Inquiet, Luke écoutait les nouvelles du réseau de boras.

— Senshi n'a pas essayé de communiquer, dit-il, le dernier rapport terminé. Mais il prévoit quelque chose.

— Je suis d'accord, répondit Mara. Une idée de ce que c'est ?

— Un acte spectaculaire, histoire d'attirer l'attention.

Doigts croisés, Luke réfléchit. Ses compagnons et lui étaient au premier étage d'une des habitations-champignons. Des pores situés au plafond et le long des parois laissaient filtrer l'air et la lumière.

— Savoir où ils vont nous aiderait, dit Mara.

Luke et elle avaient tenté de repérer Jacen dans la Force. En vain. Le champ vital de la planète était trop dense pour qu'ils puissent y détecter leur neveu. Luke se demandait encore si cette interférence était naturelle, ou artificielle.

— Nous rétrécissons peu à peu le champ des possibilités, dit Darak en passant la « porte ». Ce n'est pas facile. Par ici, le tampasi est très dense et la piste est brouillée... Mais je pense pouvoir deviner quand même leur destination.

— Où vont-ils ? demanda Mara.

— Au nord-est d'ici, il y a un bosquet de boras sauvages. Sekot permet leur existence pour encourager la diversité génétique.

— Sauvages ? Comment ça ? demanda Mara.

— Les boras peuvent être très dangereux quand on leur permet de pousser comme ils veulent, expliqua Darak. Ils sont aussi surveillés que possible.

Hegerty eut l'air sidérée.

— Des *arbres sauvages* ?

— Les boras ne sont pas de simples arbres, corrigea Darak, réprobatrice. Leur semence, très mobile, migre chaque été vers une nurserie, où des éclairs générés par les boras adultes les mettent sur la voie de leur prochain cycle de vie. Il existe de nombreux types de boras, et plusieurs manières dont les mutants peuvent devenir dangereux.

— Surtout lors d'un orage, renchérit Darak.

— Pourquoi Senshi les emmènerait-il là, alors ? demanda Mara.

— Il ignore peut-être la présence du bosquet mutant, dit Hegerty.

— La raison importe peu, ajouta Luke. Est-il possible de leur couper la route ?

— Non, répondit Darak. Nos coureurs les plus rapides n'arriveraient pas à temps. Ils y seront dans moins de deux heures.

— Et les dirigeables ? demanda Luke.

— Les boras les empêcheraient d'atterrir.

— L'*Ombre de Jade* y parviendrait, dit Luke. Je peux l'appeler, grâce au circuit esclave. Si vous le libérez, il sera là en moins d'une heure.

— Demandons à Sekot, fit Rowel. Mais sans la Magistère, ce sera difficile.

— Essayez quand même, demanda Luke.

Le Ferroan sortit.

Le comlink de Luke bipa. C'était Mayn.

— Maître Skywalker, il y a des signes d'activité gravifique sur la troisième lune de Mobus.

— Vous connaissez la source ?

— Non. Mais M-3 n'est guère plus grande qu'un rocher. Dessus, il n'y a rien d'assez gros pour générer des ondes de gravité.

— Ce pourrait être un corail skipper endommagé, avança Luke.

— Ou un qui fonctionne bien, au contraire, ajouta Mara.

— C'était mon idée, intervint Yage. Nous aimerions envoyer quelques Tie vérifier…

Un coup d'œil à Darak confirma à Luke que leurs hôtes ne seraient pas ravis.

— Je vous rappelle avec la réponse, Arien, dit-il.

Avant qu'il puisse parler, Darak secoua la tête.

— Nous n'autoriserons pas ce que vous alliez nous demander, dit-il.

— Je vous en prie, comprenez que nous ne vous voulons aucun mal. Jusque-là, nous n'avons rien fait contre vous ou votre monde. En réalité, nous avons peut-être découvert une menace que vous ignoriez. Qu'un seul vaisseau prenne la fuite, et votre Sanctuaire serait condamné. Au lieu d'avoir peur de nous, vous devriez nous laisser vous aider.

— Peut-être, concéda Darak. Nous vérifierons. Si des ondes de gravité proviennent vraiment de cette lune, nous les détecterons et prendrons les mesures nécessaires.

— Ça paraît raisonnable.

— Mais ne tardez pas, ajouta Mara quand la Ferroane sortit. Je n'aime pas être coincée ici avec un inconnu occupé à chauffer ses moteurs au-dessus de notre tête.

— Sekot vous protégera, affirma Rowel en prenant la place de Darak.

— Et qui protégera Sekot ? riposta Mara, exaspérée. Vous êtes là depuis trop longtemps. Du coup, vous avez oublié que la galaxie est vaste. Sekot aussi a peut-être oublié. J'admire votre foi en cette planète, mais je détesterais que vous soyez brutalement ramenés à la réalité.

— Vous savez peu de choses sur Sekot, répondit le Ferroan. Vos informations datent de plusieurs décennies. Vous n'avez aucune idée de ses capacités réelles !

— C'est la raison de notre présence, rappela Luke. Nous *voulons* savoir, car Sekot est la solution à notre problème. Avec ses connaissances, nous restaurerons la paix sans entraîner la mort de milliards d'innocents.

— Nous tournons en rond, dit Hegerty. Jusqu'à ce que Sekot décide de nous faire confiance, nous continuerons.

— Sekot n'a *aucune* raison de vous faire confiance, souligna Rowel.

— Alors, il nous faudra lui en donner une, conclut Mara.

Mais laquelle ? se demanda Luke. *Qu'aurait fait Obi-Wan, à ma place ?*

L'idée qu'Obi-Wan et son père avaient été là le tourmentait. S'il avait su comment invoquer le fantôme de son mentor, il l'aurait fait sans hésiter.

Que s'est-il produit pendant ton séjour, Ben ? Y a-t-il un rapport avec la situation présente ? Et mon père ? Son destin fut-il en partie déterminé par ce qui lui est arrivé ici ?

Qui aurait pu le dire ?

Soupirant, Luke revint au débat, parfaitement en phase avec la frustration croissante de Mara.

Les couloirs de la base de communication à longue distance d'Esfandia étaient étroits mais étonnamment hauts. Ils avaient été prévus pour le commandant gotal de la station, dont les cornes sensibles à l'énergie dépassaient Leia d'un bon mètre. Sur le *Faucon Millenium*, Ashpidar aurait dû se courber sans cesse. Ici, elle devait seulement se pencher de temps à autre.

Question taille, le reste de l'équipage était plutôt au-dessous de la moyenne. Il y avait trois minuscules Sullustéens, les experts en ingénierie de la base, et cinq robustes Ugnaughts pour les gros travaux. Le chef de la sécurité, le Noghri Eniknar, arrivait à peine à l'épaule de Leia. Ses deux assistants étaient des Klatooniens solides mais très petits. Deux officiers des communications humains et un officier scientifique twi'lek complétaient l'équipage.

La visite guidée par le commandant et son chef de la sécurité n'aurait pas dû être bien longue, mais Ashpidar insista pour présenter tout le monde à Leia et à Droma. Les gardes noghris de Leia suivaient le groupe.

Sous prétexte de se dégourdir les jambes, Droma avait décidé de l'accompagner dans la base. Après leurs dernières aventures, il se sentait un peu claustrophobe. Yan avait choisi de rester à bord, pour ne pas laisser le vaisseau sans surveillance. De plus, il aurait tout loisir de vérifier les moteurs et les générateurs de boucliers.

— Voilà notre hangar à véhicules extérieurs, annonça Ashpidar en ouvrant le sas de la baie qui abritait cinq motospeeders.

A côté, rangées dans un placard, les combinaisons environnementales convenaient à l'atmosphère épaisse et glaciale de l'extérieur.

— La base est mobile, expliqua Ashpidar. Parfois, nous devons quand même voyager vers les postes de détection, pour des réparations mineures. Les détecteurs fragiles ont souvent besoin de réglages et d'entretien.

Leia sentait un plan germer dans son esprit. S'il s'avérait praticable, les motospeeders seraient essentiels.

Hors de la base, le silence régnait. Les bombardements ayant cessé, les Brrbrlpp étaient en sécurité. Leia s'en réjouissait, car cela lui donnait le temps de réfléchir.

— J'imagine qu'il ne suffit pas de détecter les messages venant des Régions Inconnues, dit Droma. Il vous faut ensuite les diffuser vers le reste de la galaxie. Comment vous y prenez-vous ?

— Les détecteurs accomplissent aussi cette tâche, répondit Ashpidar. Tout signal repéré par plus d'un détecteur est vérifié, puis transmis vers le Noyau par au moins la moitié des autres détecteurs. Equilibrer la réception et la transmission est très difficile. Voilà pourquoi nous essayons toujours d'avoir une marge d'erreur confortable. Je m'arrange pour fonctionner avec une capacité excédentaire de cinquante pour cent.

— Combien de détecteurs avez-vous perdus à cause des Yuuzhan Vong ? demanda Leia.

— Treize sur quarante.

— Vous pouvez fonctionner normalement avec ça ?

— Oui, s'il n'y a pas d'autres bombardements, nous continuerons un certain temps. Mais il nous faudrait des ressources supplémentaires pour récupérer notre marge de sécurité.

— Je ferai ce que je pourrai, assura Leia.

Et le plus vite possible !

Qui savait si Luke n'essayait pas de lui envoyer un message ?

A la fin de la visite, Ashpidar les emmena dans sa cabine, qui lui servait aussi de QG, et prit place à son grand bureau. Leia, Droma et le chef de la sécurité s'installèrent en face d'elle. Les gardes noghris restèrent debout, devant la porte.

— C'est un environnement sécurisé, annonça Eniknar.

Le Noghri était mince comme un fil mais musclé. Son visage reptilien était l'image même de la concentration.

— Ce que vous allez voir n'a pas été révélé aux autres membres de l'équipage, continua-t-il.

Ashpidar ouvrit un coffre et en sortit une balle en cuir souple à la surface ridée. Une veine battait à sa base, indiquant que la « balle » était vivante.

— Un villip, dit Leia. C'est comme ça que les Yuuzhan Vong ont su où vous étiez ?

— Oui. Ils ont été appelés ici. Quand et comment, nous l'ignorons. Il devait aussi y avoir un villip sur Generis.

— Nous l'avons trouvé il y a deux jours, caché dans un placard d'entretien, confirma Eniknar. N'importe qui aurait pu le mettre là. Son propriétaire doit savoir qu'on lui a mis la main dessus. Hélas, le traître est toujours en liberté.

— Nous commencions une enquête quand les Yuuzhan Vong sont arrivés, enchaîna Ashpidar. Survivre est devenu notre priorité. Jusqu'à ce que nous démasquions le traître, j'ai gardé le villip ici, où personne n'a accès, à part moi. (Elle remit le villip dans le coffre et le ferma.) Toutes les autres formes de communication sont bloquées. Rien ne peut entrer ou sortir de la station sans mon autorisation.

— Nous pouvons vous montrer comment démasquer des Yuuzhan Vong déguisés. Il existe des mini-droïds conçus pour le faire discrètement. Inutile d'être un Jedi pour ça.

— Mes remerciements, dit la Gotal.

— Il suffira d'attendre la fin de la crise, ajouta Leia. Quand les Yuuzhan Vong auront été chassés de l'orbite, vous pourrez ressortir et ouvrir une enquête.

— C'est ce que j'espère. Toutefois, je crains que… (Le comlink d'Ashpidar bipa.) Oui ?

— Un message du *Faucon Millenium*, annonça un des responsables des communications.

— En visuel, Ridil.

Un hologramme s'activa sur le bureau d'Ashpidar. Il montrait la répartition des forces impériales et vong, au-dessus des deux hémisphères opposés. Puis l'image se déplaça sur le point d'entrée dans l'atmosphère d'une force vong passée entre les mailles du filet pendant la bataille.

— Nous avons de la compagnie, soupira Droma.

— Apparemment, répondit le chef de la sécurité.

— S'ils quadrillent le secteur, ils finiront par nous trouver, ajouta Leia.

Soudain, elle sentit la présence mentale de Jaina… Mais elle s'évanouit vite.

— Princesse ? demanda Ashpidar. Vous allez bien ?

— Désolée, répondit Leia en se levant. Tant que des transmissions pirates n'alerteront pas les Yuuzhan Vong, nous devrions être en sûreté. Le traître de la station est notre souci principal. Suivez-moi à bord du *Faucon*, je vous donnerai des mini-droïds de détection. Nous avons chacune un problème à résoudre.

Ashpidar inclina la tête.

— Je vous suis reconnaissante de votre aide.

Eniknar les escorta jusqu'au *Faucon*.

Une fois le chef de la sécurité parti, Droma se tourna vers Leia.

— Je n'aime pas ce type.

— Qui ? Eniknar ?

— Oui. Vous avez vu son expression quand le message est arrivé ?

— En effet. Il y avait quelque chose de bizarre à son sujet… (Elle se tourna vers ses gardes du corps.) Avez-vous identifié l'odeur de son clan ?

— Nous ne le connaissons pas, répondit Meewalh.

— Il s'est éloigné d'Honoghr, ajouta Cakhmain.

— Ou il n'en a jamais fait partie, avança Droma. Lâchons ces droïds sur lui et voyons ce qu'ils ont à dire.

— Ils détectent seulement les Yuuzhan Vong qui portent des masques ooglith, rappela Leia. Et ça, je l'aurais remarqué. Si c'est un traître, il faudra le forcer à montrer son jeu.

— Vous avez un plan ? demanda Droma.

— Peut-être… Mais d'abord, je dois parler à quelqu'un.

La capitaine Mayn informa Pellaeon des événements récents. Jaina était toujours avec Tahiri, Jag à côté d'elle, et ils écoutaient sur l'unité com de l'infirmerie. La mère de Jaina avait réussi à entrer en contact grâce à une transmission par un droïd de recherche modifié. Le droïd – une simple sonde portant un émetteur subspatial –, avait été modifié pour capter les fréquences des indigènes de la planète. Afin d'éviter de trahir l'emplacement de la station de relais, le *Faucon* avait envoyé sur cette fréquence le message par brèves impulsions laser. Ils avaient juste eu le temps d'échanger les nouvelles avant qu'un tir des Yuuzhan Vong ne coupe court à la communication.

— Donc, le *Faucon* et la base de relais sont coincés, conclut Pellaeon quand Mayn eut terminé son rapport.

— Exact, monsieur.

— Et il n'y a pas eu de signes des troupes au sol ?

— Non, monsieur.

— Ça ne durera pas. Le commandant Vorrik est impatient. Il ne les laissera pas longtemps inactifs. Il veut des résultats, et rapidement.

— Leur première tâche, dit Tahiri d'un ton assuré, sera de fouiller les sites bombardés à la recherche d'épaves. Ils commenceront au centre de la zone, pour progresser vers la périphérie. Ils partiront du principe que leurs informations étaient correctes, la base étant au centre de la zone.

— Et où est-elle, en fait ?

— Près du bord, répondit Mayn. La région bombardée couvrait l'emplacement approximatif du *Faucon* lors de sa dernière transmission. Ils ignorent qu'il s'est déplacé.

— Ils ont donc un léger désavantage sur nous, dit Pellaeon.

— Il nous faut simplement une ouverture pour agir, dit Jaina. Notre priorité est de leur envoyer de l'aide. Pour le moment, Vorrik croit savoir où est la base. S'il est occupé ailleurs, son temps ne sera pas illimité. Et s'il a du mal à trouver la base, il finira peut-être par penser que ça n'en vaut pas le coup.

— J'aimerais beaucoup obliger cet imbécile à battre en retraite, admit le Grand Amiral avec un demi-sourire.

— Et le traître ? demanda Jag. Comment coordonner nos actions si elles risquent d'être découvertes à tout moment ?

— C'est un risque que ma mère est prête à courir, annonça Jaina. Elle pense avoir identifié le traître.

— Les mini-droïds ? demanda Jag.

— Ils n'ont rien détecté. Mais elle garde son suspect à l'œil, au cas où il tenterait de nuire.

— Nous ne pouvons pas faire grand-chose au sujet de ce traître, dit Pellaeon. Pour l'instant, occupons-nous de débarquer une équipe à la surface.

— J'ai une idée, dit Tahiri. Il me faudrait seulement avoir accès à une coque de navire yuuzhan vong. Je suis sûre qu'il y en a dehors…

— Nous avons enregistré l'orbite de six bâtiments ennemis, répondit Pellaeon. Mais je doute que vous puissiez en
utiliser une pour descendre à la surface. Après la performance du colonel Jag, ils ne se laisseront plus surprendre
par la même astuce.

— Ce n'est pas mon intention. Il reste peut-être un villip
vivant dans un vaisseau. Si j'y ai accès, je vous fournirai
l'occasion que vous souhaitez.

L'air farouche, la jeune femme n'avait plus rien à voir
avec l'être brisé venu demander de l'aide sur Mon Calamari, avant de partir pour cette mission.

— Comment avez-vous l'intention de procéder ?
demanda Pellaeon.

— Je dirai à Vorrik que je veux piéger le *Faucon* et la
base de relais. Afin de me venger de la princesse Leia et du
capitaine Solo.

— Il se doutera que c'est une ruse…, dit Pellaeon.

— Peut-être, admit Tahiri. Mais il ne pourra pas se permettre de refuser mon offre ! Une victoire rapide lui per-
mettrait de partir sans perdre la face. Et sans risquer la
disgrâce.

Pellaeon hésitait, et Jaina comprenait pourquoi.

Et si Tahiri trahissait *vraiment* Yan et Leia ?

— J'ai confiance en elle, intervint Jaina. Je mettrais ma
vie entre ses mains.

Il faudrait bien laisser Tahiri prouver de quel côté elle
était. Pourquoi pas maintenant ? Surtout quand les connaissances combinées de Tahiri et de Riina seraient sans doute
leur seul espoir de salut… Et tous les instincts de Jaina lui
soufflaient que Tahiri, paradoxalement, était redevenue
elle-même.

— Très bien, capitula Pellaeon.

Jaina remarqua que Jag se détendait. Même Tahiri semblait moins concentrée.

— Je vous laisse planifier les détails avec le *Faucon* et
la station de relais, dès qu'ils reviendront en ligne, continua

le Grand Amiral. Je vous demande seulement de m'informer des résultats. Je maintiendrai ici le *statu quo* le plus possible. Si vous avez besoin d'aide, il vous suffira de demander.

Son ton était sec.

Jaina crut deviner pourquoi.

— Bien entendu, nous aurons besoin de votre aide. Nous ne forcerons pas ce blocus sans vous. Vous avez prêté un escadron de Tie à la capitaine Mayn lors de l'avance initiale. J'aimerais en réquisitionner un autre pour l'escadron Soleils Jumeaux. Est-ce acceptable ?

— Jaina Solo, répondit Pellaeon avec un sourire, vous êtes aussi bonne politicienne que votre mère.

— Je prendrai ça pour un compliment.

— C'était bien mon intention.

La communication coupée, Jag se tourna vers Jaina, sourcils froncés.

— Pourquoi lui avoir demandé ça ?

Tahiri répondit à la place de Jaina.

— La confiance. Si nous ne sollicitons pas l'appui des Impériaux, ils se demanderont pourquoi nous les laissons hors du coup. Nous devrions les laisser participer à tout ce que nous entreprenons. Par le passé, ce fut la raison de nos échecs des traités avec l'Empire. L'absence de combats n'est *pas* la paix. Simplement une interruption temporaire de la guerre.

— Exact, dit Jaina. Si nous devons travailler ensemble, l'Empire et l'Alliance Galactique ne doivent pas seulement communiquer, mais *collaborer*. Parler ne suffira pas. Jusqu'à ce que nous nous battions ensemble, que nous risquions nos vies ensemble, nous resterons séparés.

— Je garderai les escadrons occupés en attendant de leur affecter leur véritable mission, dit Mayn. Pour le moment, vous êtes la Jedi responsable des opérations.

De fait, se dit Jaina, étonnée, elle était maintenant chargée du bon déroulement de la mission. Même le Grand

Amiral de la flotte Impériale était prêt à suivre ses recommandations. Bizarrement, Jaina ne se sentit pas déconcertée par l'autorité dont elle était soudain investie.

— Tahiri et moi étudierons la question, dit-elle. Je vous donnerai des instructions dans moins d'une heure. Passez en alerte rouge. Si notre situation change, nous devons pouvoir agir immédiatement.

— Compris, répondit Mayn, coupant la communication.

— Eh bien, fit Jag, voilà notre nouveau chef, Jaina !

— Fais gaffe ! Je pourrais te mettre aux arrêts pour insubordination !

— Vraiment ? Vous êtes peut-être le chef ici, colonel Solo, mais lors de notre prochain duel amical, ça sera une autre histoire !

— Très drôle. Pourtant, lors de notre dernier affrontement sur Mon Calamari, c'est *moi* qui avais l'avantage !

L'éclat de rire de Tahiri les surprit tous les deux. Ils se tournèrent vers elle.

— Qu'est-ce qui t'amuse tant ? demanda Jaina.

— Vous deux, répondit Tahiri. Si Anakin était là, il vous aurait conseillé de vous trouver une chambre le plus vite possible !

Jaina sourit malgré la douleur qu'elle éprouvait chaque fois qu'on prononçait le nom de son frère…

Maintenant, elle était sûre que Tahiri s'en sortirait.

Saba eut l'impression d'être enveloppée par des odeurs délicieuses. Les ravisseurs, dont beaucoup montaient des créatures géantes à trois pattes qu'ils appelaient des carapodes, suivaient Senshi le long d'un sentier sinueux menant dans une vallée encaissée. A mesure qu'ils descendaient, l'air devenait lourd, saturé de pollen et d'humidité. Il faisait tourner la tête de Saba, accélérant son pouls. Sa peau la démangeait tandis que son métabolisme luttait contre la chaleur.

La pluie n'arrangeait rien. L'air était si humide que l'évaporation n'était presque plus assurée. Saba avait l'impression d'être plongée dans du brouillard en ébullition.

— Nous sommes encore loin ? demanda Jacen à la Ferroane qui marchait devant eux, une femme musclée au chignon volumineux.

— Non…

Saba sentit l'irritation du jeune Jedi. Il s'inquiétait pour Danni, attachée sur le dos d'un carapode, et pour Jabitha, ligotée sur un autre. Danni ne s'était toujours pas réveillée, et ça inquiétait aussi Saba. Jacen et elle n'étaient pas des guérisseurs, et ils avaient rapidement épuisé leurs maigres ressources. Danni ne semblait pas aller plus mal, mais elle n'allait pas mieux, non plus. Si ça continuait, il faudrait l'amener au plus vite à Tekli.

Saba se concentra sur leur destination. Elle percevait au plus profond de la vallée un nœud d'obscurité, une rupture dans le flot vital qui parcourait Zonama Sekot… Tentant de le sonder, elle vit un orage tourbillonnant dans l'atmosphère d'une géante gazeuse. Les flux vitaux normaux la contournaient, se courbant légèrement comme pour reconnaître sa présence. Mais tout ce qui s'en approchait de trop près était absorbé.

Senshi les conduisait vers ce « centre obscur ». A travers le brouillard, il murmurait dans l'esprit de Saba. Mais cette obscurité ne l'appelait pas volontairement : elle déclenchait celle qui était déjà en elle, l'obscurité de ses doutes sur sa propre valeur, et la culpabilité qu'elle éprouvait à cause de la perte de son monde natal…

Non !

Saba chassa ces émotions. Elle ne laisserait pas l'obscurité s'emparer de son esprit. Il fallait se concentrer.

Par bonheur, la force d'attraction de cette obscurité reflua un peu devant la détermination de la Barabel. Elle suivit résolument Senshi.

Tout était prêt. Une navette fournie par les Impériaux avait transféré les fournitures à bord du vaisseau en corail yorik nommé le *Hrosha-Gul* – en basic, cela se traduisait par « *Prix de la Douleur* ».

En en prenant le commandement, Jaina l'avait aussitôt rebaptisé le *Collaborateur*.

Tout en s'interrogeant sur le sens de ce nom – pour elle – Tahiri examina les décombres, sur la passerelle. Les choses semblaient bien se passer dans son esprit, mais elle restait vigilante. Si Riina était peu encline à attaquer les Yuuzhan Vong, elle ne semblait pas vouloir s'opposer au plan suggéré par Jaina.

Désormais, ses pensées étaient totalement redevenues les *siennes*. L'époque où son corps abritait l'essence de Tahiri *et* de Riina n'était plus qu'un mauvais souvenir. Les connaissances qu'elles avaient partagées lui venaient désormais d'un seul et même esprit.

Les Yuuzhan Vong m'ont infligé ces tourments. Que j'aie été Tahiri ou Riina, ils m'ont torturée, et laissée souffrir. Puis ils m'ont pris Anakin. Rien que pour ça, je les combattrai !

Un peu plus tôt, elle avait localisé les restes d'un banc de villip. En installant un système d'alimentation primitif, elle les avait assez ranimés pour qu'ils redeviennent fonctionnels. Elle ignorait si les villip se comporteraient normalement, mais ils devraient pouvoir émettre, et probablement capter. Cela dépendait de l'importance des dégâts. Un équivalent d'antenne se faufilait encore à travers la coque, réglé sur les vibrations subtiles du système de communication Yuuzhan Vong.

Tahiri inspira à fond et activa les villips. Silencieux, les compagnons de la jeune femme restaient hors du champ visuel des villips. Pour le moment, tout dépendait de sa performance.

Les villips se déployèrent, et les deux balises survivantes entrèrent en action.

— Moi, Riina du domaine Kwaad, je souhaite m'humilier devant le commandant B'shith Vorrik, dit-elle en yuuzhan vong.

Les villips frémirent. Une voix lui répondit, mais il y avait trop de parasites.

Elle recommença.

— Riina du Domaine Kwaad appelle du *Hrosha-Gul*. Je me prosterne avec l'espoir d'obtenir une audience. Mon service à la gloire de Yun-Yuuzhan n'est pas terminé.

Une voix gutturale retentit.

— Le commandant ne perd pas son temps avec les domaines qui ont échoué.

— Le Domaine Kwaad n'a pas échoué. Je suis Riina, une guerrière modelée pour obéir. Ecoutez-moi si vous voulez que je vous livre nos ennemis.

— Vos paroles sont une sortie de mensonges.

— Je mens seulement à nos ennemis communs. Ce sont eux que j'envoie à leur mort.

Il y eut une pause, puis une autre voix prit le relais.

— Parlez, être misérable !

— Ai-je l'honneur d'avoir l'attention du commandant ?

— Non. Vous êtes indigne d'habiter le même univers que lui. Parlez !

— J'apporte des renseignements sur les mouvements de l'ennemi. Les infidèles me font confiance. Je vous révélerai les détails de leur conspiration pour la plus grande gloire du commandant Vorrik.

— Qui êtes-vous, pour faire de telles promesses ?

— Je suis Riina du Domaine Kwaad. Celle-qui-a-été-modelée.

— J'ai entendu parler de cette hérésie. Vous êtes une abomination *Jeedai*.

— Je suis la fierté de Yun-Yarla. Les modeleurs m'ont appris l'obéissance. Je m'humilie devant vous en espérant que vous m'autoriserez à accomplir mon devoir, pour que je puisse revenir le front haut parmi les Yuuzhan Vong.

Une autre pause, plus longue. Tahiri se douta que l'appel était transféré à un officier plus haut placé dans la hiérarchie.

De fait, un troisième interlocuteur se manifesta.

— Vos paroles offensent mes oreilles. Avant de pulvériser votre misérable personne, je vous accorde le temps qu'il me faudrait pour vider un hérétique de son sang !

Les choses continuèrent ainsi un certain temps. C'était exaspérant, mais indispensable. Les chefs vong fonctionnaient comme ça : ils laissaient leurs subordonnés déterminer eux-mêmes la valeur de leur maigre contribution… Si leurs maîtres jugeaient qu'ils leur faisaient perdre du temps, les subordonnés le payaient cher. Après avoir convaincu plusieurs subordonnés du bien-fondé de sa démarche, Tahiri fut de plus en plus certaine qu'elle parlerait bientôt à Vorrik, et le convaincrait aussi.

Enfin, on lui passa quelqu'un de si désagréable qu'elle fut sûre de s'adresser à Vorrik.

— Votre visage offense mon regard ! cracha-t-il. Votre existence même est une insulte à l'ordre de l'univers ! A la première occasion, vous vous offrirez en sacrifice à Yun-Yammka, afin que nul n'ose plus faire ce que les hérétiques du Domaine Kwaad ont tenté !

Tahiri baissa les yeux. Les paroles du commandant ne la surprenaient pas.

— Mon seigneur, j'obéirai. Le Tueur pourra me prendre dès qu'il le voudra. Quand je vous aurai apporté la victoire, je n'aurai plus de raison de vivre.

Cela sembla satisfaire Vorrik – provisoirement.

— Alors, parlez ! Comment obtenir cette *victoire* ?

— Je me suis attiré la confiance des Jedi en les convainquant que je leur permettrai d'atteindre sans danger la surface d'Esfandia. Si vous nous laissez faire, je les trahirai puis vous révélerai l'emplacement de la station de communication.

— Vous parlez comme une Yuuzhan Vong, mais votre apparence est celle d'une infidèle.

216

— Vous me voyez si bien, commandant ?

— La transmission est mauvaise, mais je vous distingue assez pour être révulsé par votre aspect !

— Comme il se doit, commandant… Si je n'étais pas destinée à être sacrifiée, je prierais les modeleurs de me redonner un corps mieux adapté au service de Yun-Yammka. Mais je veux prouver ma fidélité aux dieux. Je suis une loyale servante de Yun-Yarla. La déesse masquée me protège. Sous une apparence hideuse, elle garde cachée ma véritable personnalité. Afin de vous prouver ma bonne foi, je supplie la déesse de la tromperie de m'accorder une dernière chance de me purifier de la souillure de l'abomination !

Tahiri inclina la tête en arrière. Les vieilles cicatrices de son front s'enflammèrent quand elle les stimula avec la Force. En lui implantant la personnalité de Riina, Mezhan Kwaad lui avait infligé ces marques. Tahiri les avait gardées pour ne jamais oublier les terribles épreuves qu'elle avait traversées. Elles symbolisaient la perte de son identité sur Yavin 4, et la mort d'Anakin.

Maintenant, elles joueraient un rôle capital.

Les anciennes blessures se rouvrirent. Du sang ruissela sur son visage et ses tempes. Concentrée sur la Force, faisant abstraction de la douleur, la jeune femme afficha une expression extatique. Le villip transmettait toute la scène à Vorrik. Si Tahiri trahissait son humanité, il saurait qu'elle mentait.

— Suffit, dit-il après un long silence. Vous aurez ce que vous demandez.

Elle inclina la tête, du sang dégoulinant sur sa poitrine.

— Je n'en suis pas digne.

— Aujourd'hui, Yun-Yarla vous accorde ses faveurs, abomination ! Le vaisseau que vous avez arraisonné sera autorisé à entrer dans l'atmosphère de la planète. Tout autre navire qui tentera de vous suivre sera détruit.

— Merci, commandant. Mon vaisseau semblera être une

épave à la dérive. Les infidèles n'y feront pas attention. Je vous demande seulement de l'ignorer aussi.

— Ce sera fait. Nous attendrons votre signal. Ne me trahissez pas, Riina du Domaine Kwaad, ou vos tourments seront sans fin.

— Je ne faillirai pas, commandant.

Tahiri se redressa et effleura le noyau de commande du villip. L'être se referma avec un soupir, comme conscient d'avoir accompli sa dernière mission et de pouvoir mourir en paix.

Dès qu'elle fut certaine que le villip avait cessé d'émettre, Tahiri se détendit.

— *Hu-carjen tok !* cria-t-elle à cause de la douleur de ses blessures.

Jaina se précipita vers elle.

— Tu n'avais pas besoin de faire ça, dit-elle. Tu vas bien ?

La jeune femme fit un signe affirmatif. En réalité, elle n'avait pas eu le choix. Elle n'était plus la petite Tahiri, mais un être nouveau habité d'une farouche détermination…

Jag la dévisagea intensément, comme s'il révisait son opinion sur elle.

— Le vaisseau commencera à brûler dans cinq minutes, dit Jaina en posant de la synthéchair sur les blessures de Tahiri. Ça te donne une heure pour te plonger en transe de guérison. C'est un ordre ! Le moment venu, j'aurai besoin de tout le monde.

Tahiri, une guerrière *et* une Jedi, savait obéir aux ordres sensés. Après une piqûre d'analgésique, elle s'installa sur une couchette, à l'arrière du vaisseau, et ferma les yeux.

Sans Yan et Droma, le *Faucon Millenium* paraissait vide. Leia attendait la mise en œuvre du plan.

Son mari et ses compagnons étaient partis deux heures plus tôt. En présence de sa femme, Yan, en combinaison, avait testé les commandes de sa motospeeder…

— Tu es sûre de ne pas vouloir venir ? Ça serait si romantique… S'éclipser un moment tous les deux, histoire d'admirer le paysage…

Leia avait éclaté de rire.

— Admirer le paysage sur une planète à l'atmosphère composée de méthane et d'hydrogène ? Non, merci !

Conçues pour protéger du froid extrême d'Esfandia, et satisfaire aux besoins respiratoires de diverses espèces, les combinaisons s'adaptaient aussi à différentes anatomies – une aubaine, considérant le caractère composite de l'équipe : deux humains, Yan et un technicien des communications, le chef de la sécurité noghri, Eniknar, un robuste garde de la sécurité klatooinien, et Droma, qui avait enroulé sa queue le long d'une jambe de la combinaison.

— De plus, avait ajouté Leia, quelqu'un doit rester ici pour veiller au grain.

Elle avait embrassé la visière de son époux, lui souhaitant bonne chance.

Une fois sortis des tunnels de nidation, les cinq motospeeders devraient respecter le silence radio. La moindre transmission alerterait les Yuuzhan Vong. A part ça, ils risquaient peu d'être découverts, à moins d'avoir la malchance de tomber sur une des équipes au sol de l'ennemi…

Ashpidar avait proposé à Leia de prendre un verre dans son bureau. Elles avaient bavardé une demi-heure de tout et de rien. Leia s'était demandé si la Gotal, une espèce sensible à l'humeur des gens, cherchait à la distraire de ses soucis. Ashpidar parla d'Antar 4, où elle avait rencontré un interprète professionnel et souhaité fonder une famille. Mais son compagnon avait péri dans un accident. Sous le coup du chagrin, Ashpidar était partie explorer la galaxie. Le drame remontait à vingt ans, et elle n'avait jamais regretté sa décision.

— Parlez-moi des Etres de Glace, demanda Leia en utilisant le terme employé par le commandant, plus facile à prononcer que *Brrbrlpp*. Qui leur a appris le code trinaire ?

— Le précédent commandant de la base, Si… C'était un Gran exilé et épris de solitude. Pendant ses loisirs, il a étudié les Etres de Glace, déchiffré leurs appels et remarqué que personne ne l'avait fait avant lui. Malgré l'absence d'éléments concrets, tels que des outils, il lui a semblé clair que ces créatures avaient une culture. Pour le prouver, il leur a appris le code trinaire, bien plus simple pour nous que leur langue natale. Maintenant, ils nous informent de leurs mouvements pour que nous sachions toujours où ils sont.

— Comme ça, vous évitez d'en tuer accidentellement, comme nous à notre arrivée…

— Exactement.

— Communiquent-ils souvent avec vous ?

Ashpidar sembla sur le point de sourire, mais sa voix resta monocorde.

— Les Etres de Glace adorent parler. Leurs appels traversent de grandes distances. Parfois, on dirait que toute la planète résonne de leurs bavardages.

— Sont-ils nombreux ?

— Ce n'est pas une espèce très prolifique. Elle ne l'a jamais été. Nous estimons qu'il y en a quelques milliers.

— Ça n'est pas beaucoup, admit Leia.

— Esfandia n'est pas le type de monde susceptible d'abriter un écosystème riche et abondant. La température du noyau baisse et les niches disponibles rétrécissent. Il n'existe ni marées ni saisons, ce qui laisse penser que la même espèce s'est répandue sur toute la planète. En ce moment, Esfandia a un système équilibré. Etant au sommet de la chaîne alimentaire, les Etres de Glace mangent tout ce qu'ils trouvent. Dans leurs grands jardins, ils élèvent des essaims d'insectes volants avec lesquels ils échangent les minéraux rares qu'ils filtrent de l'air. Ce système complexe se détériore lentement, mais pour le moment, ça marche.

— Et en arrivant, les Yuuzhan Vong ont tout perturbé.

— Exact. Les émissions des vaisseaux ont des effets néfastes sur la biosphère. C'est pour ça que le concept de la station est basé sur celui des AT-AT. J'ai suggéré aux Etres de Glace de se réfugier dans les plaines de nidation jusqu'à la fin de la crise. Mais c'est une espèce curieuse. Beaucoup, surtout les plus jeunes, risqueraient volontiers la mort pour avoir un peu d'animation dans leurs vies !

Plus tard, de retour dans le *Faucon*, Leia repensa à ce sujet. Certaines choses semblaient universelles. Ses enfants n'étaient pas différents de ceux des Etres de Glace. Ni de ce qu'elle était à leur âge. Pourquoi les jeunes se lançaient-ils à corps perdu dans des quêtes périlleuses ? Pour en apprendre plus sur eux-mêmes, et accumuler de l'expérience ?

Mais à quoi bon découvrir qui on était, si on le payait de sa vie ?

— Je dois vieillir, C-3PO…, fit Leia, pensive.

— Comme nous tous, maîtresse, soupira le droïd doré.

L'atmosphère était étouffante quand ils atteignirent le fond de la vallée. Méfiant, Jacen capta de l'hostilité sans parvenir à identifier sa source. Des lianes et des racines entrecroisées cachaient les profondeurs de la vallée. Au-dessus, les cimes des boras formaient une voûte d'où la pluie gouttait avec régularité.

Jacen eut l'impression d'entrer dans une grande salle souterraine.

Ils y étaient presque. Une chute de pierres obstruait le lit d'une rivière. Autour de cette digue naturelle poussaient des boras à l'air sinistre. Conséquence d'une âpre lutte territoriale, tous les arbres étaient atrocement tordus, comme s'ils avaient été pétrifiés au moment de s'entre-dévorer… Les branches encore mobiles évoquaient des tentacules de sarlacc à l'affût…

— Nous allons là-dedans ? demanda-t-il à la Ferroane qui marchait devant eux.

— Oui.

— Pourquoi ?

— Vous le saurez bientôt.

Le carapode de Danni progressait derrière eux. Jacen sentit une étrange excitation grandir dans l'esprit de la créature, comme si elle reconnaissait ce lieu. Mais il ne put rien en tirer de plus. Aussi épaisse que celle d'un bantha, la carapace du carapode, très riche en métaux, scintillait par moments sous la chiche lumière.

— Nous marcherons le reste du chemin, ordonna Senshi.

— Un moment, dit Jacen en le rejoignant. Je n'aime pas ce lieu.

Senshi haussa les épaules.

— Que m'importe ? Vous vouliez nous accompagner, et c'est là que nous allons. Vous pouvez nous suivre ou partir. Vous avez le choix.

— Il existe une troisième possibilité, grogna Saba.

Jacen posa une main sur son bras pour la calmer. Il sentit les muscles frémir sous ses écailles.

— Nous vous accompagnons. Mais si vous tentez de faire du mal à…

— Que ferez-vous, Jedi ? cracha Senshi. Tout ce que j'entends, ce sont des paroles creuses. Mettez vos menaces à exécution, ou restez hors de mon chemin !

Les ravisseurs continuèrent sans rien ajouter. Senshi semblait les avoir hypnotisés.

Ils contournèrent le lac boueux et atteignirent le barrage naturel qui l'avait généré. Haut de dix mètres, il se dressait au milieu du paysage comme une cicatrice. Des chutes d'eau alimentaient des ruisseaux qui se rejoignaient bien plus bas dans la vallée. A cet endroit, le bosquet de boras était plus dense. Leurs troncs entrelacés formaient un puits obscur au sol de pierre. Des tentacules calcinés saillaient sur les bords.

Jacen regarda nerveusement autour de lui pendant que le groupe continuait à descendre. A l'arrière, Saba et lui passaient prudemment d'une racine à l'autre le long de la pente abrupte. L'air empestait le charbon humide, comme si, au fil des ans, on avait allumé et étouffé de nombreux feux.

Au fond du puits, les ravisseurs s'arrêtèrent. Senshi ordonna qu'on place la civière de la Magistère sur le sol de pierre, et celle de Danni à côté.

— Je suis inquiète, Jacen, murmura Saba. Les énergies vitales de ce lieu sont *emmêlées*. Nous sommes tous en danger.

Jacen éprouvait les mêmes appréhensions. Il se tourna vers Senshi.

— Pourquoi sommes-nous ici ?

— Les boras ont un cycle de vie complexe, répondit le chef des ravisseurs. Leur semence est plus animale que végétale. Ils génèrent des éclairs pour alimenter des processus organiques complexes, à l'intérieur de leurs troncs. Leurs racines fusionnent pour former un réseau de communication qui couvre toute la planète. Les boras et nous cohabitons à la surface de Sekot, et nous respectons nos différences.

Le sol sembla trembler sous leurs pieds.

— Comme tous les systèmes organiques, continua Senshi, ils peuvent être blessés ou tomber malade. Dans un endroit de ce type, les schémas naturels de Sekot ont été enrayés et pervertis. Il existe des boras malveillants, comme on trouve des gens malveillants. Dans l'ensemble, ces boras sont parfaitement inoffensifs – à moins qu'on perturbe leurs terrains de semence, bien entendu. Dans ce cas, on court un grave danger.

Jacen connaissait déjà la réponse à la question qu'il posa :

— Et où sont ces terrains de semence ?

Les boras émirent soudain des ondes de méfiance.

Senshi sourit.

— Nous y sommes.

La Barabel en eut assez. Elle sortit son sabre laser et l'activa.

Aussitôt, tous les regards se tournèrent vers elle.

Saba entendit des vibrations subsoniques passer du bout de ses griffes à la plante de ses pieds quand les tentacules des arbres maléfiques s'agitèrent au-dessus de leurs têtes, crépitant et claquant comme un feu de broussailles.

— Saba, attends ! cria Jacen.

— Nous sommes en danger ! Et Danni a besoin de soins. Fais-nous sortir d'ici *immédiatement* !

Les muscles puissants de la Barabel ondulèrent sous sa peau pour souligner l'urgence de sa demande.

— Non, dit Senshi, insensible à son aspect menaçant et à ses paroles.

— Tout va bien, Saba, ajouta Jacen en l'incitant à baisser sa garde.

Ne sentait-il plus le danger, autour d'eux ? Ne percevait-il pas à travers la Force le mal qui couvait en ces lieux ?

— Je t'en prie... Fais-moi confiance.

Malgré sa réticence, Saba désactiva son sabre laser.

Jacen se tourna vers Senshi.

— Avant que quelqu'un ne soit blessé, si vous nous expliquiez ce qui se passe ? Qu'espérez-vous faire en nous amenant ici ?

— Tout dépend de vos intentions.

— Que voulez-vous dire ? demanda Jacen, exaspéré. Je ne comprends pas.

— Vous comprendrez bientôt.

— Grand est le Potentium..., psalmodièrent les Ferroans. Grande est la vie de Sekot...

Saba sentit l'énergie qui émanait des boras se concentrer autour d'eux. Les troncs frémirent et s'étirèrent, comme pour toucher le ciel.

Un immense potentiel augmentait à chaque seconde...

— Tous servent et sont servis, psalmodièrent les Ferroans. Tous se joignent au Potentium.

Jabitha gémit. Avant que Saba puisse réagir, Senshi s'agenouilla à côté de la Magistère et lui posa une main sur la gorge. De l'autre, il appuya une des tiges organiques contre sa tempe.

— Un geste, et je la tue, dit-il aux Chevaliers Jedi.

Saba se figea, le pouce sur le bouton d'activation de son sabre laser.

— Ce n'est pas ce que j'escomptais, dit la Magistère en ouvrant les yeux.

Senshi tira sa civière au bord du puits.

— Et maintenant, Jedi ? cracha-t-il.

— Maintenant, nous allons voir, murmura Mara quand Darak revint avec les résultats de l'analyse des relevés gravitationnels anormaux sur la troisième lune de Mobus.

Darak murmura quelque chose à Rowel dans leur langue. Puis les deux Ferroans se tournèrent vers Luke.

— Nos détecteurs n'ont relevé aucune anomalie gravifique, annonça Rowel.

— Quoi ? cria Mara. Vous n'avez rien détecté ?

— Vos camarades se sont trompés, confirma Darak. Ou vous essayez de nous induire en erreur.

— Ou *vous* vous trompez ! répliqua Mara, furieuse.

— Nous étudions ce système depuis des dizaines d'années, répondit Rowel. Nous connaissons ses lunes par cœur.

— Et si on vous mentait ? avança Luke. De qui tenez-vous ces informations ?

— De Sekot, bien entendu, répondit Rowel. A travers le réseau de boras. (Au ton qu'il employait, il jugeait Luke idiot de ne pas l'avoir deviné tout seul.) Sur Zonama, tout commence et finit avec Sekot.

Skywalker alluma son communicateur.

— Capitaine Yage, envoyez une équipe de Tie enquêter sur cette anomalie.

— J'ai un escadron prêt, monsieur, répondit Yage. Il partira dans dix secondes.

— Comment ? s'écria Darak.

Luke l'ignora.

— Bon travail, capitaine. Qu'il utilise leurs armes, si nécessaire.

— Vous ne pouvez pas faire ça ! protesta Darak. Vous n'avez pas l'autorisation de manœuvrer dans notre secteur, encore moins de lancer des mesures offensives !

— Si vous n'êtes pas prêts à prendre les décisions qui s'imposent, je le ferai à votre place, répondit Luke, imperturbable.

— C'est inacceptable ! cria Rowel. Rappelez immédiatement ces chasseurs, ou…

Mara se leva, les poings sur ses hanches.

— Ou quoi ?

— Vous ne me faites pas peur ! souffla Rowel.

Mais le tremblement, dans sa voix, en disait long.

— Et vous ne faites pas peur à Sekot, insista pourtant le Ferroan. Souvenez-vous que vous êtes ici avec son accord. Si vous abusez de sa bienveillance, vous subirez le même sort que les Etrangers.

— Ça vous plairait, hein ? accusa Mara. C'est peut-être pour ça que vous mentez : pour nous provoquer, et nous attirer l'inimitié de votre planète chérie !

— Absurde ! Pourquoi ferions-nous ça ?

— A vous de me le dire…

Mara contourna la table pour faire face à Rowel.

Les yeux écarquillés, le Ferroan recula d'un pas.

— Grand est le Potentium, murmura-t-il, comme s'il priait. Grande est la vie de Sekot !

Luke envoya une suggestion mentale à Mara, qui recula.

— Darak, nous ne sommes pas venus vous menacer, dit-il. Nous voudrions vous aider, voilà tout.

Rowel ricana.

— Nous avons seulement besoin de Sekot.

— Vraiment ? fit Luke. Et si un des vaisseaux des Etrangers a réussi à fuir, et que son pilote rapporte à ses supérieurs ce qu'il a vu ? La prochaine fois, vous serez attaqués par une flotte dix fois plus importante que celle d'hier. Sekot pourrait-elle vous défendre contre ça ?

— Facilement, affirma Darak.

— Et contre la flotte suivante ?

— Aussi !

— Et contre celle qui viendrait après ?

La Ferroane hésita, la notion d'attaques à répétition commençant à pénétrer son esprit.

Avant qu'elle puisse répondre, le comlink de Luke bipa.

— Oui ?

— Les chasseurs approchent de la lune, annonça la capitaine Yage. Je renvoie la télémétrie à bord de l'*Ombre de Jade*. Tekli vous transmettra les informations.

Deux secondes plus tard, la voix de la Chadra-fan retentit sur le comlink.

— Je vais essayer de décrire ce que je vois... Trois chasseurs Tie approchent de la source des ondes de gravitation.

— J'insiste pour que vous demandiez à ces vaisseaux de rebrousser chemin, intervint Rowel.

Mara le regardant méchamment, le Ferroan se tut, puis sortit en trombe de la pièce.

— La source est stable, dit Tekli. C'est une pulsation régulière qui vient de derrière M-3.

— Une émission de basal dovin ?

— Non, elle ne ressemble à rien que nous connaissions. Ça pourrait être une balise, ou une onde porteuse à grande distance. Les Tie se livrent à un examen préliminaire de la lune. Elle est vieille, avec une surface grêlée de cratères profonds. Une cachette idéale. Il y a des traces de survols récents.

— Nous extrayons parfois du sélénium de cette lune, expliqua Darak quand Mara lui jeta un regard interrogateur.

— Et récemment ?

— Non, mais...

— Ils ont trouvé la source, coupa Tekli. C'est un cratère

très profond, de l'autre côté de la lune. Un des Tie va l'explorer.

— Qu'il soit prudent, recommanda Luke.

— Les pilotes prennent toutes les précautions nécessaires, affirma Yage. Ils suivent les procédures impériales standard de recherche. Deux chasseurs restent en retrait, pendant que le troisième balaie l'emplacement. S'ils repèrent quelque chose, ils se retirent et font leur rapport. Selon les données…

Yage s'interrompit brusquement.

— Capitaine Yage ? Tekli ? appela Luke, inquiet de sentir dans la Force un frémissement de mauvais augure.

— Les émissions ont brusquement augmenté, annonça Tekli. Quelque chose, dans ce cratère, a réagi à l'approche du Tie… Le pilote fait un deuxième passage… Les ondes de gravité s'affolent, et il y a des vibrations sismiques…

Il y eut une nouvelle pause, courte, mais qui parut une éternité à Luke.

— Ils l'ont débusqué ! cria Tekli. On dirait un corail skipper, qui essaie de fuir !

— Ce vaisseau ne doit pas quitter le système, capitaine ! ordonna Luke. Déployez toutes les forces disponibles pour l'intercepter. Il faut l'arrêter à tout prix !

— Il n'y a aucun vaisseau, grogna Darak en revenant dans la pièce. C'est une ruse pour mobiliser vos forces contre nous !

— Vérifiez vos détecteurs si vous ne nous croyez pas, dit Mara. Ils ne peuvent pas rater un phénomène pareil !

— Le *Faiseur de Veuves* a déployé tous ses Tie et s'est lancé lui-même à la poursuite, continua Tekli. Le vaisseau nous échappe pour le moment. Il se sert de la gravité de Mobus pour se propulser jusqu'aux limites du système. Les trois Tie qui l'ont débusqué le suivent au plus près.

— Peut-il s'enfuir ? demanda Luke.

— C'est possible.

Luke entendit Mara grincer des dents.

— Si nous avions l'*Ombre de Jade*, rien de tout ça ne serait arrivé !

Darak revint avec Rowel, suivi par des gardes.

— Nos détecteurs ne montrent rien, dit Rowel. Le système est vide ! Vous nous avez trahis, comme nous nous y attendions !

— Emparez-vous d'eux ! ordonna Darak aux gardes en désignant Luke, Mara et Hegerty.

Mara tira son sabre laser, imitée par son époux qui se campa devant Hegerty, la lame verte étincelant.

Les gardes hésitèrent. Dans le silence qui suivit, Luke se demanda comment leur quête de Zonama Sekot avait pu en arriver là. Quelles qu'aient été les intentions de Vergere en les envoyant ici, tout allait tomber à l'eau…

— Tout ça est stupide ! protesta Hegerty. Il doit y avoir une explication logique à ce qui se passe.

— Citez-en une qui ne démontre pas votre fourberie ! rugit Darak.

— Des bioécrans ! répliqua Hegerty. Quelque chose qui interfère avec vos détecteurs, pas avec les nôtres. Ils vous espionnent peut-être depuis une éternité, sans que vous vous en doutiez.

— S'il y a des intrus dans notre système, dit Darak, Sekot s'en occupera. Nous n'avons pas besoin de vous.

— Si nous ne pouvons pas arrêter ce vaisseau, comment espérez-vous le faire ? demanda Mara.

— Sekot a des pouvoirs que vous n'imaginez pas. Si elle le décidait, elle pourrait tuer une cellule à l'autre bout du système ! Et stériliser instantanément votre *Faiseur de Veuves* d'une pensée…

Luke sentit Mara se hérisser devant la menace. Même s'il doutait des affirmations de Darak, penser à l'éventuelle disparition de Yage et de son équipage le rendit malade.

— Si vous persistez à proclamer que quelque chose, dans le système, échappe à nos sens, continua Darak, Sekot peut décider de détruire tout ce qu'il y a dans le secteur. A titre de précaution…

Mara regarda Luke.

— Voilà qui réglerait le problème ! s'exclama-t-elle. Nous devrions demander à Yage de rappeler ses Tie et de laisser Sekot se débrouiller…

— Je ne dis pas qu'elle le fera à coup sûr, modéra Darak. Sekot prend ses décisions toute seule. Elle n'a besoin de personne.

Mara attendit la décision de son époux.

Pour le moment, il n'avait pas d'ordres à donner. Un problème l'obsédait : comment Sekot réagirait-elle assez vite, sur une telle distance, pour arrêter le corail skipper ? Dans ce cas de figure, les armes traditionnelles ne fonctionneraient pas. Et atteindre les Yuuzhan Vong à travers la Force était exclu…

Grand est le Potentium, avait psalmodié Rowel. *Grande est la vie de Sekot…*

Le Potentium était une variante inhabituelle de la Force que Luke ne saisissait pas très bien. Cette philosophie ne reconnaissait pas l'existence du Côté Obscur. Jabitha jugeait les motivations d'un acte plus importantes que la façon dont il était exécuté.

La même théorie avait prévalu aux premiers temps de la guerre contre les Yuuzhan Vong… La fin justifie les moyens. Mais le Côté Obscur restait éminemment corrupteur, et il retournerait ceux qui l'utilisaient contre les innocents qu'ils tentaient de défendre.

Anakin a tué par la seule force de son esprit. Jusqu'à cet instant, nous ignorions qu'une telle chose était possible…

— Sekot ne doit pas agir, dit enfin Luke.

— Quoi ? s'exclamèrent Mara et Darak.

— Dites-le-lui ! Peu importe comment vous vous y prendrez, mais Sekot ne doit pas attaquer ce corail skipper !

Darak eut de nouveau l'air soupçonneux.

— Il n'y a pas de corail skipper, n'est-ce pas ?

Luke n'avait plus le temps de discuter avec le Ferroan. Les yeux fermés, il chercha en lui la force de faire ce que son instinct lui soufflait.

Sortant son comlink, il appela le *Faiseur de Veuves*.

— Capitaine Yage, rappelez vos Tie et retournez en orbite. Vous ne devez en aucun cas provoquer Sekot.

Il y eut un silence plein d'incertitude.

— Compris, répondit enfin Yage.

— Les Tie ont rebroussé chemin, confirma Tekli peu après. Le skip a la voie libre pour gagner la lisière du système.

Mara regardait son mari comme s'il avait perdu la tête.

— Luke, si ce vaisseau s'échappe…

— Je sais. Fais-moi confiance.

Plutôt que de voir un monde se tourner vers le Côté Obscur, je préfère que le vaisseau s'échappe et apprenne aux Yuuzhan Vong la position de Sekot.

L'idée qu'une planète vivante serve les forces du mal était terrifiante. Un simple pas dans la mauvaise direction suffirait pour que Sekot soit entraînée dans une longue et inexorable chute. Et ce premier pas pouvait être aussi simple que la destruction du vaisseau yuuzhan vong…

— Le corail skipper, annonça Tekli dans le comlink. Quelque chose lui arrive !

QUATRIÈME PARTIE

RÉVÉLATION

Ngaaluh rejoignit Nom Anor et Kunra loin au-dessous des quartiers qu'on lui avait affectés. Les gardes postés à l'entrée de la chambre du Prophète la laissèrent entrer après avoir vérifié auprès de leur chef.

Elle paraissait inquiète.

— Maître, dit-elle en inclinant la tête en signe de respect, je suis venue aussi vite que possible. Il y a une urgence ?

— Elle est passée, pour le moment. Je vous ai appelée pour vous tenir informée.

Nom Anor lui révéla ce qui venait de se produire. Quand elle apprit la trahison de Shoon-mi, la prêtresse ne put pas cacher son ahurissement.

— Impossible… Shoon-mi n'aurait jamais fait ça !

Nom Anor baissa son col, révélant l'entaille que le traître lui avait laissée.

— Pourtant, c'est arrivé.

Il restait calme malgré la rage qui courait encore dans ses veines, et les soupçons qui montaient en lui.

— Cet imbécile a osé lever la main sur moi, et il en a payé le prix. Mais je me demande si d'autres surprises ne nous guettent pas dans l'ombre…

— J'ai posé des questions autour de moi, dit Kunra, sombre. Shoon-mi n'était pas le seul mécontent. De l'avis général, nous n'allons pas assez vite, et nous ne sommes pas assez décisifs.

— Je me pose des questions sur la brutale hardiesse de

Shoon-mi, continua Nom Anor. Il n'avait pas l'intelligence d'organiser seul un tel coup d'Etat. Il y a quelqu'un d'autre derrière tout ça.

Ngaaluh regarda Kunra, puis Nom Anor.

— De qui pourrait-il s'agir, maître ? demanda-t-elle, troublée.

— A ce stade, je l'ignore. Mais nous trouverons les responsables, et nous les éliminerons.

— Les suspects ne manquent pas, continua Kunra. Au moins deux acolytes subalternes, Idrish et V'tel, aimeraient prendre le pouvoir, s'ils pensaient en avoir l'occasion.

— Je trouve… inconcevable… que quelqu'un en qui vous aviez une telle confiance ait pu envisager de se retourner contre vous, dit Ngaaluh.

— La capacité de trahir faisait de lui un bon émissaire, corrigea Nom Anor, étonné par la réaction de Ngaaluh. Pourquoi cela vous surprend-il ? Vous êtes une experte en tromperie. Il est dans la nature de chacun de trahir – Shimrra, ou moi, ou les deux !

— Mais pas… (Elle déglutit.) Vous attaquer irait contre tout ce que nous prônons ! Les *Jeedai* ne l'accepteraient jamais !

Ah…, se dit Nom Anor.

Les propos d'une fanatique pour qui le mouvement était aussi pur et incorruptible que ses idéaux. Aux yeux de Nom Anor, un réaliste, le mouvement était une chose très différente, et il se comportait en conséquence. Pour lui, c'était un moyen d'obtenir du pouvoir, et rien n'empêchait les autres membres du groupe de l'utiliser aux mêmes fins.

— Tous ne sont pas aussi dévoués que vous, ma chère Ngaaluh. Et ils ne voient pas les choses aussi clairement.

— Peut-être l'attaque vient-elle de l'extérieur du mouvement. De Shimrra !

— Le seigneur suprême a tenté d'infiltrer des espions dans nos rangs, admit Kunra, mais il n'aurait jamais pu se rapprocher assez pour persuader Shoon-mi de nous trahir, sans que nous nous en apercevions.

— Et il n'a pas la patience nécessaire à une telle tactique, renchérit Nom Anor. Il se serait servi de Shoon-mi pour conduire ses guerriers à notre cachette, puis il nous aurait exterminés. Non. Si Shimrra avait été derrière cette tentative, nous serions en train de pourrir dans la fosse des yargh'un, avec les autres hérétiques...

— Si la nouvelle de cette attaque se répand, dit Ngaaluh, cela pourrait quand même être une explication plus adéquate que celle de la trahison d'un de vos proches collaborateurs.

— La nouvelle ne se répandra pas, répondit Kunra. Je m'en suis assuré.

— Et quel bien cela nous ferait de rendre publique cette histoire ? ajouta Nom Anor. Cela enragerait nos fidèles... Ils exigeraient que nous attaquions Shimrra, afin qu'il sache que nous refusons de nous laisser intimider... Pas question ! Nous opposer au seigneur suprême sans être fins prêts signerait notre perte.

— Si nous étions prêts bientôt...

— Nous ne le serons pas, Ngaaluh. Le risque serait trop grand. De petites actions terroristes sont une chose. Nous pouvons nous permettre de perdre une cellule ou deux, si elles sont identifiées. Mais tout risquer dans une confrontation mal préparée contre Shimrra ? Non. Ce serait notre fin.

Ngaaluh eut l'air légèrement déçue.

Quelle mouche piquait ces fanatiques ? se demanda Nom Anor. Pourquoi semblaient-ils toujours prêts à se sacrifier pour des quêtes perdues d'avance ?

Dans ce cas, les Jedi étaient un très mauvais exemple. Après Ganner et Anakin Solo, mourir pour rien semblait devenir populaire auprès des masses...

... Mais pas auprès de Nom Anor ! S'il devait échouer, ce ne serait pas en se lançant, avec une populace dérangée, dans une quête absurde !

Ngaaluh baissa la tête.

— Vous avez raison, bien entendu, maître.

— Oui, j'ai raison ! Nous nous battons sur de nombreux fronts. Notre nombre augmente tous les jours. Shimrra sait que nous existons. Bientôt, il acceptera l'inévitable.

— Oui, maître. Il ne pourra pas nous ignorer à tout jamais.

Dans le regard de la prêtresse, Nom Anor lut qu'elle avait une fois de plus gobé ses bobards.

— Nous continuerons donc comme prévu. Répandons le message et débarrassons-nous de nos adversaires. La campagne contre Zareb progresse bien, je suppose ?

— Ses détracteurs ont réussi à s'infiltrer parmi ses partisans. Le moment venu, ils seront capturés et interrogés.

— Le moment *est* venu, dit Nom Anor. Mettez le plan en œuvre dès demain.

— Je suis inquiet, avoua Kunra. Nous gaspillons nos ressources en envoyant tant de novices à la mort.

L'argument clé contre son plan de vengeance…

Nom Anor le savait. Mais il pouvait aisément le réfuter.

— Nous en recruterons d'autres. Pour le moment, nous ne manquons pas de volontaires.

— Nos disciples se porteront de moins en moins souvent volontaires si nos cibles restent des intendants et des exécuteurs de bas étage.

— Ils ne sont pas si négligeables que ça ! grogna Nom Anor, se souvenant de l'époque où il était exécuteur.

— Mais comprendre pourquoi il faut les attaquer est difficile ! protesta Kunra, le front plissé. Nos fidèles pourront peut-être leur succéder incognito, mais combien de temps devront-ils encore attendre leur liberté ? Voilà ce que j'entends dans la bouche des mécontents… Bien sûr, ce n'est pas mon opinion.

— Exact, car tu n'as pas plus que moi envie de te suicider ! (Nom Anor soupira.) Nous nous occuperons des mécontents au fur et à mesure. Qu'ils attaquent Shimrra, si ça leur chante ! Mais ils le feront sans mon soutien, ni mes ressources.

— Peut-être l'un d'eux aura-t-il de la chance, souffla Ngaaluh, une lueur étrange dans les yeux.

Il était temps de changer de sujet. Tuer Shimrra, Nom Anor le savait, aurait des conséquences désastreuses pour les hérétiques. Le chaos régnerait le temps qu'un autre seigneur suprême prenne le pouvoir. Et le maître de guerre Nas Choka ou le haut préfet Drathul seraient-ils plus faciles à amadouer que Shimrra ? Rien n'était moins sûr. Nom Anor avait besoin de Shimrra là où il était. S'il tombait, et que l'effort de guerre échoue, il doutait que Mara Jade Skywalker et l'Alliance Galactique lui témoignent beaucoup de sympathie quand ils apprendraient qui était réellement derrière l'hérésie Jedi…

— Vous avez reçu un courrier aujourd'hui, dit Nom Anor. Je suppose qu'il venait de la cour de Shimrra ?

— Oui, répondit Ngaaluh, momentanément troublée par le changement de sujet. Des subordonnés me transmettent les nouvelles régulièrement. Il ne faut pas rester sans contact trop longtemps. Une seule erreur peut s'avérer fatale.

Nom Anor le savait trop bien.

— Ces développements nous concernent-ils ? L'idée du haut prêtre Jakan sur les rayons-épines a-t-elle été entérinée ?

— Non, comme nous l'escomptions. Mon subordonné m'a rapporté un élément qui n'est peut-être pas directement lié à nous, mais qui semble étrange. Vous vous souvenez de la mission vers les Régions Inconnues dont je vous ai parlé ?

— Le commandant qui aurait trouvé Zonama Sekot ? Il a disparu après avoir annoncé sa découverte.

— Oui. Mais Ekh'm Val ne prétendait pas seulement avoir localisé la planète vivante. Il disait en avoir rapporté un *morceau* avec lui.

— Vraiment ? Ce commandant a-t-il été localisé ?

— Non, maître.

— Qu'est-il arrivé au fragment de Zonama Sekot ?

— Il a disparu aussi.

Nom Anor ricana.

— Très pratique ! Qu'en penses-tu, Kunra ? Un guerrier vantard qui voudrait qu'on le croie sur parole ?

— Des preuves corroborent ses dires, répondit Ngaaluh. Un corail yorik a été désarmé au moment où le commandant Val annonçait ses découvertes. Juste avant, le *Noble Sacrifice* est entré en orbite autour de Yuuzhan'tar. Soupçonné d'abriter des espions infidèles, il fut détruit. Les rapports établissent que le vaisseau en corail yorik désarmé provenait du *Noble Sacrifice*.

— Où est le mystère ? demanda Nom Anor. Pourquoi ce vaisseau serait-il autre chose que ce qu'on nous en dit ?

— Cacher des incursions de ce type n'est pas dans la nature du maître de guerre Nas Choka. Il l'aurait dûment rapportée pour se couvrir de gloire et s'attirer les bonnes grâces de Shimrra. Bref, il n'aurait certainement pas enterré l'affaire comme ça !

— Etes-vous certaine qu'il l'a enterrée ? Vos informations sont peut-être incomplètes…

— J'ai vérifié, affirma Ngaaluh. Il n'est nulle part fait mention de ce commandant Val. Dans aucun rapport officiel.

— Il n'existait donc pas.

— Pourtant, je l'ai trouvé.

— Je croyais qu'il avait disparu !

— Pas pour ceux qui l'ont cherché assidûment.

— Où est-il, alors ? Vous lui avez parlé ?

— Hélas, non. Le commandant Val n'est plus en état de parler. Il est mort. Mon subordonné a réussi à retrouver sa dépouille dans la fosse des yargh'un. Avant de lui faire subir cette mort infamante, on lui avait retiré tout élément permettant de l'identifier.

Un moment, Nom Anor crut à cette histoire. Puis son scepticisme naturel reprit le dessus.

— Si son cadavre n'avait aucune marque permettant de l'identifier, comment savez-vous que c'était lui ?

— L'heure de sa mort coïncide avec la disparition de Val... De plus, combien de guerriers en pleine forme sont jetés dans la fosse des yargh'un ? Cet « honneur » est généralement réservé aux rangs les plus bas, aux hérétiques décharnés convaincus des crimes les plus noirs.

— La trahison est en bonne place sur la liste de ces infamies. Si Val avait collaboré avec les infidèles, ou s'il s'était laissé corrompre, il peut très bien avoir subi ce sort. Votre subordonné se sera trompé, ou il aura interprété l'histoire à sa façon.

— C'est possible...

— Je crains qu'on vous ait prise pour une idiote, Ngaaluh. Vous auriez dû faire attention.

— Je n'en débattrai pas avec vous, maître. Je vous rapporte simplement ce que j'ai entendu dire.

— Et je vous en remercie. C'était un récit divertissant.

Kunra semblait fasciné par la conversation. L'ancien guerrier était peut-être incapable de démêler un mensonge plausible d'une vérité peu probable...

— Approfondissez la question quand vous retournerez à la cour de Shimrra, dit Nom Anor pour consoler la prêtresse. Je suis toujours content qu'on me prouve que j'ai raison. Et si j'ai tort, ce sera peut-être à notre avantage.

— Oui, maître. Je reviendrai dans deux jours vous présenter mes preuves contre le préfet Zareb.

— Excellent, conclut Nom Anor, ravi à l'idée d'éliminer bientôt un ancien rival supplémentaire – le troisième en peu de temps. Notre plan se déroule à merveille. A mon avis, nous sommes sur la bonne voie. Mes adversaires iront rejoindre le commandant Val dans la fosse des yargh'un !

— C'est un jeu d'enfant, avec l'aide de Ngaaluh, dit Kunra. Les contestataires, dans nos rangs, se tairont bientôt !

— Comme mon maître le désire, ajouta Ngaaluh en s'inclinant une troisième fois.

Elle demanda à se retirer. Fatiguée, elle devait se préparer aux jours à venir.

Nom Anor lui donna congé en affirmant que la trahison de Shoon-mi ne l'inquiétait plus. Que pourrait-il craindre, avec à ses côtés des partisans comme elle ?

Ravie de la flatterie, elle lui souhaita un bon repos et s'éclipsa.

Nom Anor se tourna vers Kunra.

— Alors ?

— Je la crois. *Elle* ne convoite pas votre trône.

Anor sentit un nœud se détendre dans son estomac, sans pour autant baisser sa garde.

— Ngaaluh est une experte de la tromperie. Son discours sur le commandant Val était peut-être une diversion…

Kunra haussa les épaules.

— Possible. Je ne suis pas aussi doué que vous pour percer à jour les mensonges.

Nom Anor plissa les yeux. Etait-ce de l'ironie qu'il entendait dans la voix de Kunra ? Les deux étaient-ils ligués contre lui, présentant un front uni puisque la tentative de le détrôner avait échoué ?

Ngaaluh semblait avoir hâte d'attaquer Shimrra – et elle avait reçu ce mystérieux courrier aujourd'hui…

— Elle reste utile, dit le Prophète, qui venait d'en arriver à la même conclusion sur Kunra. Je peux vivre avec mes doutes. Mais je prendrai mes précautions. Il faut plus qu'un coufee dans l'obscurité pour me tuer – maintenant plus que jamais !

— Exact.

Nom Anor ignora le contentement, dans la voix de Kunra, comme il avait ignoré l'ironie.

— Quand dois-je recevoir la première congrégation ?

— Dès que vous vous sentirez prêt.

— Pourquoi n'y serais-je pas prêt ? Dis à… (il hésita, choisissant rapidement un remplaçant à Shoon-mi.) Annonce à Chreev qu'il est désormais l'acolyte en chef. Qu'il s'occupe des arrangements pour la matinée. Il n'y a aucune raison de nous interrompre, ça inquiéterait trop nos fidèles.

L'ancien guerrier sourit.

— Je suis d'accord. Ce n'est pas le bon moment de perdre notre élan.

Ça suffit, pensa Nom Anor. *Me sauver la vie ne te donne pas automatiquement un accès privilégié à mes oreilles !*

Nom Anor désigna la sortie, retenant les remarques acerbes qu'il aurait aimé proférer… Le temps viendrait bientôt de lui donner quelques leçons d'humilité.

— Pars. Tu en as assez fait pour une journée.

Kunra fit une vague révérence et se retira.

La descente fut mouvementée. Jag aurait voulu prendre les commandes du vaisseau et le piloter plus délicatement, mais il ne le pouvait pas. Même si les deux camps savaient que le *Collaborateur* était une ruse, il importait de sauver les apparences. Le vaisseau descendrait donc en spirale jusqu'aux couches supérieures de l'atmosphère, où il commencerait à ralentir. Une fois qu'il serait hors de vue, Tahiri ferait atterrir l'épave.

Jag aurait préféré un vol plus élégant, mais ce n'était pas le moment de pinailler.

Il ne fut pas étonné que tout se passe bien, puisque les combats s'étaient calmés depuis le lancement de la mission.

Il y eut un bruit de ferraille derrière lui.

— Etes-vous sûr que tout est bien arrimé ? demanda Jag à Arth Gxin, le sergent impérial qui s'était porté volontaire pour la mission.

— Certain, répondit l'homme mince aux cheveux noirs. Quelque chose a dû se détacher dans les débris de la coque.

Pellaeon avait assuré à Jag que l'aristocratique Gxin était le meilleur pilote « en atmosphère » de son équipage.

Jag accepta l'explication. De toute façon, il ne pouvait pas aller vérifier. Tout le monde était sanglé sur son siège et le resterait jusqu'à ce que la trajectoire de vol se stabilise.

Le groupe réuni pour la mission représentait tous ceux qui étaient concernés par l'issue de la bataille. Jag et Jocell étaient là au nom des Chiss. Gxin venait de l'Empire. Jaina et Enton Adelmaa'j servaient l'Alliance Galactique et Tahiri portait maintenant en elle… les Yuuzhan Vong.

Un groupe hétéroclite – mais Jag était sûr qu'ils donneraient du fil à retordre aux équipes de Yuuzhan Vong…

Sa réflexion fut interrompue par un impact qui fit tournoyer le vaisseau. Tahiri étudia les quelques instruments dont ils disposaient.

— On y est presque, murmura-t-elle, les mains serrant les accoudoirs de sa couchette. Ça y est !

Elle leva un bras vers les commandes. Jag comprit que c'était le moment d'intervenir. Ensemble, ils reprirent tant bien que mal le contrôle du *Collaborateur*. Dans l'atmosphère dense d'Esfandia, leur altitude baissa dangereusement. Jag eut l'impression de sentir l'air chauffer autour du vaisseau… Les coordonnées indiquant l'emplacement de la station de relais, communiquées à Jaina par sa mère, disparurent de l'autre côté de la planète, suivies peu après par celles du point de rendez-vous.

Ils auraient une révolution de plus à faire avant de devoir se poser.

Se poser ? Un doux euphémisme ! Leur plan consistait à abandonner le vaisseau afin de perturber leurs poursuivants. Le cap d'entrée du *Collaborateur* se verrait comme le nez au milieu de la figure. Jag était sûr que les Yuuzhan Vong convergeraient aussitôt sur son point d'atterrissage. S'ils trouvaient une épave en flammes, tant mieux !

Contente de savoir que les indigènes étaient avertis de se tenir à l'écart, Tahiri modifia la trajectoire du *Collaborateur* et annonça que le vecteur la satisfaisait. Jaina défit les sangles de son harnais de sécurité et se leva, luttant contre les soubresauts, sous ses pieds.

— D'accord. Allons préparer ces motospeeders.

Les six membres de la mission gagnèrent l'endroit où les

motospeeders étaient attachées par des harnais de fortune. Jag mit le casque de sa combinaison environnementale et activa le système com. Il garderait le contact avec ses camarades grâce aux haut-parleurs et aux micros de la combinaison. Pour les distances plus longues, un réseau laser permettait de parler à ceux qui étaient dans la ligne de mire directe du système.

— Essai, essai…

— Je vous reçois cinq sur cinq, colonel Fel, répondit Gxin, déjà sur sa motospeeder. Tous les systèmes sont au vert.

— Vert, confirma Jocell.

Jag grimpa sur sa motospeeder et activa ses moteurs à répulsion. Un bourdonnement aigu emplit l'air.

Un par un, ils confirmèrent leur statut.

— Explosifs armés, dit Jaina. Nous partons dans deux, trois, un…

Jag sentit l'explosion à travers sa combinaison.

La coque explosa et l'épave s'ouvrit en deux, comme prévu.

Un par un, ils furent aspirés par un ouragan. Sentant sa motospeeder démarrer dès qu'il approcha du sol, Jag lutta contre les turbulences. Pas le temps de repérer les autres… Mais le système com gardait trace de tout le monde, montrant les emplacements sous formes de taches rouges sur l'affichage du casque.

Un bruit de tonnerre salua l'atterrissage brutal du *Collaborateur* sur Esfandia.

— Tout le monde va bien ? demanda Jaina.

Tous confirmèrent qu'ils avaient quitté le vaisseau sans problème.

— Nous sommes un peu à côté de la cible, ajouta-t-elle, prenant la position centrale dans la formation aérienne triangulaire.

Jag vit Jaina vérifier les données et les comparer aux

signaux de navigation transmis par les vaisseaux impériaux, loin au-dessus d'eux.

— Direction, trente degrés au sud cinq kilomètres, dit la jeune femme. Sergent Gxin, prenez la tête.

L'Impérial fonça dans la direction indiquée. Les autres le suivirent. Jag vérifia ses armes, guidant la motospeeder d'une seule main. Outre le canon fixe, il portait à la ceinture un pistolet blaster lourd, plusieurs détonateurs thermiques, et son charric accroché dans le dos. Quatre mines 4 HX4 pendaient dans un filet, de chaque côté de sa selle. Quand il se fut assuré que leur atterrissage brutal n'avait pas endommagé son mini-arsenal, il prit le temps de regarder autour de lui.

A cause du dispositif d'augmentation de la lumière intégré à son casque, le ciel paraissait orange foncé. Le vent le poussait, mais il n'était pas produit par le type d'air qu'on trouvait habituellement sur une planète de cette taille. L'atmosphère d'Esfandia, à base de méthane et d'hydrogène, convenait plutôt à une géante gazeuse. Jag ne sentait pas réellement le froid, mais il le *percevait*, à quelques millimètres de sa peau. Si sa combinaison environnementale tombait en panne, son sang gèlerait en quelques secondes.

Tout bien considéré, ce n'était pas l'endroit le plus convivial qu'il ait visité…

Gxin les emmena à travers une forêt de fines colonnes qui ressemblaient à des troncs d'arbres pétrifiés. Jag ignorait de quoi elles étaient réellement faites, et il n'avait ni le temps ni l'envie de s'arrêter pour le vérifier ! Plus vite il quitterait la planète, et mieux ça vaudrait !

Une curieuse flèche métallique se dressa devant eux. Haute de vingt mètres, ses lignes géométriques la distinguaient nettement des « troncs d'arbres ». Jag savait que c'était le transpondeur – le point de rendez-vous. Ils approchèrent prudemment.

Gxin décéléra quand ils furent en vue de leur objectif.

Jag gardait l'œil ouvert, conscient des nombreuses cachettes présentes autour de la structure principale.

Jaina avait parlé d'un traître au sein de l'expédition. Si l'espion avait réussi à prendre le dessus sur Yan et les autres, il pouvait les attendre pour les éliminer un par un à leur arrivée.

Un grondement de moteurs de motospeeders retentit. La formation triangulaire s'éparpilla pour faire une cible aussi difficile que possible. Jag garda un doigt sur la détente, prêt à pulvériser ce qui arrivait vers eux, s'il s'agissait d'un ennemi.

Des parasites résonnèrent dans ses écouteurs, puis son unité com localisa un signal et se verrouilla dessus.

— ... d'autre pourrait utiliser ces fréquences ? Tu te fais trop de souci, Droma !

— C'est ça qui m'a permis de vivre si longtemps.

— Et moi qui croyais que c'était grâce à ta beauté et à ton charme !

— Papa ? fit Jaina. Je reçois ton signal cinq sur cinq.

— Normal, nous sommes juste au-dessus de vous... (Cinq motospeeders surgirent de l'obscurité, montées par des motards de taille très variable.) Bienvenue à Esfandia ! Ravi que tu aies pu venir, chérie.

— Moi aussi, répondit Jaina, soulagée.

— Que penses-tu du coin ?

— Ce n'est pas le genre d'endroit où j'aimerais prendre des vacances !

— Allons ! intervint Droma. Vous risquez de vexer les indigènes.

Quand les gaz d'échappement des motospeeders se dissipèrent, des silhouettes circulaires fantomatiques dérivèrent vers eux. Les indigènes, comprit Jag. Les formes de vie originaires d'Esfandia semblaient flotter dans l'air étonnamment dense. De temps en temps, l'une d'elles semblait se ratatiner avant de se propulser en avant. Il supposa que les créatures aspiraient l'air et, pour avancer, le rejetaient par un évent arrière. Ce n'était pas le moyen de propulsion le plus gracieux que Jag eût connu, mais il semblait fonctionner.

— Ils ne savent pas que s'approcher de nous est dangereux ?

— Nous avons essayé de les prévenir, répondit Droma, mais ils nous ont quand même suivis. Ils peuvent aller très vite quand ils le veulent.

— Les Etres de Glace sont curieux, dit Yan, mais pas stupides. Crois-moi, ils se pousseront dès que ça chauffera !

— Quel est notre degré de préparation ? demanda Jaina.

Yan lui présenta le technicien de communication venu avec son groupe reprogrammer l'énorme transpondeur. Il lui faudrait une demi-heure pour bypasser les systèmes de sécurité automatiques et donner ses nouvelles instructions à l'appareil.

— Bon, dit Jaina, commencez tout de suite. Pendant ce temps, nous préparerons le terrain.

Elle descendit de sa motospeeder pour répartir les mines, avec l'aide d'Adelmaa'j, de son père, de Droma et d'un garde de la sécurité klatooinien.

Jag déchargea ses mines, puis explora le secteur pour s'assurer qu'il n'y avait personne en embuscade. Une tache plus difficile qu'il ne l'aurait cru. Entre la chiche lumière, l'atmosphère dense et le terrain irrégulier, il y avait des centaines de façons de rater quelqu'un qui aurait voulu approcher en douce…

Le seul point positif ? Le son portait très loin, et les avertirait largement à l'avance de l'arrivée d'un vaisseau. Mais les pétarades de leurs propres motospeeders avaient aussi pu alerter l'équipe au sol des Yuuzhan Vong… Restait à espérer que les guerriers n'arriveraient pas avant qu'ils soient prêts…

Les détecteurs de sa combinaison donnèrent l'alerte une seule fois. Un sifflement retentit au milieu des parasites ambiants. Il ne semblait pas provenir d'un tsik vai, l'équivalent yuuzhan vong d'une motospeeder, mais Jag le signala, à tout hasard.

— Un transport de troupes, répondit Tahiri. En conditions de combat, sa soute contient des tsik seru et des soldats-esclaves reptiloïdes plutôt que des guerriers normaux.

— Et les tsik seru sont… ? demanda Jag.

— Des tsik vais équipés de blasters, conçus pour se déplacer rapidement et faire le plus de dégâts possible.

— D'autres armes ?

— Des *coufees*, des scarabées tranchants, des insectes-tonnerre… Tout ce que les pilotes peuvent transporter.

— Super ! Merci pour l'information.

Jaina essaya de rassurer tout le monde.

— Ce qui compte, c'est qu'il ne s'est pas arrêté ici. Nous devrions être en sécurité, maintenant.

Dix minutes plus tard, le technicien com annonça que le transpondeur était prêt. Tahiri lui donna le message, qui représentait la dernière pièce du puzzle. Il était plus court que Jag s'y attendait – et incompréhensible. Les subtilités du yuuzhan vong lui échappaient complètement. Il devait croire qu'il disait bien ce que Jaina avait demandé.

— Une dernière mine à poser, annonça Yan.

Il y eut un bruit de pelle et un grognement…

— Bien joué, Droma. Tu viens de gagner ton billet de retour sur le *Faucon*.

— Tu parles d'un billet, Yan ! Donne-moi un bon avocat, et j'obtiendrai des dommages et intérêts !

— Tout le monde en selle ! Ces trucs exploseront trois minutes après que j'ai donné l'ordre. Vous savez ce qu'il vous reste à faire !

Jag fit une dernière fois le tour du transpondeur et s'assura que tous les systèmes de navigation étaient mis à jour pour tenir compte de l'emplacement des mines. Il ne voulait pas que quelqu'un se jette par erreur sur l'une d'elles.

— Pressons ! lança Tahiri. Vorrik n'attendra pas éternellement. Si mon message tarde à lui parvenir, il sera furieux.

— Alors, allons-y. Le compte à rebours commence *maintenant* !

Les onze motospeeders filèrent loin du transpondeur.

Affolés, les Etres de Glace s'éparpillèrent. Jag n'en éprouva aucun remords – au contraire. Les effrayer était un service à leur rendre, car le secteur deviendrait vite dangereux pour tout le monde.

Le sergent Gxin entraîna le groupe vers un site plus sûr. Il avait examiné le secteur pendant les préparatifs et repéré deux endroits parfaits pour cacher les motospeeders après l'opération. Le premier était un surplomb. Jaina y emmena Jag, son père, Droma, Jocell et le technicien com, puis, avec le reste du commando, elle partit vers la seconde cachette, située à un kilomètre de la première.

Quand le bruit des moteurs de l'équipe de Jaina cessa, il restait moins de trente secondes. Jag chargea son charric et l'attacha sur sa selle, à droite, pour l'avoir à portée de la main.

Il avait tout juste fini quand le transpondeur géant s'éveilla et envoya le message de Tahiri à tous les Yuuzhan Vong en orbite au-dessus d'Esfandia.

Pellaeon leva les yeux quand une alarme retentit sur la passerelle du *Droit de Gouverner*.

— Au rapport.

— Signal audio venant du sol, monsieur.

Criant en yuuzhan vong, la voix de la jeune Jedi emplit la passerelle. Les ondes électromagnétiques qui véhiculaient le message provenaient d'un endroit précis, à la surface d'Esfandia, et se répandaient dans l'espace.

Dans un rayon de plusieurs millions de kilomètres, personne ne pouvait le rater – le but même de la manœuvre. Pellaeon ignorait tout de la teneur du message. Il devait s'en remettre aux affirmations de Jaina concernant les propos de Tahiri… Si la déclaration de Tahiri était celle qu'on attendait, l'effet en serait presque instantané.

Dix secondes passèrent, puis vingt. Tous les détecteurs du *Droit de Gouverner* focalisés sur l'origine du signal, on ne voyait pourtant pas grand-chose à travers l'atmosphère épaisse d'Esfandia… Pellaeon tenta de se faire une idée d'après les images radar brouillées. Etait-ce la traînée d'une motospeeder qu'il voyait ? Les vaisseaux d'atterrissage yuuzhan vong généraient-ils des ombres de ce genre ?

Quand l'événement attendu se produisit, il n'y eut plus aucun doute. Un feu orange éclata sur l'écran à infrarouge, vira au blanc puis diminua en prenant des tonalités pourpres.

— Une détonation, annonça l'aide de camp de Pellaeon.

— Je détecte des éclairs, ajouta le responsable de la télémétrie. Un tir d'armes à grande énergie.

— Où ?

— Tout autour de la cible.

L'aide de Pellaeon le regarda.

— C'est commencé, monsieur.

— Ça ne va pas ! protesta la Magistère.

— Silence ! cracha Senshi en appuyant la racine-arme contre la tempe de Jabitha. Je veux entendre ce que les Jedi ont à dire.

Jacen inspira à fond. Il sentait que tout se concentrait sur lui : les Ferroans, les boras, Saba, Senshi, la Magistère… Peut-être même Sekot en personne.

Ce qu'il allait déclarer serait capital.

Il n'avait guère le choix. Certes, Saba et lui auraient pu, par la Force, se débarrasser des ravisseurs, mais en laissant Danni et Jabitha à la merci de Senshi.

Ecarter l'arme de Senshi avec la Force… ? Jacen serait-il assez rapide pour empêcher les autres Ferroans de tirer ?

Il devait y avoir une solution autre que l'agression…

Le tentacule pointu d'un bora frappa le sol à côté de Jacen, puis se redressa, menaçant. Le jeune homme n'eut pas besoin d'autre incitation. Pendant que Saba reculait devant un deuxième tentacule, il se concentra. Plongeant dans la chaleur de la Force, il se projeta en l'air.

Plus haut que les Ferroans et les boras…

Toujours plus haut.

Il rencontra de l'électricité statique produite par l'orage… et du vent. Ce qu'il cherchait n'était pas là. Il pensait trop en termes humains…

Il redescendit le long des troncs des boras, puis dans le sol, plongeant dans l'obscurité où d'étranges petits esprits rôdaient, se nourrissant de compost en tout genre.

Là, il trouva enfin : un nœud de colère intense, au cœur des boras maléfiques… Cet esprit habité par la haine voulait tuer ceux qui avaient envahi ce lieu sacré, les écraser, effacer tout souvenir de leur présence.

Alors que des tentacules s'abattaient sur lui, Jacen plongea dans l'esprit de la plante indignée.

— *Lieu sacré violé !* cria la conscience primitive. *Protéger !*

— *Nous ne vous faisons pas de mal*, assura Jacen. *Nous partirons bientôt.*

Mais il s'avisa vite que des notions aussi complexes que le passé et l'avenir échappaient à la créature.

— *Les os nous rendent forts !*

— *Vous l'êtes assez*, assura Jacen, essayant de calmer la colère de la plante par une suggestion mentale.

— *Plus forts !*

Jacen plongea profondément dans l'esprit des boras, se heurtant à un… entrelacs… de fureur. La pression monta dans ce nœud de rage et de frustration.

Jacen tira doucement dessus.

— *L'isolement entraîne la stagnation*, dit-il.

Il guida doucement l'esprit enflammé dans une nouvelle direction.

— *La stagnation mène à la corruption.*

Le nœud commença à se défaire, éparpillant à la ronde l'énergie accumulée.

— *La corruption mène à la mort.*

L'esprit des boras explosa en mille étincelles.

Jacen entendit Saba rugir.

Il rouvrit les yeux. Sabre laser brandi, la Barabel se tenait devant Danni et lui, leur faisant un bouclier de son corps. Autour d'eux sifflaient des tentacules menaçants.

Ils se rétractèrent soudain, leurs pointes s'enroulant sur elles-mêmes. Les boras n'étaient plus une menace. Leur esprit s'était retiré en lui-même, pour mieux lécher ses blessures et explorer le soulagement inattendu qu'il éprouvait.

Mais Saba n'était pas disposée à baisser sa garde. En elle, la chasseresse prévalait.

— Tout va bien, Saba, dit Jacen en posant une main apaisante sur son épaule. C'est terminé.

Les muscles reptiliens de la Jedi se détendirent.

— Et, en un sens, ça ne fait que commencer…

Jacen pivota, n'en croyant pas ses oreilles. Il n'en crut pas non plus ses yeux…

— Mais… tu es *morte* !

Vergere sourit. Comme si elle attendait qu'il comprenne.

Jaina se tendit quand le vaisseau yuuzhan vong décolla à côté d'elle. Elle entendait encore l'écho électronique du message de Tahiri au commandant Vorrik, bref et simple…

— Les infidèles sont à votre merci, commandant ! Je vous les livre. Ecrasez-les sous vos talons tels des dweebits malades !

Le vaisseau était si près que Jaina fut surprise de ne pas le voir par la visière de sa combinaison. Sous le vacarme des moteurs, tous ses os vibraient.

Une onde de choc les affecta, ses compagnons et elle, dans le tunnel qui traversait un espar rocheux. Le vaisseau, ou un de ses chasseurs tsik seru, devait être tombé sur une des mines qui entouraient le transpondeur… L'explosion servit de signal à Jaina et son équipe. Emergeant de leur abri, armes au poing, ils se séparèrent en groupes de deux.

Jaina partit avec Eniknar, le Noghri que sa mère soup-
çonnait d'être un traître. Penché sur sa selle, il se jeta dans
la bataille. Le garde klatooinien et Enton Adelmaa'j s'éloi-
gnèrent pour prendre les Yuuzhan Vong à revers. Gxin et
Tahiri s'en furent de leur côté.

Une lueur infrarouge jaillit soudain devant eux.

L'évitant, Tahiri arma son canon laser dès qu'une
silhouette sombre apparut.

Elle l'arrosa de salves, la survola puis refit un passage.

Le transport de troupes avait percuté la mine. Des cadavres sortaient d'un énorme trou, dans la coque, et des dizaines de guerriers reptiloïdes sortaient par une écoutille, trop
éberlués pour riposter.

Tahiri visa l'intérieur du vaisseau, tira… et entendit une
explosion.

— Des chasseurs en approche, annonça Eniknar dans
son unité com.

Jaina vérifia son écran tactique. Aucun bip… Les chasseurs n'étaient donc pas des alliés. Elle survola une nouvelle fois le vaisseau, puis rejoignit le chef de la sécurité
pour affronter les chasseurs ennemis. Sept tsik seru s'éparpillèrent sous les rayons laser. Jaina freina, vira à droite,
puis revint sur leurs arrières. Tout espoir de contrôler le
déroulement de la bataille s'évanouit. Elle n'y voyait plus
grand-chose, mais canardait les ennemis qui se présen-
taient, arrachant de gros morceaux de corail yorik et faisant
sauter les reptiloïdes.

Eniknar n'était nulle part en vue, mais c'était le cadet de
ses soucis.

— Derrière toi, Jaina ! cria Jag, d'une voix étonnamment claire.

D'un coup d'œil par-dessus son épaule, la jeune femme
vit deux tsik seru se mettre en position d'attaque. Elle se
coucha à demi sur sa selle pour offrir une cible aussi
réduite que possible, puis obligea les deux ennemis à la
pourchasser, esquivant au passage des jets de plasma et des

insectes-tonnerre. Arrivée devant une saillie rocheuse, elle vira à bâbord – trop vite pour que les chasseurs yuuzhan vong la suivent.

Quand ils débouchèrent de l'autre côté, elle se mit hors de portée de la mine qui allait exploser. Mais l'onde de choc la rattrapa et sa motospeeder heurta une formation rocheuse, l'arrachant à sa selle.

Tahiri fonçait vers l'ennemi. D'instinct, sa composante yuuzhan vong se méfiait de tout ce qui n'était pas vivant. Une philosophie qui ne contredisait pas sa formation de Jedi. La Force qui animait les êtres vivants était plus puissante et persuasive que n'importe quelle machine.

Le sergent Gxin la talonnait. Jaina avait atteint avant eux le vaisseau éventré, le mitraillant avec un bel enthousiasme. Tahiri ne jugea pas utile de s'acharner aussi sur la coque agonisante du transport de troupes... Elle suivit Gxin, à la recherche de cibles plus intéressantes. Il y avait au moins un autre transport de troupes, et un nombre inconnu de tsik seru convergeait vers le signal qu'elle avait envoyé au commandant Vorrik.

Trois tsik seru débouchèrent devant Tahiri, émergeant de l'obscurité. Sa nouvelle personnalité unifiée fonctionnant bien, elle n'eut pas la moindre hésitation.

Elle était devenue quelqu'un de terriblement dangereux et efficace...

Si on ne pouvait pas détourner les jets de plasma au sabre laser, il était possible, *via* la Force, de fermer les orifices de tir des tsik seru.

La jeune femme appliqua une poussée de Force au moment adéquat, enrayant les canons ennemis... La déflagration emporta le flanc triangulaire du chasseur.

Ejecté, le pilote yuuzhan vong s'écrasa sur le sol.

Satisfaite du résultat de sa petite manœuvre, Tahiri passa aux deux chasseurs restants, qui s'écrasèrent à leur tour au sol. Une motospeeder passa devant elle, avançant avec difficulté. A travers le casque, Tahiri reconnut Droma.

— Des problèmes ? demanda-t-elle.

— Une vanne de direction touchée, répondit le Ryn.

— Vous vous débrouillerez ?

— Tant que personne ne se met en travers de mon chemin…

Il y eut un frémissement dans la Force… Tahiri explora mentalement les environs.

— Jaina a été projetée à terre, dit-elle.

— Où ? demanda Droma.

Sans répondre, Tahiri fonça dans la direction où elle avait perçu sa présence.

— Le corail skipper ! cria Tekli. Il se transforme !

— Je ne comprends pas, fit Mara. *Comment* se transforme-t-il ?

— Il change de forme, et sa signature gravifique se modifie… Il est plus rapide. Et il tourne !

— Il revient vers nous, annonça la capitaine Yage, plus calme que la Chadra-Fan. Quoi qu'il en soit, nous sommes prêts !

— Vous êtes si peu préparés, dit une nouvelle voix, à droite de Luke, que c'en est presque drôle…

Skywalker se tourna, et découvrit un jeune garçon, sur le seuil de l'habitation. Environ douze ans, les yeux bleus et un visage rond entouré de cheveux blonds, il avait l'air amusé.

— Que signifie ? s'exclama Rowel, fronçant les sourcils. Qui êtes-vous ?

Il foudroya Skywalker du regard, comme si la présence de l'enfant était une nouvelle ruse du Jedi…

La preuve, pensa Luke, que les Ferroans connaissaient bien peu leur propre planète…

Il approcha prudemment du garçon aux yeux bleus fascinants de profondeur… L'esprit caché derrière ce regard était puissant – autant que celui de Jabitha, sur le terrain d'atterrissage.

Une seule personne pouvait avoir un tel pouvoir. Même si ce n'était pas réellement une *personne*…

— Est-ce… ? commença Mara.

Luke s'accroupit près du garçon. Stupéfait, il dévisagea le sosie de…

… Anakin Skywalker.

— Mon père ? acheva Luke. Non. C'est Sekot !

L'apparition sourit.

— Vous êtes intelligent, Luke Skywalker. Votre père aurait été fier de l'homme que vous êtes devenu.

— Sekot ? répéta Rowel, l'air gêné par sa réaction initiale. Pardonnez-moi, je vous prie.

Le garçon et Luke ne lui prêtèrent aucune attention.

— Pourquoi avez-vous pris cette apparence ? demanda le maître Jedi.

— Tous ceux qui ont un pouvoir doivent faire un choix. C'est difficile, et la décision est différente pour chacun. Seul le temps nous apprend si le choix était correct.

Sekot posa une main sur la joue de Luke.

— C'est ainsi que votre père m'est apparu, il y a bien des années. Ensemble, nous fûmes confrontés au même choix. Nous attendons encore de savoir si nous avons bien fait.

Luke sentit Mara lui envoyer mentalement son amour et sa sympathie. Pétrifié, il contemplait les yeux du garçon.

De la même couleur que les miens…

Mais ce n'était pas seulement une question de couleur : leurs yeux étaient *identiques*.

— C'est à ça que ressemblait Dark Vador ? demanda Hegerty.

— Comme tout le monde, il a été un enfant, dit doucement Mara.

— Maître Skywalker, annonça Yage, le vaisseau non identifié approche toujours de Zonama Sekot, et refuse de nous répondre. Nous sommes en alerte rouge. Il vous suffit d'un mot…

Luke se redressa.

— Ne faites rien pour le moment. Ce vaisseau n'a pas l'intention de nous attaquer.

Le sosie de son père gagna le centre de la pièce. Sentant l'attention de la planète rivée sur lui, Luke lui fit face. Pourquoi n'avait-il pas compris plus tôt ce qui se passait ?

— Avons-nous agi conformément à vos attentes ?

— Si je vous disais non, que feriez-vous ?

Luke haussa les épaules.

— Tout dépendrait des choix qu'il me reste.

— Vous n'en avez aucun, répondit le garçon en souriant. C'est si amusant !

— Alors, votre question n'a pas de sens.

— Peut-être… Mais ce qui s'est passé en avait un. Depuis votre arrivée, j'en ai appris beaucoup plus sur les raisons de votre présence que vous n'aviez l'intention de révéler. Peut-être davantage que vous n'en savez vous-même.

— Alors, vous n'ignorez pas que nous sommes à la recherche d'une réponse.

— Non. Mais je n'en ai pas de toute prête à vous fournir.

— A ce stade, n'importe laquelle serait la bienvenue.

— Très bien, répondit Sekot, leur faisant signe de s'asseoir.

Luke obéit, soulagé. Face au jeune garçon, des émotions contradictoires l'assaillaient, même s'il avait conscience que ce n'était pas réellement son père.

Quand tout le monde fut assis, Sekot commença.

Jag plongea lorsque le tsik seru le frôla, son basal dovin le soulevant légèrement de sa selle.

Il ralentit, s'apprêtant à revenir vers le chasseur yuuzhan vong, mais celui-ci, plus rapide, approchait de lui. Le visage du pilote était couvert de cicatrices, et en partie caché par un gnullith. Mais pas assez, au goût de Jag ! Il mitrailla le petit vaisseau, forçant le pilote yuuzhan vong à virer de bord. Puis il disparut dans l'air épais.

Se demandant ce qui avait détourné le Yuuzhan Vong de sa proie, Jag se lança à ses trousses. Sa motospeeder le protégeait moins qu'un chasseur, mais elle était beaucoup plus rapide. Il rattrapa le tsik seru, le vit se préparer à tirer, puis… exploser soudain et s'écraser contre un des « stalagmites » qui émaillaient la surface de la planète.

A ce moment, Jag vit ce qui était de l'autre côté.

Il reconnut trois silhouettes humaines adossées à un rocher. Deux tiraient, tenant à distance deux autres tsik seru et un groupe de reptiloïdes. La troisième semblait avoir du mal à rester debout.

Jag canarda l'infanterie ennemie. Une dizaine de soldats tombèrent.

— Jag, par ici !

C'était la voix de Tahiri. Elle tenait en respect quatre reptiloïdes, dont deux maniaient des coufees. Les deux autres lançaient des insectes-tonnerre à tout-va. Jag lâcha une bombe thermique au milieu du groupe de reptiloïdes et mitrailla ceux qui brandissaient des coufees.

Quand la mine explosa, des lambeaux de reptiloïdes volèrent à la ronde…

Jag rejoignit Tahiri.

— Jaina était tombée, dit-elle en aidant son amie à se relever.

Jag sauta de sa motospeeder.

— J'ai les pieds gelés, dit Jaina d'une voix pâteuse.

— Sa combinaison est défectueuse, précisa Tahiri. Il faut la sortir de là sans tarder !

— Jaina ? fit Jag. Tu m'entends ?

La jeune femme se secoua, mais ses réactions étaient lentes.

— Jag ? Oui, ça ira… Donne-moi une seconde…

— Je déteste apporter de mauvaises nouvelles, intervint Droma, mais…

Il montra quelque chose, derrière Jag. Le jeune homme se retourna, et vit les reptiloïdes survivants courir vers eux.

Retournant vers sa motospeeder, il prit son charric.

— Nous n'avons pas beaucoup de temps. Où est la moto de Jaina ?

— Là-bas, répondit Tahiri en montrant l'épave de la motospeeder.

— Bon. Qu'elle prenne mon véhicule et retourne à la station de relais. C'est notre seul abri. Je rentrerai avec Droma.

— Non, je pars avec elle, dit Droma. Il ne faut pas qu'elle pilote seule. En outre, je connais le chemin.

Même si Jag répugnait à perdre un nouveau combattant, il céda. Raccompagner Jaina s'imposait, au cas où elle s'évanouirait.

— Allez-y, dit-il. Nous couvrirons votre retraite.

Droma aida Jaina à grimper sur la motospeeder de Jag. Le Ryn s'installa derrière elle et activa le moteur.

— Gardez un œil sur Eniknar, dit-il.

— D'accord, répondit Tahiri.

Droma démarra.

— Où sont nos motospeeders, Tahiri ? lança Jag en tirant sur des reptiloïdes.

Tahiri désigna un cratère, derrière la ligne d'ennemis.

— Un tsik seru les a descendues avant que nous puissions l'avoir ! Nous avons tenté d'appeler à l'aide, mais rien ne passe. Une chance que vous soyez arrivés…

— Nous ne sommes pas tirés d'affaire…, dit Jag.

Tahiri sourit.

— Maintenant, Jaina est en sécurité, et je n'ai plus à surveiller mes arrières ! Tenez bon, colonel. Nous nous sortirons de cette mauvaise passe.

Recourant à la Force, elle sauta sur le rocher et tira sur les reptiloïdes.

Leia faisait les cent pas dans la baie des passagers du *Faucon*. Elle aurait voulu pouvoir agir. Elle avait senti Jaina plonger dans l'inconscience, et subi dix minutes pénibles avant de sentir sa fille commencer à récupérer un peu. Il n'en restait pas moins qu'on livrait un combat, dehors, et qu'elle était trop loin pour contribuer à la victoire.

Un bip retentit dans le cockpit. Elle courut vérifier les instruments, et vit défiler sur l'écran des données télémétriques envoyées par Pellaeon. Les scans de surface montraient une activité frénétique près du transpondeur. Cinq mines au moins avaient explosé, transformant les nuages glacés en ouragans relativement chauds. Elle espéra que les Etres de Glace se tenaient à l'écart, comme on le leur avait recommandé.

En orbite, la situation changeait. Suite au manque de progrès rapide, au sol, Vorrik amenait ses vaisseaux à portée de bombardement... Pellaeon avait répondu à la menace en envoyant des bâtiments supplémentaires dans ce secteur. Leia comprit que la situation devenait critique. Soit les troupes au sol remporteraient une victoire rapide, soit la bataille reprendrait en orbite...

Au moins, la station de relais était en sécurité. Un maigre réconfort, au milieu d'un tel chaos... Et encore, Leia ne pouvait pas se plaindre : elle était là depuis des heures, alors qu'Ashpidar et son équipe se cachaient depuis des jours.

Repensant au commandant de la base, elle ouvrit une fréquence.

— Ashpidar ? Si vous êtes intéressée, j'ai reçu des informations télémétriques de Pellaeon.

Il n'y eut pas de réponse.

— Sekot !

Le cri surpris de Jabitha tira Jacen de sa stupeur. Bouche bée, il contemplait l'image de Vergere vêtue de robes marron, ses grands yeux noirs rivés sur lui... La frange de plumes, autour de son visage, était sèche malgré la pluie.

— Vous n'êtes pas Vergere, n'est-ce pas ?

Impossible qu'il s'agisse de son professeur… Jacen le savait. Et la présence, derrière l'image, était bien davantage que le simple écho de quelqu'un qui avait vécu autrefois…

— Je viens à vous sous cette apparence en hommage à celle que nous avons tous les deux bien connue. Une de vos proches, en qui vous aviez confiance.

— Sekot est coutumière du fait, expliqua Jabitha. Elle apparaît parfois sous la forme de mon père, ou de votre grand-père. D'autres fois, et c'est très déconcertant, elle se manifeste sous ma propre apparence !

Jacen se rappela une remarque de la véritable Vergere… Présente lors de la naissance de la conscience de la planète, elle avait pris la personnalité de son Magistère mort et communiqué avec elle et avec les Yuuzhan Vong…

Jacen le savait depuis le début, et il n'avait pas compris que…

— Pourquoi maintenant ? demanda Saba, étonnée. Et pas avant ?

— Elle l'a déjà fait, assura Jacen. A notre arrivée. Oncle Luke et tante Mara n'ont pas parlé à la Magistère, mais à Sekot, qui avait pris l'apparence de Jabitha…

— Ça ne nous explique toujours pas *pourquoi*…

Jacen vit Saba, l'air incertain, Danni, toujours inconsciente, Senshi, qui maintenait l'arme contre la tempe de Jabitha…

— Vous nous avez mis à l'épreuve, n'est-ce pas ?

— Je *vous* ai mis à l'épreuve, Jacen Solo.

— Ai-je passé l'examen ?

Au lieu de répondre, Sekot se tourna vers Senshi. Le vieux Ferroan lâcha Jabitha, qui s'assit en se massant la tempe, puis se leva. Sekot regarda Danni, étendue sur la civière. Soudain, la jeune scientifique gémit.

Soulagé, Jacen s'agenouilla près d'elle.

— Danni ?

La scientifique rouvrit lentement les yeux, étonnée.

— Où suis-je ? Je me souviens du toit qui m'est tombé dessus…

— Tout va bien, Danni. Tu es en sécurité, maintenant.

La jeune femme vit les Ferroans armés qui les entouraient.

— C'est la définition de la « sécurité », chez les Solo ?

— Il ne vous sera fait aucun mal, assura Vergere en se rapprochant.

Les yeux de la jeune femme s'écarquillèrent de surprise.

— Mais… Je croyais que…

— Ce n'est pas Vergere, lança Jacen.

— Mais Sekot, précisa Saba en éteignant son sabre laser.

Danni se tourna vers Jacen.

— Je ne comprends pas.

— Moi, je crois que je commence à comprendre, dit-il. Tout ça était une ruse destinée à voir comment je réagis sous la menace. Par le combat, ou la fuite ? Vais-je défendre ceux que j'aime, ou m'en servir comme des boucliers ?

— Ou essayez-vous de prendre la voie médiane, ajouta Sekot, en permettant aux deux côtés de vaincre ?

— Je suis désolée, dit Jabitha. Je savais que Sekot avait l'intention de vous tester, mais j'ignorais de quelle façon. Je l'avais convaincue de le faire, plutôt que de vous croire sur parole. Je n'avais pas idée que vos vies seraient en danger…

— Inutile de vous excuser, assura Jacen en se tournant vers Vergere. Sekot a gardé Danni inconsciente, et elle s'est servie de Senshi pour le rapt. Tout comme elle a utilisé les boras pour nous menacer…

— En fait, les boras agissaient de leur propre chef. On ne peut pas les contrôler, uniquement les provoquer ou les calmer. Vous deviez résoudre ce problème seul. Mais le reste est vrai. Etes-vous en colère ?

L'aspect de Vergere était parfait pour Sekot, pensa Jacen. Car il recourait au même type d'astuce destinée à améliorer son esprit que Vergere utilisait pendant son apprentissage.

— Non, répondit-il. Je voudrais seulement savoir pourquoi.

— Avant d'accéder à votre demande, je devais comprendre à quel type de guerrier j'avais affaire.

— Je ne suis pas très à l'aise avec le terme *guerrier*, dit Jacen. Un Jedi incarne la paix, pas la guerre.

— Vous ne pensez pas qu'il soit bon de se battre pour la paix et la liberté ? demanda Sekot d'un ton moqueur.

— Je crois qu'il devrait exister un moyen d'obtenir la paix sans se battre.

— L'avez-vous trouvé, Jacen Solo ?

Le jeune homme baissa les yeux, ennuyé de devoir reconnaître un échec devant son ancien professeur – fût-il une illusion.

— Non.

— Mais ça ne vous empêche pas de continuer à chercher.

Il releva la tête.

— Comme la véritable Vergere me l'a dit un jour, j'ai choisi mon destin. Maintenant, j'assume les conséquences.

— Comme nous tous, souligna Sekot. Comme nos prédécesseurs. Notre galaxie est le résultat de leurs décisions, et nos descendants hériteront de l'univers qu'engendreront les nôtres. Chaque génération a la responsabilité de faire les bons choix.

— Quelle sera votre décision, Sekot ? Quelle galaxie laisserez-vous aux générations futures ?

Sekot sourit.

— D'abord, permettez que je vous parle un peu de moi, Jacen Solo.

— Pas de message du sol pour le moment.

— Et ces bombardiers ?

— Confirmation de l'insertion orbitale pour attaque à la surface.

— Canardez-les ! ordonna Pellaeon.

L'*Inflexible* se mit aussitôt en orbite basse. Des centaines de chasseurs Tie sortirent de ses hangars de décollage. Les turbolasers lourds visèrent les bombardiers se préparant à attaquer le transpondeur à la surface d'Esfandia.

Pellaeon était sûr que Vorrik réagirait en conséquence et que la bataille gagnerait en intensité, mais c'était inévitable. S'il semblait vain de défendre un leurre, c'était pourtant nécessaire. Avec un peu de chance, Vorrik épuiserait son énergie sur la cible terrestre, pendant que Pellaeon éliminerait ses escadrons en orbite.

Des éclairs parcoururent l'écran quand les chasseurs impériaux attaquèrent les Yuuzhan Vong. Le *Kur-hashan* se heurta à une vague de perturbations gravifiques, tous ses basal dovins lançant des rayons d'énergie...

— A tous les vaisseaux, ordonna Pellaeon, feu à volonté !

La première sensation consciente de Jaina ? Elle ne sentait plus son pied gauche. Et l'engourdissement grimpait le long de sa jambe.

La deuxième ? Celle d'être en mouvement.

Rouvrant les yeux, elle sursauta en constatant qu'elle volait !

— Que se passe-t-il ? demanda-t-elle en s'accrochant d'instinct à son siège rembourré.

— Tenez bon, Jaina ! répondit la personne installée devant elle.

— Droma ?

— Comment vous sentez-vous ? demanda le Ryn.

Jaina chercha du regard les tsik seru.

— Comme une imbécile ! J'ai été éliminée avant que la bataille commence !

— Ne vous frappez pas ! Ce genre d'ennuis peut arriver aux meilleurs d'entre nous. Je vous ramène au *Faucon*. Votre combinaison fuit...

— Je sais. Je le sens.

Jaina rassembla ses souvenirs. Elle revoyait vaguement Jag et Tahiri, mais... tout était brouillé.

— Tout se passe selon nos plans, ajouta Droma. Ne vous inquiétez de rien.

Jaina leva les yeux juste à temps pour voir une silhouette sombre plonger sur eux.

— Couchez-vous ! cria-t-elle en plaquant le Ryn sur la selle et en s'aplatissant sur lui.

Elle espéra qu'aucun obstacle ne se dresserait devant eux…

Le ventre du transport de troupes l'effleura. Droma reprit le contrôle de la motospeeder, légèrement déviée de sa trajectoire.

— Croyez-vous qu'il nous ait vus ? demanda-t-elle.

— Je n'en suis pas sûr, avoua le Ryn.

— Quoi qu'il en soit, nous ne pouvons pas courir le risque qu'il nous suive jusqu'à la station. Ne bougez pas !

Droma obéit.

— Vous pensez que nous devrions revenir en arrière et les distraire ? demanda-t-il. Ou avertir les autres ?

— Oui. Ça vous pose un problème ?

— Non, mais je n'ai pas envie que vous mouriez gelée !

— Une perspective qui ne me sourie guère non plus…, dit Jaina. Mais c'est un risque à courir.

— Trop dangereux ! protesta Droma. De plus, je doute que ces Vong s'intéressent à nous. Nous quittons la zone de combat, après tout !

Jaina jeta un coup d'œil par-dessus son épaule.

— Alors, vous devriez le leur dire…

Imitant sa compagne, Droma cracha un juron qui aurait fait rougir Yan.

Jaina sentit le moteur gronder sous elle, et la motospeeder fonça à pleins gaz pour semer les deux tsik seru qui s'étaient lancés à leurs trousses.

La jeune femme fouilla les poches de sa combinaison. Par chance, le froid n'avait pas encore ankylosé ses doigts. Elle trouva à tâtons son sabre laser, un blaster et deux déto-nateurs thermiques. Elle en sortit un et l'activa.

266

— Virez quand je vous le dirai, ordonna-t-elle.

— Dans quelle direction ?

— N'importe ! (Elle lança le détonateur.) Allez-y !

La déflagration faillit l'aveugler à cause des systèmes d'augmentation de la luminosité intégrés à son casque. Quand sa vision revint, Jaina s'aperçut que Droma avait plongé dans une crevasse du sol.

— Vous les avez eus ? demanda Droma.

— Un, je crois…

Elle vit une ombre, au-dessus d'eux. Un tsik seru avait échappé à l'explosion, et il entendait les rattraper.

Des insectes-filets jaillirent d'une écoutille, forçant Droma à freiner. Ils arrivèrent à éviter les créatures, mais pas les fils collants qu'elles lançaient… Deux se fixèrent sur le dos de Droma, et un en travers de la visière de Jaina. Au bout de chaque fil, un des insectes vermiformes, long comme un doigt, se propulsa lentement vers eux.

Jaina voulut arracher les fils du dos de Droma mais ils refusèrent de céder. Elle sortit son sabre, et coupa les fils puis s'attaqua à celui qui s'était fixé sur son casque. L'insecte était à moins d'un mètre d'elle…

Trois de moins, pensa-t-elle.

Mais elle ignorait combien il en restait sur eux. S'il y en avait dans son dos, elle ne pourrait pas les trouver à tâtons, les gants étaient trop épais pour quelque chose d'aussi fin. Il suffirait qu'un insecte se fixe au mauvais endroit, au mauvais moment…

— Posons-nous ! C'est le seul moyen de nous assurer qu'il n'y en a pas d'autres.

— Mais le chasseur…, protesta Droma en montrant le tsik seru, au-dessus d'eux.

Il s'interrompit en voyant un insecte-filet approcher de la main de Jaina.

Il posa la motospeeder à la hâte sur de la neige à base de gaz carbonique. Jaina essaya de ne pas penser à ce que ses orteils subiraient. Il y avait plus urgent pour le moment.

Elle sauta de la motospeeder, Droma sur les talons. Il luttait vainement pour déloger les insectes-filets qui s'étaient accrochés à lui.

Quand il vit Jaina approcher avec son sabre laser, il recula.

— Doucement avec ce truc ! Si vous entamez ma combinaison…

Il se tut. Elle coupa habilement les fils accrochés à lui, puis ceux qui étaient sur sa propre combinaison.

— Sur votre cuisse, dit Droma. Et votre épaule !

Jaina entendit quelque chose crépiter derrière sa tête quand elle frappa à l'aveuglette.

— C'est bon, ajouta Droma, il n'y en a plus. Et maintenant…

Il n'eut pas le temps de finir. D'autres fils tombèrent autour d'eux. De retour, le tsik seru avait lâché d'autres insectes… Sans réfléchir, Jaina les empêcha d'approcher.

— Beau travail ! approuva Droma. Mais j'ai peur que le répit soit temporaire.

Le tsik seru s'inclina vers eux.

— Il va nous tirer dessus ! dit Jaina, se préparant à courir.

— Faites comme Tahiri ! cria Droma.

— Quoi ?

— Elle a bouché les orifices de sortie des lanceurs de plasma !

— Comment ?

— Je l'ai vue faire quand vous étiez évanouie. Croyez-moi, ça marche !

Perplexe, Jaina ferma les yeux pour réfléchir. Mais son instinct alla plus vite que sa pensée. Elle leva le poing au moment où l'arme organique allait tirer.

Le jet de plasma se heurta à la volonté implacable de Jaina. Dévié, il fit sauter un côté du chasseur. L'autre explosa peu après, les arrosant de débris brûlants. De la vapeur monta de la neige, sous leurs pieds. Ils se jetèrent à plat ventre, se protégeant la tête avec les bras.

Levant les yeux, Jaina vit le tsik seru tomber dans la crevasse et rouler vers eux, à l'instar d'une boule de feu géante. Elle attrapa Droma et le tira juste à temps hors de la trajectoire de la créature.

Droma se releva et contempla les restes du chasseur.

— Eh bien ! C'était un poil trop près, à mon goût !

— Et encore, il ne s'est pas écrasé sur la motospeeder ! rappela Jaina.

Soudain, un rugissement, dans les récepteurs extérieurs de la combinaison, les assourdit. Une créature de flammes se dressa devant eux, son visage noirci traversé par une balafre béante là où la bouche aurait dû être…

— *Jeedai !*

Jaina comprit aussitôt que seules les flammes conservaient en vie le pilote yuuzhan vong dans l'atmosphère glaciale d'Esfandia… Elle voulut se remettre en position de défense, mais son pied gelé la trahit et elle tomba devant le guerrier.

Droma tentant de s'interposer, le Yuuzhan Vong le projeta loin de lui.

Le pilote brandit une écharde de corail yorik pour la lui enfoncer dans le corps.

Jaina avait perdu son sabre laser dans sa chute.

Soudain, quelque chose bougea derrière la jeune femme, dans la direction opposée à Droma. Les yeux du Yuuzhan Vong se détournant brièvement, Jaina le frappa d'un coup de pied et se releva en appelant à elle son sabre laser. Dès qu'il fut revenu se nicher dans sa main, elle l'activa, prête à affronter le guerrier qui avait repris son équilibre.

Sous ses yeux, le pilote se couvrit de glace, puis s'effondra, entièrement gelé.

Jaina recula et baissa sa lame. Elle aurait dû réagir plus vite ! Elle était encore sous le choc, et le froid avait maintenant atteint ses genoux, mais sans…

Elle sursauta au souvenir de ce qui lui avait sauvé la vie. Quelque chose avait distrait le pilote au moment où il allait la poignarder, et ce n'était pas Droma, qui se remettait péniblement debout.

Au-dessus de Jaina, un indigène flottait dans l'air. Avec sa gueule hérissée de tentacules et ses organes bizarres pulsant sous sa peau translucide, il était franchement terrifiant. Et les centaines de petits « yeux », autour de sa gueule, semblaient rivés sur elle.

Il dérivait vers le haut. Quelques mètres plus loin, il accéléra et disparut.

Un gémissement arracha Jaina à sa fascination. Droma se tenait la tête à deux mains.

— Filons…

— C'est mon tour de conduire, répondit Jaina.

Elle vit un demi-sourire se dessiner sous le nez en forme de bec du Ryn.

— J'espère qu'on ne fera plus de mauvaises rencontres.

— On a eu notre part pour aujourd'hui ! convint Jaina.

Elle se remit en selle en aidant Droma à grimper derrière elle.

— Les Solo semblent très doués pour se fourrer dans des ennuis, grommela le Ryn. C'est peut-être génétique !

— Eh, c'est l'univers qui a des problèmes ! Le boulot des Solo, c'est de les régler !

Le Ryn éclata de rire. Jaina remit les gaz et quitta la crevasse.

Tahiri plongea, évitant un coufee. Elle frappa le reptiloïde qui se dressait devant elle. La créature s'effondra dans la neige.

— Jag, par ici !

Suivie par le jeune pilote, elle gravit la pente raide, tirant sur tout ce qui bougeait. Arrivée sur la crête, elle ne s'attarda pas, consciente d'offrir une cible idéale à l'ennemi.

Apercevant une motospeeder impériale, de l'autre côté

du transpondeur, elle l'appela sur son unité com, agitant les bras.

— Par ici !

— Tahiri, c'est toi ? demanda Yan.

— Je suis avec Jag. Nous avons perdu nos motospeeders.

— J'arrive !

Yan Solo arriva, suivi par Adelmaa'j. Ils mitraillèrent les reptiloïdes avant de s'arrêter devant Tahiri et Jag.

— Ravis de vous revoir ! lança Yan. Nous commencions à nous inquiéter…

— Ça n'est pas fini, dit Tahiri. Voilà le deuxième vaisseau !

Yan grogna.

— Bon. On passe au plan B.

Il fit signe à Tahiri de monter derrière lui. Jag sauta sur la motospeeder d'Adelmaa'j.

Ils se séparèrent pour localiser les autres motospeeders et les rejoindre. Il en manquait une, celle du chef de la sécurité de la base.

Yan fronça les sourcils.

— Nous ne pourrons pas dissimuler plus longtemps aux Yuuzhan Vong que la base n'est pas là, dit-il. Surtout si Eniknar nous a trahis… Plus tôt nous filerons, mieux ça vaudra.

Le technicien sortit un détonateur et saisit un code sur son clavier. Après une seconde, il recommença.

— Il y a un problème, annonça-t-il. J'essaie d'armer les charges, mais l'antenne doit être endommagée.

— Ou elle a été sabotée, grogna Yan. D'accord. Il faut aller les armer manuellement.

— Je m'en occupe, dit Tahiri.

— Je viens avec vous, ajouta Jag.

— Je peux me débrouiller seule, répondit la jeune femme.

— Je sais. Je viens quand même.

Elle comprit ce qu'il sous-entendait, mais ça ne la gêna

pas. Si l'accompagner faisait comprendre à ses compagnons qu'elle ne les trahirait pas, tant mieux !

Le technicien expliqua la procédure. Il suffisait de saisir le code sur le clavier de la boîte de commande, cachée à la base du transpondeur. Il resterait ensuite une minute pour se mettre à l'abri.

— Parfait, dit Jag. Nous vous rejoindrons à la station.

— Pilotez bien, recommanda Yan.

— Comme toujours, répondit Jag.

— En devenant conscient, dit Sekot, j'ai pu communiquer avec le premier Magistère. Le père de Jabitha fut le deuxième, et lui a compris ce que j'étais. Il m'a aidée à accepter mon potentiel, puis à survivre à l'attaque des Etrangers qui avaient dévasté mon hémisphère sud. Il m'a encouragée à transformer mes chantiers navals pour fabriquer des armes et des équipements nécessaires à la survie. Quand nous avons été de nouveau menacés, j'ai survécu, et emmené mes habitants en sécurité au terme d'un périlleux voyage. Bien entendu, j'ai trouvé le temps de réfléchir à tout ça après être arrivé ici…

En dépit de sa puissance, l'être qui avait pris l'apparence d'Anakin Skywalker paraissait incertain.

— Je me suis d'abord demandé d'où je venais. Le père de Jabitha pensait que j'étais une émanation du Potentium, cette énergie vitale qui emplit l'univers. Mais dans ce cas, pourquoi des planètes vivantes ne sont-elles pas apparues ailleurs ? Pourquoi étais-je la seule dans une galaxie pleine de centaines de millions de planètes ?

« J'ai passé des décennies à y réfléchir. Anakin Skywalker m'a jadis décrite comme une "immensité" en même temps qu'une "unité". Tous les êtres vivants pourraient être définis ainsi par les créatures qui les habitent. Beaucoup de bactéries circulent dans votre système digestif. De leur point de vue, vous êtes indéniablement des « immensités ». Mais en même temps, vous êtes des unités.

La réalité de votre être se situe au niveau cellulaire, dans vos gènes. J'en suis venue à penser qu'il en allait de même pour moi. Ceux qui habitent ma surface comptent autant pour moi que les boras, l'atmosphère ou le soleil. Sans eux, je serais stérile.

— Font-ils partie de votre esprit ? demanda Hegerty.

— Diriez-vous que les microbes qui résident dans votre estomac font partie du vôtre ? riposta Sekot. Non. Dans mon cas, ils remplissent un autre rôle que vous auriez du mal à comprendre. Mais j'ai autant besoin d'eux qu'eux de moi. Sans eux, je n'existerais peut-être pas. Ou je serais devenue faible et inutile comme les boras sauvages que Jacen a rencontrés récemment.

Luke sursauta.

— Vous savez où il est ?

— Je lui parle, ainsi qu'à ses compagnons, en ce moment même.

Après avoir éliminé un tsik seru en chemin, Tahiri et Jag arrivèrent sans encombre au transpondeur.

Le boîtier de commande du détonateur était caché sous l'antenne, trop bas pour que la motospeeder y entre. Ils le cachèrent et se glissèrent dans la cavité, slalomant dans un labyrinthe de câbles et de poteaux.

Ils trouvèrent le détonateur à l'endroit décrit par le technicien.

Jag ouvrit le dessus du dispositif avec les trois premiers codes livrés par ce même technicien. Le deuxième code lui permit de régler le délai, qu'il fixa à une minute.

— Confirmez le dernier code, demanda-t-il à Tahiri.

— Zéro-huit-huit-deux-trois-quatre-un-zéro-trois-zéro.

— C'est ça.

Jag commença à saisir le code. Il lui en restait deux quand une silhouette noire passa devant sa visière. Il recula et saisit son charric à l'instant où une gerbe d'étincelles jaillissait du boîtier.

Plus rapide que Jag, Tahiri frappa deux autres insectes-tonnerre avec son sabre laser. Puis elle se jeta sur le guerrier yuuzhan vong qui chargeait en brandissant un bâton amphi.

De peur de toucher Tahiri, Jag ne bougea pas. Il était néanmoins prêt à intervenir. Mais la jeune femme se débrouillait très bien sans lui. Elle para les coups du bâton et se débarrassa du guerrier d'une frappe qui l'ouvrit du ventre au menton.

Quand elle revint vers Jag, elle n'était même pas essouf-flée.

— Quels sont les dégâts ?

Jag examina l'unité. La surface fondue, les touches n'étaient plus éclairées.

— Ça ne doit pas être bon signe…, dit-il.

— Nous devons faire marcher ce truc !

Le jeune homme se pencha et étudia le boîtier de plus près.

— Je crois que l'unité proprement dite est intacte. Il doit y avoir un autre moyen de l'activer…

Quelqu'un survint en titubant. Tahiri bondit, et… se détendit. Sous la visière de la combinaison de l'Alliance Galactique couverte de gel et de sang, Jag découvrit un visage reptilien.

— Eniknar ?

Jag vit des lèvres bouger, mais il n'entendit rien.

— Son unité com est fichue, dit Tahiri en soutenant le Noghri. Si vous appuyez votre casque contre le sien, vous devriez pouvoir entendre ce qu'il dit.

— Il y a un déclenchement manuel…, lâcha le chef de la sécurité d'une voix rauque.

Il saisit le boîtier et ouvrit la face arrière, dévoilant une série de boutons multicolores.

— Déclenchement manuel… codé, marmonna-t-il en s'effondrant contre Tahiri.

— Il y a un minuteur ?

Le Noghri secoua la tête.

— Si quelqu'un l'active, il saute avec ?

Il acquiesça.

Jag et Tahiri se regardèrent.

— Moi, souffla le Noghri. Je le ferai. Je connais le code…

— Non, dit Jag. Donnez-nous le code. Tahiri peut se servir de la Force pour appuyer sur les boutons en étant à une bonne distance de sécurité.

— Pas le temps… Et même si on l'avait, on ne peut pas fuir à trois sur une motospeeder.

— Comment savoir si on peut faire confiance à Eniknar ? ajouta Jag, s'éloignant du blessé pour qu'il n'entende pas. Droma nous a demandé de nous méfier de lui, exact ? Leia pense que c'est un traître. Et si c'était une ruse ?

— Non, assura Tahiri.

— Comment pouvez-vous en être sûre ?

La jeune femme regarda intensément Eniknar.

— Je le suis.

— Entendu. Cela dit, rien ne l'oblige à se sacrifier.

— Jag, nous n'avons pas le temps de discuter. Regardez-le : je doute qu'il lui reste longtemps à vivre.

Jag soupira. Elle avait raison.

Il se pencha vers Eniknar.

— Vous êtes sûr ?

— Comme ça… au moins… j'aurai une mort… honorable.

Jag comprit que l'heure n'était plus à l'indécision. Les forces du Noghri déclinaient rapidement. Il ne serait plus longtemps en état de mettre son plan à exécution.

Jag posa le boîtier sur la poitrine du Noghri, et Tahiri le scotcha en place.

— Vingt secondes, dit-elle, puis entrez le code, d'accord ? Ça nous donnera le temps de filer.

Eniknar avait les yeux fermés, mais il était conscient.

— Je peux attendre… jusque-là…

Ils le laissèrent appuyé contre un pilier. Alors qu'ils

battaient en retraite, Jag entendit la voix de Tahiri dans son casque.

— *Rrush'hok ishnar vinim'hok*, murmura-t-elle doucement.

— Qu'est-ce que ça signifie ?

— C'est une bénédiction yuuzhan vong. « *Meurs bien, noble guerrier.* »

Jag fut troublé par la culture yuuzhan vong de sa compagne.

— Je suppose que les autres lui doivent des excuses.

— Je m'assurerai qu'il les reçoive, le moment venu.

— Ce sera un peu tard, vous ne croyez pas ?

— Pas pour nous, qui nous souviendrons de lui.

Le sacrifice d'Eniknar troublait Jag pour beaucoup de raisons. Les Chiss considéraient le suicide comme un acte injustifiable. Pourtant, dans ce cas, cela sauverait de nombreuses vies...

Restait une question gênante : si Eniknar n'était pas le traître, de qui s'agissait-il ?

— Votre oncle demande de vos nouvelles, dit Vergere à Jacen.

Saba ne fut pas particulièrement surprise que Sekot ait le don d'ubiquité.

— Je lui ai dit que vous alliez bien, répondit Sekot, et qu'aucun mal ne vous arrivera, maintenant que l'épreuve est terminée.

— Avez-vous aussi testé les Ferroans ? demanda Saba, exaspérée.

— A mon réveil, ils étaient là. Je soupçonne que j'avais besoin de leur présence pour arriver à la conscience totale.

— Ça n'explique pas d'où vous venez, souligna Danni. Si vous n'étiez pas une simple combinaison d'éléments attendant une civilisation pacifique pour démarrer votre évolution vers la conscience, qu'étiez-vous ? Comment en êtes-vous venue à *exister* ?

La scientifique ne semblait pas avoir souffert de sa longue inconscience.

— Je me suis souvent posé la question, admit Sekot. Mais je n'ai jamais pu y répondre de façon satisfaisante. La compréhension de la Force du père de Jabitha était incomplète, je le sais maintenant. Il pensait que tout était uni dans le Potentium. Mais les Jedi nous ont montré que le mal existe, et les Etrangers sont vivants en dehors de la Force. J'ignore donc d'où je viens.

— Nous y avons réfléchi, dit Danni, et il y a plusieurs possibilités.

— J'aimerais en débattre avec vous. Plus tard ! Pour le moment, j'ignore toujours d'où je viens. Je n'ai jamais rencontré d'autre être comme moi dans la galaxie, et cela me donne à penser. Pour arriver à la conscience, j'avais sans doute besoin que d'autres êtres soient prêts à m'accueillir et à me rendre réellement *vivante*.

Les yeux étranges de Vergere plongèrent dans ceux de Jacen, guettant sa réaction.

— Vous avez raison. La façon dont nous traitons les autres, voilà ce qui compte, pas d'où nous venons.

— Exactement, jeune Jedi. Je m'en tiens à tout ce que j'ai fait depuis mon accession à la conscience. J'obéis à mes propres impératifs.

— Et que sont-ils ? demanda Saba.

— Ceux de toute créature intelligente : vivre en paix, augmenter ses connaissances et sa sagesse, aimer et être aimé. Et si on prétend me spolier de ces droits fondamentaux, fuir ou me battre. J'ai essayé les deux méthodes.

Leia essaya pour la quatrième fois d'appeler Ashpidar. En vain.

— Peut-être Ashpidar est-elle occupée ailleurs ? suggéra C-3PO.

— Je me demande… Ça fait longtemps qu'elle ne répond pas… Je vais voir ce qui se passe.

— Comme vous voudrez, princesse, soupira le droïd doré.

Les deux gardes noghri de Leia la précédèrent dans le tunnel qui reliait le *Faucon* à la station.

— Reste là, ordonna-t-elle à C-3PO, et appelle-moi si tu as du nouveau. Si je ne suis pas revenue dans une demi-heure et que je n'ai pas appelé, ferme le sas et attends le retour de Yan. Surtout, ne laisse entrer personne !

Les couloirs de la station étaient calmes quand Leia se dirigea vers les quartiers d'Ashpidar. Ignorant ce qui se passait, elle restait sur ses gardes. Son intuition lui soufflait que quelque chose n'allait pas.

En chemin, elle vit un ingénieur travailler sur un panneau mural.

La porte du bureau d'Ashpidar était fermée.

— Retourne chercher la Sulustéenne, ordonna-t-elle à Meewalh. Elle pourra sans doute nous faire entrer.

La Sullustéenne arriva peu après.

— Que se passe-t-il ?

— Désolée de vous interrompre Gantree, répondit Leia en lisant le nom de l'ingénieur sur son badge, mais je dois entrer dans cette pièce.

— Pourquoi ?

— Ashpidar ne répond pas à mes appels.

— Elle se repose peut-être…

— A un moment comme celui-là ?

— Alors, elle est ailleurs.

— L'avez-vous vue, ces deux dernières heures ?

La Sullustéenne soupira.

— Comprenez qu'on ne peut pas entrer comme ça dans les quartiers du personnel…

— Certes, répondit Leia, mais j'ai le sentiment que quelque chose de grave est arrivé au commandant. Je vous en prie, ouvrez cette porte. Si je me trompe, j'en assumerai la pleine responsabilité.

— Très bien. Mais si elle demande…

278

Gantree se pencha vers la serrure.

— Bizarre… La porte est fermée de l'extérieur !

Leia sentit son malaise augmenter.

L'ingénieur saisit un code et la porte s'ouvrit.

Meewalh entra le premier. Sabre laser au poing, Leia suivit. Elle sentit une odeur d'ozone, et vit une paire de grands pieds dépasser du bureau.

Des câbles entourant ses antennes, Ashpidar était couchée sur le ventre. L'ingénieur s'agenouilla.

— On l'a torturée ! Les Gotals ne supportent pas d'avoir des champs magnétiques sur leur corps !

Leia s'accroupit à côté d'Ashpidar. Elle n'était pas très versée en physiologie gotale.

— Elle va s'en tirer ?

— Elle est évanouie, répondit Gantree. Pourquoi la maltraiter ainsi ?

— Dame Vador, lança Cakhmain, regardez !

Leia leva les yeux. La Noghri lui montrait le coffre mural d'Ashpidar. Ouvert, et vide.

— Quelqu'un a volé le villip ! s'exclama Leia.

La Sullustéenne eut l'air surpris.

— Le *villip* ?

— Eniknar et Ashpidar l'ont trouvé caché dans un placard, il y a quelques jours. Ils essayaient de déterminer à qui il appartenait quand les Yuuzhan Vong ont attaqué. Quelqu'un s'en est servi pour les attirer ici.

— Un traître ? Parmi nous ?

— Nous pensions que c'était Eniknar, parce que son odeur ne collait pas.

— Quel rapport avec son odeur ?

— Beaucoup de choses, pour un Noghri… Mais le véritable traître est quelqu'un autre ! Et maintenant, il ou elle a le villip !

L'ingénieur eut l'air affolé.

— Il pourrait révéler notre emplacement aux Yuuzhan Vong !

— Il faut l'arrêter, dit Leia.

— N'a-t-il pas déjà contacté les Vong ? demanda Gantree.

— C'est peu probable. Il aura d'abord voulu assurer sa fuite.

— S'il a fui, c'est forcément à pied, car il ne reste plus de motospeeders dans le hangar.

— Et mettre une combinaison prend du temps... Suivez-moi !

— Si on faisait l'appel, ça nous dirait qui manque, suggéra la Sullustéenne.

— Pas le temps, et ça alerterait le traître. Coinçons-le avant qu'il ne s'échappe ! Par quel sas partirait-il ?

— Un seul convient aux personnels en combinaison.

— Guidez-moi !

Le sas en question était fermé. A travers une vitre épaisse en transpacier, elles virent une petite silhouette occupée à fermer une combinaison. Leia ne la reconnut pas, mais Gantree, oui. Elle appuya sur l'unité com.

— Tegg ! Que fais-tu ?

L'Ugnaught ne répondit pas, redoublant d'efforts pour finir de boucler sa combinaison. Une petite boîte étanche de la taille d'un villip était posée à côté de lui.

— Pourquoi fais-tu ça ? Tu n'as pas compris qu'ils nous tueront tous ?

Le regard haineux que l'Ugnaught tourna vers elles apprit à Leia ce qu'elle voulait savoir : il appartenait aux Brigades de la Paix, le groupe de partisans des Vong qui s'était infiltré partout.

— Pouvons-nous ouvrir la porte ? demanda Leia.

La Sullustéenne saisit un code sur le clavier.

— Il a démoli les commandes !

— Alors il faut l'empêcher de sortir. Ce sas a une sécurité standard ?

— Bien entendu ! Pourquoi ?

— Parce que la porte extérieure ne s'ouvrira pas si l'intérieure n'est pas étanche. Reculez !

Leia leva son sabre laser et lui insuffla toute l'énergie mentale dont elle disposait. Et il en faudrait pour traverser cinquante centimètres de transpacier !

Des étincelles jaunes jaillirent quand la lame entra en contact avec la vitre et s'y enfonça centimètre par centimètre.

L'Ugnaught essaya d'aller plus vite. Leia se concentra sur sa tâche, insufflant toute son énergie à la lame. Tout dépendait de sa réussite. Pas question d'échouer !

Tout le reste, soudain secondaire, disparut à ses yeux...

Quand une alarme retentit, elle crut avoir transpercé la vitre. Mais il y avait toujours une résistance... L'alarme avait été déclenchée par le sas : sa porte extérieure ouverte, il était vide.

Leia désactiva son sabre laser. Plus question de finir de couper le transpacier !

— Pouvez-vous déplacer la station sans l'autorisation d'Ashpidar ? demanda-t-elle.

— Oui, mais...

— Allez-y ! Emmenez-la n'importe où. Je fonce au *Faucon* le déplacer aussi. Une chance minime vaut mieux que rien !

Gantree regarda Leia, les yeux écarquillés par la peur.

Un bruit, dans le sas, leur fit tourner la tête. L'Ugnaught était revenu ! Dans l'air très dense qui avait envahi le sas, il avait trébuché et était en train de se relever.

Il recula, comme s'il avait peur.

L'instant suivant, Leia comprit pourquoi. Une forme humaine en combinaison apparut dans le sas, la lame violette de son sabre laser scintillant...

— Jaina ! cria Leia.

— Je suis venue aussi vite que possible, répondit la jeune femme, sa voix sortant de l'unité com.

— Tu m'as sentie ?

— J'ai capté un problème. Je me suis focalisée sur toi et je suis arrivée juste à temps pour empêcher ce traître de filer !

L'Ugnaught essaya de fuir. D'un geste, Jaina l'envoya bouler en arrière.

Une autre silhouette se découpa sur le seuil du sas.

— D'après Droma, il y a du nouveau en orbite, rapporta Jaina. On dirait que la bataille a repris. Nous allons entrer pendant que tu vérifieras si Pellaeon a envoyé de nouvelles informations.

Leia mourait d'angoisse. Les choses n'étaient pas censées se passer ainsi. Les Impériaux restaient inférieurs en nombre. De plus, si Jaina et ses camarades avaient détruit le transpondeur en faisant croire qu'il s'agissait de la base, il n'y avait pas de raison que Vorrik s'attarde. Pourquoi était-il toujours là ?

La guerre n'était pas gagnée, loin de là…

Qu'est-ce qui est allé de travers ? se demanda Leia.

Jacen frissonna.

— Vous avez décidé de vous battre. C'est bien ça ?

— Non, répondit Sekot. J'ai dit que j'avais le choix, et que j'avais essayé les deux options. J'ai d'abord combattu les Etrangers, puis j'ai fui. Et je vis ici depuis des années. En paix… Mais voilà que vous venez me perturber.

— Les Yuuzhan Vong sont arrivés les premiers, rappela Jacen.

— Vous avez aussi envahi mon sanctuaire.

— Avec des intentions radicalement différentes des leurs.

Vergere fronça ses sourcils emplumés.

— Vous ignorez ce que les Yuuzhan Vong m'ont dit – ce qu'ils veulent – et vous parlez de leurs « intentions » ?

— Vous avez raison. Pourtant, vous avez dû sentir que nous étions différents. Vous nous avez laissé atterrir, alors que vous avez détruit les Yuuzhan Vong.

— Les Jedi ne m'ont jamais voulu de mal, et j'ai beaucoup appris d'eux. Beaucoup de mes habitants se souviennent de vous, et ils auraient été ravis de vous accueillir, s'il n'y avait pas eu votre guerre.

— Nous venons chercher la paix, pas la guerre, assura Jacen.

— Comment puis-je vous donner la paix ?

Cette question hantait Jacen depuis la mort de son professeur.

— Je l'ignore. Mais il doit y avoir un moyen. Sinon, Vergere ne m'aurait pas envoyé à vous.

— Je pourrais vous donner des armes, dit Sekot. Les Etrangers sont invisibles dans le flot d'énergie que le premier Magistère appelait le Potentium, et que les Jedi nomment la Force. Mais ce ne sont pas pour autant des abominations. Depuis leur première attaque, j'ai étudié des fragments de leurs vaisseaux, et cherché à comprendre les principes sur lesquels ils se basent.

— Pour vous inspirer de leur technologie, dit Danni.

— Précisément. J'ai découvert des choses étranges, et pris ce que j'ai pu. Mes armes et mes vaisseaux vivants ont des similitudes avec les leurs, mais peu de leurs faiblesses.

Jacen sursauta. Etait-ce pour ça que Vergere les avait envoyés à la recherche de Sekot ? Il en doutait : ça ne correspondait pas à la personnalité de son professeur…

— Qu'y a-t-il ? demanda Sekot. Ça n'a pas l'air de vous plaire.

— Non, répondit Jacen. Je ne crois pas que nous soyons là pour ça.

— Vous ne venez pas demander de l'aide contre vos ennemis ? s'étonna Jabitha.

— Si. Mais pas ce genre-là.

— Lequel, alors ? Qu'avons-nous d'autre à vous offrir ?

— Je l'ignore !

— Vous ne rencontrerez jamais d'être plus puissant que moi, dit Sekot. Si je me proposais d'être une arme vivante dans votre combat contre les Etrangers, vous refuseriez mon offre ?

Jacen vit Saba et Danni le regarder. Les deux réponses s'affrontèrent dans son esprit.

Oui.

Parce qu'il en avait assez de la mort et de la destruction. Une victoire militaire pour l'Alliance Galactique exigerait le génocide des Yuuzhan Vong. Comment assumer une telle responsabilité ?

Non.

Parce qu'il ne voyait pas d'autre moyen de défendre ceux qu'il aimait. S'il y avait une solution militaire, pas question de rester inactif et de regarder mourir sa famille et ses amis. Face à la mort de milliards d'innocents, que pesait une victoire *morale* sur la violence ?

A cet instant, Jacen se sentit incroyablement petit et vulnérable. Un mot de sa bouche pouvait changer le cours de la guerre et le destin de son peuple.

— Alors ? demanda Sekot. Que répondez-vous ?

— Non.

Le mot résonna dans l'esprit de Luke alors qu'il se représentait les générations d'enfants qui ne vivraient pas si l'Alliance Galactique succombait contre les Yuuzhan Vong... Des enfants comme son fils, Ben. Il vit la population de la galaxie réduite en esclavage par le seigneur suprême Shimrra.

Pourrait-il refuser l'offre de Sekot, avec ces images à l'esprit ?

— Vous accepteriez cette proposition ? demanda le sosie d'Anakin Skywalker.

— Oui, répondit Luke.

Se rapprochait-il trop du Côté Obscur ? Incitait-il Sekot à le faire ?

— Alors, considérez que je viens de vous la faire, dit Sekot avec un grand sourire.

Luke vit les Ferroans écarquiller les yeux. Ils ne s'attendaient pas à cette réaction.

Et lui non plus.

— Et tous vos discours sur votre désir de paix, la volonté qu'on vous laisse tranquille ?

— Je n'aurai aucune paix tant que les Etrangers seront dans cette galaxie, répondit Sekot. Ma proposition est donc à votre bénéfice autant qu'au mien.

— Mais…, balbutia Rowel, et le *Sanctuaire* ?

— Il a déjà été violé. Un corail skipper a *vraiment* échappé à mes filets et fui pendant l'attaque. Il est probablement retourné vers ses maîtres pour leur révéler mes coordonnées.

Darak et Rowel eurent l'air horrifiés.

— Je ne suis pas omnipotente, tout compte fait…, conclut Sekot. (Elle se tourna vers Mara et Luke.) Ça donne à réfléchir, non ?

Pellaeon observa la destruction du transpondeur avec satisfaction – ou une émotion qui s'en rapprochait.

Et maintenant, Vorrik, voyons de quel bois vous vous chauffez. Prendrez-vous la fuite, ou nous affronterez-vous pour subir une dernière humiliation ?

Le *Kur-hashan* n'avait pas l'air décidé. Pellaeon se demanda ce qui se passait dans l'esprit de son commandant… Quel but secret avait-il poursuivi ? Pellaeon ne doutait pas qu'il en ait eu un. Sinon, dépenser autant d'énergie pour liquider une base de relais n'avait pas de sens. Si Vorrik l'avait vraiment désiré, il aurait pu bombarder la surface de la planète jusqu'à la transformer en monceaux de décombres fondus…

Qu'il se soit abstenu laissait penser qu'il voulait la station *intacte*.

Pellaeon sourit.

— Envoyez le signal, ordonna-t-il, pendant que le *Kur-hashan* passait enfin à l'attaque.

Les forces impériales et celles des Yuuzhan Vong s'affrontèrent de nouveau à grands coups de rayons laser et de plasma. De la planète, le ciel devait être plus brillant qu'il ne l'avait jamais paru.

Pellaeon resta sur la passerelle quand le *Kur-hashan* fonça sur son navire. Il imagina la rage de Vorrik, et jubila. Le Yuuzhan Vong avait dû croire que les infidèles seraient vite balayés…

Pellaeon se demanda si Vorrik n'avait pas vu juste, et s'il n'avait pas fait une erreur de calcul… Mille et une choses auraient pu aller de travers. Pour cette raison, il n'avait partagé la vérité avec personne – excepté son aide de camp.

Quand la coque du *Kur-hashan* sembla emplir tout l'écran devant lui, un responsable de la télémétrie prit la parole.

— Des signatures de vaisseaux sortant de l'hyperespace, Grand Amiral. Des dizaines !

Pellaeon soupira de soulagement. Des bâtiments de toute taille et de toute forme apparurent autour d'Esfandia, une flotte de fortune armée de canons bricolés et d'antiques missiles… Mais elle compensait sa médiocre logistique par l'effet de surprise et la bravoure.

Les nouveaux venus se jetèrent sur la flotte ennemie, détruisant les basal dovins et arrachant de grands morceaux de corail yorik. Bientôt, de l'air et des cadavres sortirent d'une dizaine de trous, dans la coque du grand vaisseau yuuzhan vong, tandis que ses basal dovins lâchaient sur un flanc.

Une canonnière aux inscriptions bizarres mitrailla l'échine du vaisseau vivant. Deux corvettes miteuses éliminèrent un vaisseau à yammosk. Un cargo drone se rua sur le *Kur-hashan* et explosa comme s'il était chargé de bombes de la proue à la poupe.

— Une transmission ! annonça l'officier des com. Venant de l'ennemi !

Pellaeon sourit.

Le visage hideux de Vorrik réapparut. La passerelle de son vaisseau étant secouée par les explosions, l'image était brouillée.

— Vous voulez vous rendre, Vorrik ?

— Vous ne pouvez pas nous vaincre, infidèle !

— Il y a cinq minutes, j'aurais été d'accord avec vous. Maintenant…

— Vous nous tuerez peut-être, vous ne nous vaincrez pas ! *Jamais !*

Le Vong coupa la communication.

— Boucliers à pleine puissance ! cria Pellaeon. Il va faire sauter ses moteurs !

L'ordre fut aussitôt relayé aux autres vaisseaux impériaux et aux renforts. L'ultime défi du commandant Vorrik ne servit à rien. L'explosion de son vaisseau dévia légèrement la trajectoire du *Droit de Gouverner*.

— Une communication du *Sélonia*, monsieur.

— Félicitations, Grand Amiral ! lança la capitaine Mayn. J'imagine que vous saviez depuis le début ce qui arriverait…

— Que Vorrik se saborderait plutôt que de se rendre ? Non, mais je l'espérais ! Je connais ce genre de militaire, yuuzhan vong ou pas. Des officiers incapables de s'adapter. Ils préfèrent mourir, de préférence de manière spectaculaire.

Mayn sourit.

— En réalité, je parlais des vaisseaux qui viennent d'arriver. Qui sont-ils ?

— Des amis à vous, je présume. Ils m'ont parlé d'Esfandia, et suggéré de venir ici pour éviter que la catastrophe de Generis se répète. Ils m'ont aussi informé que des renforts seraient bientôt là… Je pourrais les contacter en transmettant une phrase codée sur une certaine fréquence. Quand Vorrik a attaqué au lieu d'abandonner la partie, je me suis dit que le moment était venu.

— Un sacré pari, monsieur.

— Ça vous pose un problème ?

— Non. En fait, j'aurais probablement agi de même à votre place. Je me demandais seulement qui étaient ces « amis » dont vous parlez.

— J'espérais que vous pourriez me le dire, capitaine. Ils se nomment « réseau des Ryns ».

— Vraiment ? J'ignorais qu'ils exerçaient ce genre d'influence…

— Donc, vous savez quelque chose à leur sujet ?

— Peut-être. Mais pour connaître toute l'histoire ouvrez-vous-en à la princesse Leia et au capitaine Solo.

— Je n'y manquerai pas ! marmonna Pellaeon quand son interlocutrice eut coupé la communication.

— Oui, je refuserais.

Un silence de plomb tomba sur l'assemblée. Jacen croisa le regard réprobateur de Saba et de Danni. Comment avait-il pu faire ça ? Condamner des milliards d'innocents à une infâme déchéance ?

Dans son cœur, Jacen savait qu'il avait pris la bonne décision. Il se souvint de deux remarques. Wynssa Fel, sur Csilla, pensait qu'un homme professant la non-violence n'aurait pas dû porter une arme. Et son oncle, un jour, s'était demandé comment affronter un ennemi brutal sans s'abaisser à son niveau…

Son choix n'était pas sans rapport avec ces questions fondamentales. Il aurait eu du mal à l'expliquer en quelques mots à Danni ou à Saba. Et les conséquences pour la galaxie le tourmentaient. Mais il refusait de revenir sur sa décision. Elle était le fruit de sa force, pas de sa faiblesse.

— Après être venu de si loin pour chercher mon aide, vous la rejetez. Vous êtes sûr ?

— Je maintiens ma position.

— Jacen…, commença Danni.

— Nous n'avons pas besoin de plus de forces militaires. Je ne peux pas accepter la destruction comme remède à la destruction. Une telle réaction amènerait notre chute, à long terme. Donc, je refuse votre offre.

L'image de son ancien professeur sourit.

— Peu importe. J'ai décidé de me joindre à votre cause.

— Que voulez-vous dire ? demanda Jacen.

— Vous avez obtenu ce que vous vouliez, assura Sekot. Je reviendrai avec vous pour participer à votre guerre. Reste à savoir si je ferai la différence ou pas.

Le double de Vergere enlaça la taille de Jacen. A sa grande surprise, celui-ci sentit une légère pression, comme si l'être était composé d'un épais brouillard.

— Plus question de fuir, conclut Sekot. Finissons-en avec cette guerre ! Au nom de la galaxie…

Jacen soutint le regard de son ancien professeur, brillant d'intelligence, de profondeur et de sagesse.

Mais il n'y vit rien qui pût le moins du monde le rassurer…

Et cela le troubla infiniment.

— J'ai le grand déplaisir, seigneur suprême, de devoir dénoncer un autre nid de perfidie, cette fois dans le secteur de Numesh, dirigé par le préfet Zareb.

Fasciné, Nom Anor regardait la cour de Shimrra écouter le dernier rapport de Ngaaluh. Le villip caché dans les robes de la prêtresse montrait clairement la scène. Nom Anor avait besoin d'une vengeance simple et rapide pour effacer la trahison de Shoon-mi.

Accoudé à son trône de corail yorik, Shimrra balayait de ses yeux haineux la foule de ses courtisans. Il n'y avait pas un bruit à part celui de la voix de Ngaaluh et les bruissements de l'assistance. Les hérétiques infiltrés dans la demeure de Zareb avaient été soumis à un interrogatoire. Et leur témoignage était clair.

— La conclusion est inévitable, seigneur suprême, dit Ngaaluh. Une fois de plus, vous avez été trahi par ceux en qui vous aviez confiance.

— Comment est-ce possible ?

— Mon seigneur, je crains que…

— Ça suffit, Ngaaluh. Vous avez dit ce que vous aviez à dire.

Shimrra se leva et descendit de son trône. Quand il parla, sa voix était aussi terrifiante que celle de Yun-Yuuzhan en personne.

— L'hérésie n'est pas un gaz empoisonné qui s'infiltre par des fissures. Ni une infection véhiculée par l'air. Elle est répandue par des Honteux de chair et de sang, comme nous. Ils n'ont aucun pouvoir surnaturel, et leur amour des *Jeedai* ne leur donne pas d'avantages particuliers.

Il se tourna vers Nas Choka.

— Maître de guerre, comment expliquez-vous que ces hérétiques puissent corrompre mes serviteurs les plus fidèles sans être détectés ?

Nas Choka serra les mâchoires.

— Nous continuons à enquêter dans toutes les directions, seigneur suprême. Mais ces traîtres sont tous de la caste des intendants, comme vous l'aurez sans doute remarqué…

— En effet. Dites-moi, Drathul, comment ces Honteux ont-ils trouvé les ressources nécessaires à leur survie ?

Le haut préfet tressaillit.

— En ce moment même, nous examinons les circuits de distribution de fournitures. Nous soupçonnons que certaines informations nécessaires à leur détournement ont été transmises par un modeleur renégat.

Shimrra se tourna vers Yal Phaath.

— Comment répondez-vous à cette accusation, maître modeleur ?

— Ces fuites ne viennent pas de l'un d'entre nous, affirma-t-il. Nous avons foi en vous et en nos dieux.

L'expression de Shimrra montra clairement ce qu'il en pensait.

— Oui. La foi…

Il se tourna vers Jakan.

Nom Anor exulta à l'idée que le grand prêtre soit mis sur la sellette.

— L'hérésie mine le centre spirituel de notre peuple,

Jakan, dit Shimrra. Les dieux ont le droit d'être mécontents de notre manque de foi ! Vos plans visant à nous débarrasser de ce pseudo-prophète manquent singulièrement d'originalité.

— Soyez assuré, seigneur suprême, que son châtiment est imminent ! lâcha Jakan, les mains tremblantes. Ces blasphèmes ne seront pas impunis.

— En effet. Nos ennemis sont des êtres de chair et de sang. Pour les dieux, ce sont seulement des aberrations.

Il se tourna vers Drathul.

— Reste à expliquer l'infiltration de l'hérésie dans les plus hautes sphères de notre hiérarchie… Aurais-je été plus trahi que je ne le pensais ? Ce traître infiniment méprisable se dissimule-t-il au palais ?

Nom Anor ne se sentit plus de joie. Il n'aurait jamais osé espérer que Shimrra en vienne à soupçonner Drathul en personne !

— Ce kshirrup empoisonné ose répandre la pourriture du Prophète parmi mes proches. Le traître vole des secrets, détourne des fournitures, me ment, tient contre ma gorge une arme que je ne peux pas voir… Que pensez-vous de cette hypothèse, Drathul ?

— Elle est plausible, mon seigneur, répondit le haut préfet d'une voix admirablement ferme. Mais je vous assure que…

— Plus un mot, Drathul ! Je suis observateur. J'entends ce qui se murmure. Je vois des yeux invisibles rivés sur moi. *Je sais quand j'ai été trahi !*

Sous la hargne de Shimrra, Drathul se recroquevilla. Des gardes émergèrent de derrière l'estrade. Nom Anor sentit la chaleur de la victoire se répandre dans ses veines. Drathul serait-il bientôt jeté dans la fosse des yargh'un ? Si vite ?

Mais les gardes entourèrent Ngaaluh, pas Drathul. Nom Anor ne comprit pas tout de suite ce qui se passait. Sur son villip, les visages scarifiés des guerriers se rapprochèrent.

Ngaaluh aussi mit du temps à saisir, car elle ne réagit pas aussitôt.

— Mon seigneur ! Que se passe-t-il ?

— La réponse à votre trahison, répondit Shimrra en se tournant vers elle.

Ses yeux rougeoyants semblèrent se river sur Nom Anor, figé de stupeur.

— Emparez-vous d'elle !

Les gardes obéirent. Ngaaluh ne se débattit pas, mais Nom Anor vit qu'elle avait peur à la manière dont son villip tremblait.

— Vos preuves contre le préfet Ash'ett étaient convaincantes, dit Shimrra. Celles contre Drosh Khalii et le préfet Zareb aussi. Presque trop, en fait. Etonné, j'ai interrogé les témoins avant de les jeter aux yargh'un. Quand on questionne les gens *correctement*, on entend des témoignages très différents…

— Non…

— Ils ont été infiltrés spécialement pour incriminer Ash'ett, Khalii et Zareb, n'est-ce pas, Ngaaluh ? C'est *vous*, la personne de confiance qui m'a trahi, pas ces innocents intendants !

— Mon seigneur, dit Drathul, c'est inconcevable ! La trahison de Ngaaluh explique bien des choses, mais comment le Prophète a-t-il réussi à l'infiltrer dans votre cour…

— Je n'ai pas parlé du Prophète, coupa Shimrra. Cette traîtresse a utilisé l'hérésie pour piéger ses victimes, mais ça ne signifie pas qu'elle y adhère. Je pense à une conspiration plus complexe là-dedans ! Il faudra du temps et des efforts pour trouver la vérité !

— Je ne vous dirai rien ! cria Ngaaluh.

Horrifié, Nom Anor vit son espionne grogner de douleur, puis s'effondrer entre les bras des gardes.

L'image se brouilla. Le villip s'immobilisa, des visages penchés sur lui. Nom Anor comprit que Ngaaluh était étendue sur le sol.

— Du poison, annonça un garde. Je crains qu'elle ne nous échappe, seigneur suprême.

— Peu importe. Nous n'aurions pas pu croire aux aveux d'une prêtresse de la secte de la tromperie. Sa fin servira d'avertissement à ses complices : nous ne sommes pas des imbéciles.

— Les dégâts qu'elle a faits peuvent être en partie réparés, dit Drathul. Et l'honneur de mes intendants lavé de tout soupçon.

— Inutile ! fit Shimrra, surprenant Nom Anor. Ash'ett, Khalii et Zareb ne seront pas morts en vain. Les rapports sur l'hérésie affluent. La peur du châtiment provoquera une nouvelle purge, et je ne voudrais pas que ça cesse.

Le villip continua à transmettre, même quand un garde flanqua un coup de pied au corps sans vie de Ngaaluh.

— Que faire de *ça* ?

— Comme d'habitude, répondit Shimrra. Que le Prophète l'ait envoyée, ou pas, elle servira d'avertissement à son maître. Tôt ou tard, nous l'attraperons. Il partagera bientôt le sort de cette traîtresse.

— J'ai hâte que ce jour arrive, dit le Drathul.

— Il viendra, mon fidèle serviteur, il viendra…

La voix de Shimrra mourut quand le corps de Ngaaluh fut traîné à travers le palais.

Nom Anor ne pouvait détacher le regard de la scène tremblante transmise par le villip. Sur le chemin de la macabre procession, personne ne posa de questions : ces derniers temps, la vue d'un cadavre était devenue monnaie courante au palais…

— Maître, dit Kunra d'une voix tremblante.

— Silence, grogna Nom Anor.

Il n'était pas d'humeur à parler. Ngaaluh avait disparu – et avec elle son meilleur moyen d'influer sur le destin de Yuuzhan'tar. Sans elle, il ne saurait plus ce que concoctait Shimrra. Sa chance de se venger de ses ennemis venait de lui glisser entre les doigts, alors qu'il pensait être près de la réussite…

Le villip cessa de bouger une seconde, puis il recommença à se balancer. Nom Anor entendit les gardes compter. A « trois », ils jetèrent le corps dans la fosse.

Ngaaluh et le villip atterrirent sur le sommet du charnier. Nom Anor eut une vue imprenable sur des centaines de corps pourrissants… Dont les hérétiques qu'il avait envoyés à la mort… Ses rêves de gloire brisés, le commandant Ekh'm Val y était aussi.

Combien de temps avant que le Prophète les rejoigne ? se demanda Nom Anor.

— Nom Anor…

— Je t'ai dit de te taire, Kunra. Il n'y a rien à dire.

Ensemble, ils contemplèrent les cadavres.

Quand la lumière baissa, Nom Anor regardait toujours. Hypnotisé…

Combien de temps ?

Il entendit à peine Kunra partir.

Combien de temps… ?

ÉPILOGUE

La passerelle du *Sélonia* était plus calme qu'elle ne l'avait été depuis longtemps. Quelques rares membres d'équipage étaient de quart.

Depuis deux jours, *le Sélonia* et le *Faiseur de Veuves* éliminaient les dernières forces yuuzhan vong. Maintenant que les choses s'étaient tassées, l'équipage se concentrait sur le retour vers Mon Calamari et une permission amplement méritée.

Le *Faucon* était dans le hangar du *Sélonia* pour une vérification et des réparations mineures. La capitaine Mayn avait autorisé Leia à utiliser la console com de la passerelle afin de tester la batterie d'antennes. En attendant le signal d'Ashpidar, elle observait la planète sur les moniteurs.

Vue de l'espace, l'atmosphère grise d'Esfandia paraissait inchangée. La planète avait absorbé l'apport d'énergie à la façon dont un lac dissoudrait une cuillerée de sel. En quelques heures, elle était revenue à sa température proche du zéro absolu. Leia espérait que les Brrbrlpp avaient repris leur mode de vie, bavardant entre eux et filtrant les particules nutritives d'un air redevenu dense. Elle se demanda combien de temps ils se raconteraient la bataille qui avait illuminé leur ciel pour la première fois. Cela entraînerait-il une évolution plus rapide de leur culture ?

— Princesse Leia, dit une voix aussi impassible que celle d'un droïd.

— Je suis là, commandant Ashpidar.

— L'ingénieur Gantree a fini d'examiner les antennes, et les a déclarées prêtes pour un essai.

— Excellent ! s'écria Leia sans cacher son soulagement. Dites-lui que je suis impressionnée.

— Je n'y manquerai pas. Vous pouvez commencer à émettre dès que vous serez prête.

— Je suppose que vous surveillerez la transmission.

— Afin de vérifier la qualité du signal et de procéder à quelques réglages complémentaires.

— Compris. Donnez-moi vingt secondes.

Leia coupa la communication et saisit le code de Mon Calamari. La vérification de signal passa au vert.

Jusque-là, ça va.

Elle tapa le numéro privé de Cal Omas, vaguement consciente qu'il devait faire nuit sur cette face du monde aquatique.

L'image du chef de l'Alliance Galactique apparut sur l'holoprojecteur.

— Qui que vous soyez, grogna-t-il, je vous conseille d'avoir une excellente raison de m'appeler sur ma ligne privée à une heure aussi indue !

— Qu'y a-t-il, Cal ? Je vous ai réveillé ?

— Leia ! C'est bien vous ?

— Vous ne me reconnaissez pas ? Ça ne fait pourtant pas si longtemps…

— L'holo est un peu brouillé et en plus, je dors à moitié !

— Désolée de vous avoir tiré du lit, mais j'ai pensé que vous voudriez savoir tout de suite que nous avons réparé la station de communication d'Esfandia. Generis suivra vite.

— Et ça n'aurait pas pu attendre le matin ?

Leia sourit.

— Je parie que le Grand Amiral Pellaeon se réveille beaucoup plus vite !

— Et moi, je parie qu'il *dort* en uniforme ! riposta Cal Omas. Pourquoi parlez-vous de lui ? Il est là ?

— Oui. Et les Ryns aussi.

— Les Ryns ? Qu'ont-ils à voir dans tout ça ? (Omas soupira et se frotta les yeux.) Autant tout m'expliquer depuis le début.

— Ça prendra un moment.

— J'ai l'intention de retourner dans mon lit dans dix minutes. Alors, soyez concise ! Cette communication est-elle sécurisée ?

— Non. Pas de notre côté, en tout cas. Mais ce que j'ai à vous dire n'est pas secret. Tout le monde est au courant, ici.

Leia résuma la situation à Omas.

— Vous avez donc attrapé le traître…, dit-il quand elle eut terminé. Et repoussé les Yuuzhan Vong. Beau travail ! Mais avez-vous découvert pourquoi ils voulaient la station intacte ? Ce point m'intrigue.

— Yan et moi avons interrogé Tegg. D'après lui, Vorrik voulait la station pour envoyer un message de détresse disant qu'elle était attaquée par des griffes chiss… Et il aurait fini par la détruire pour de bon.

— Vous pensez qu'il entendait continuer à dresser des mondes voisins les uns contre les autres ?

— Exactement. Il nous aurait fallu une éternité pour découvrir la vérité. Qui sait quels dégâts ça aurait provoqué ? Au vu de ce qui est arrivé à Luke sur Csilla, nous pouvons être sûrs que beaucoup de factions ne veulent pas que nous collaborions. Une étincelle comme celle-là aurait pu mettre le feu aux poudres.

— Pas cette fois-ci, en tout cas. Bien joué, Leia.

— Pouvons-nous revenir sans problème sur Mon Calamari ?

— Oui. Pour le moment, il n'y a pas eu d'attaque majeure. Sovv pense que les Yuuzhan Vong rassemblent leurs forces pour une grande offensive.

— Comme nous.

— Oui. Si vous voulez y participer, c'est le moment de revenir…

— Compris.

— Je ne veux pas perdre un de mes meilleurs atouts, ajouta Cal Omas. J'aimerais que vous soyez ici, au cas où j'aie besoin de vous. Un autre peut prendre votre place dans ces zones difficiles. Maintenant que vous avez identifié ses origines, le problème ne sera pas difficile à régler.

— Tout ça est arrivé grâce aux Ryns, rappela Leia. Ils nous ont sortis du pétrin. Je veux qu'on leur accorde le respect qui leur est dû.

— Gron n'aimera pas devoir traiter avec eux.

— Je doute que Marrab soit en mesure de discuter les ordres. Son réseau n'avait pas la moindre idée de ce qui se tramait. Ni aucun autre service de renseignements, d'ailleurs.

— Leia, je reçois votre message cinq sur cinq…

— Bonne nuit, Cal. Je vous rappellerai bientôt.

Leia se laissa aller contre le dossier de son siège et ferma les yeux. Le calme ne dura pas longtemps : l'unité com bipa quelques secondes après.

— Commandant Ashpidar ?

— Oui, princesse, répondit la Gotal. Je voulais vous dire que les antennes ont marché à la perfection. Mais nous aimerions pouvoir les tester dans la direction opposée au Noyau.

— Je pourrai peut-être vous aider. Une seconde !

Avant qu'elle ait le temps d'activer de nouveau l'unité, Leia entendit son mari, derrière elle.

— Ah, tu es là… La capitaine Mayn m'a dit que je te trouverais sur la passerelle.

— Les antennes marchent. Ashpidar est en train de les tester.

— As-tu vu Droma ?

— Pas récemment. Il est pourtant revenu avec nous quand nous avons quitté la station ?

— J'en suis presque sûr. Mais je me concentrais sur le

pilotage du *Faucon* à ce moment, et… Bon. Jaina le sait peut-être.

— Avant que tu partes, j'étais sur le point de contacter Luke, si ça t'intéresse.

Un grand sourire apparut sur le visage de Yan.

— Oui, pourquoi pas ? Voyons comment ce bon vieux garçon de ferme s'en tire !

Leia saisit les codes com de l'*Ombre de Jade* et attendit. La connexion mit bien plus longtemps à s'établir, cette fois, mais le visage de sa belle-sœur apparut enfin sur l'holoécran.

— Ah, te voilà, dit Mara. Tu as enfin payé ta facture de téléphone ?

L'*Elégance Enchâssée* arriva à toute allure au-dessus des arbres, poussant un cri à faire frémir les feuilles et les branches. Des milliers d'insectes et d'oiseaux colorés s'éparpillèrent derrière le dirigeable. Des grimpeurs aux membres grêles répondirent par des cris et des ululements, bondissant dans les frondaisons.

Assise dans la gondole du vaisseau, Saba sourit de toutes ses dents.

L'air était tiède et parfumé. Et la chasse…, terminée. Zonama Sekot avait accepté de lancer dans la bataille ses ressources inouïes. Il restait beaucoup de décisions à prendre – surtout sur la nature de la contribution de la planète vivante à l'effort de guerre –, mais le plus gros était fait. Tout ce que maître Skywalker avait voulu accomplir…

Ils pouvaient rentrer chez eux.

Chez eux…

Une pensée désormais moins génératrice d'amertume pour Saba. Malgré les différences certaines en matière de climat et de topographie entre Barab I et Zonama Sekot, elle se sentait à l'aise sur la planète. Le climat lui plaisait. L'humidité l'obligeait à entretenir soigneusement ses écailles et ses griffes pour éviter les mycoses, mais ce n'était pas un problème insurmontable. Elle avait déjà connu des mondes moins hospitaliers au cours de ses voyages.

Jabitha lui avait dit qu'elle pouvait rester aussi longtemps qu'elle le souhaitait. Une offre tentante... Zonama serait un endroit idéal pour sa convalescence – un luxe qu'elle s'était refusé depuis Barab I. Elle voulait revoir sa planète telle qu'elle l'avait aimée, pas dévastée par les flammes... Et que ses rêves ne soient plus hantés par les victimes dérivant hors des débris du vaisseau-esclave... Elle voulait revoir des amis et des parents, du temps de sa jeunesse.

Le moment était venu de se remémorer son monde natal dans un contexte de vie, pas de mort.

Pour l'avenir...

— C'est beau, n'est-ce pas ? lança Kroj'b, le compagnon du vaisseau, assis à côté d'elle.

— Je trouve tout ça... (Elle réfléchit au mot juste.) Exquis.

— Pendant l'Errance, il y a eu beaucoup de destructions. Les boras, le tampasi, les animaux... Une époque terrible. (Danni, Soron Hegerty et Tekli écoutaient avec attention, même s'il parlait surtout pour Saba.) Beaucoup d'entre nous se sont cachés dans des abris souterrains que Sekot avait fait pousser spécialement pour ça. Mais nous avons tous perdu des amis, des parents...

— J'en suis désolée.

Il sourit.

— Je me souviens du jour où les abris se sont enfin ouverts pour la dernière fois, et où nous avons vu notre Sanctuaire dans le ciel. Sekot était satisfaite, et nous avions enfin trouvé notre nouveau foyer... Il a eu des fêtes partout sur Zonama, des danses, des banquets, des libations. Et des rires ! Comme j'étais enfant à l'époque, cette semaine de liesses m'a semblé une éternité.

— L'idée de retourner dans ces abris vous inquiète ? demanda Saba, comprenant où il voulait en venir.

— Je le croyais, mais non.

— Même si vous ne pourrez peut-être jamais revenir au Sanctuaire ? insista Danni.

Le pilote haussa les épaules.

— Nous avons déjà eu la chance d'échapper très long-temps aux hostilités. Et si Sekot peut vraiment faire la dif-férence, comme votre maître Jedi le pense, elle vaincra en votre nom, et nous reviendrons ici.

— Je n'ai pas le sentiment que ce sera aussi facile, dit Hegerty, assise derrière Saba.

— Nous en aurons bientôt le cœur net, répondit le pilote.

— Vous prenez ça avec plus de calme que je n'aurais cru, avoua Danni.

— Oui. Bien plus que des gens comme Darak ou Rowel.

— Ils s'y feront, décréta le Ferroan. Quel autre choix ont-ils ? Sekot a pris sa décision, nous nous en remettrons à son jugement. Sinon, notre place n'est peut-être pas ici…

— Ils ont peur, dit Tekli. C'est normal, après avoir connu une si longue période de paix.

— Je sais, répondit Kroj'b. Mais Sekot nous protégera. Et ce sera moins grave que par le passé. Nous avons tra-vaillé toutes ces années. Nos boucliers planétaires préser-veront la surface pendant les sauts, et vous avez vu comment Sekot se défend ! Que devrions-nous craindre ?

L'*Elégance Enchâssée* approcha de l'aire d'atterrissage. Près de l'*Ombre de Jade*, Saba vit Luke Skywalker et Jacen Solo, avec Jabitha et Sekot, sous l'apparence de Vergere. Les préparatifs du voyage commenceraient dès que les visi-teurs seraient partis vers une autre communauté, dans la région appelée Distance Moyenne. Mais le temps des déci-sions était passé. Il fallait passer à l'action.

L'*Elégance* se posa et ses passagers en descendirent. Sauf Saba, qui continua à contempler le paysage. Zonama Sekot était une planète vraiment séduisante ! Mais la Barabel se morigéna : elle ne devait pas s'attacher à ce monde, qui abri-tait la vie et la mort dans les mêmes proportions que les autres... Ce n'était pas une oasis épargnée par le mal qui sévissait dans l'univers.

Jacen lui a demandé de ne pas combattre, pensa Saba. *Mais Sekot vient quand même avec nous. Est-ce l'acte d'une intelligence pacifique ? Ou le prochain stade de son évolution – le gibier devenant chasseur ?*

Tout ça était trop complexe. L'avenir dirait de quoi il retournait.

Saba descendit du vaisseau en éprouvant un vif sentiment de satisfaction. La chasse était terminée. Elle avait fait honneur à la mémoire de son peuple. Maintenant, elle affronterait ce que le destin lui réservait.

Jaina grognait pendant que le médecin-chef du *Sélonia* lui tâtait le crâne. Pourquoi y passait-il tant de temps ?

La jeune femme finit par se rebiffer.

— Vous allez me répondre, oui ou non ? Vous me laissez piloter ? Mon pied est complètement guéri.

Dantos Vigos se détourna et écrivit quelque chose dans son dossier.

— Encore un jour.

— Quelle différence fera un jour de plus ou de moins ? Ou je suis prête, ou je ne le suis pas.

— D'accord. Vous ne l'êtes pas. Colonel Solo, je comprends votre hâte de retourner au combat. Mais je ne peux pas vous laisser faire tant que votre sens de l'équilibre ne sera pas entièrement revenu à la normale.

Il avait raison. Après le coup qu'elle avait reçu sur la tête, à Esfandia, Jaina avait eu des problèmes d'équilibre. Ce matin encore, dans le couloir, le sol lui avait semblé se dérober sous ses pieds et elle avait perdu tout sens de l'orientation.

— Bon. Mais je reviendrai demain à la même heure.

— Très bien. A demain, colonel Solo.

En grommelant, Jaina retourna dans les quartiers de l'escadron. La salle commune était déserte. Cela n'améliora pas l'humeur de la jeune femme... Tout le monde à part elle était en mission, aidant à nettoyer le ciel d'Esfandia des débris de la bataille... Maintenant que l'Alliance Galactique savait la planète habitée, elle prenait toutes les précautions nécessaires pour éviter de perturber l'environnement.

Jaina s'assit et suivit l'opération sur les moniteurs, prenant sur elle pour ne pas déranger Jag. Il était capable de se débrouiller tout seul !

Absorbée par le spectacle, elle n'entendit pas la porte s'ouvrir.

— Le moment est-il mal choisi ?

Jaina sursauta et se retourna.

— Salut, Tahiri.

La jeune femme sourit. Sa chevelure blond clair coupée bien plus court, elle ne quittait plus sa combinaison de combat. Elle portait même des chaussures ! Essayait-elle de cacher ses cicatrices, ou sa nouvelle personnalité appréciait-elle l'uniforme ?

Elle avait l'air perturbée. S'imprégner de cultures divergentes n'était sûrement pas évident... Si l'ancienne Tahiri connaissait tout de son environnement, Riina le découvrait. Il n'y avait plus de séparation entre les deux personnalités, mais la nouvelle Tahiri avait les caractéristiques des deux à la fois.

— Que puis-je pour toi ? demanda Jaina.

— Je voulais te parler, si tu as le temps.

— Pour le moment, mon planning est plutôt vide !

Tahiri prit une chaise et s'assit.

— Je suis désolée.

— Pourquoi ?

— Il y a beaucoup de raisons. D'abord, je regrette les problèmes que tu as eus à cause de moi. Et je suis surtout navrée qu'elles t'aient choisie.

— De qui parles-tu ?

— Elles sont venues solliciter ton aide sur Mon Calamari. Mon ancien moi et Riina avaient des raisons différentes d'agir, mais elles t'ont choisie. Si quelqu'un pouvait les sauver, c'était toi.

Surprise, Jaina se demanda comment Tahiri pouvait parler de ses personnalités précédentes comme s'il s'agissait d'entités séparées.

— Je me souviens du moment où l'ancienne Tahiri m'a appelée. Elle pensait qu'Anakin voulait sa mort. Etait-ce Riina qui parlait ?

— En partie. Mais j'étais livrée à la culpabilité… Mon ancien moi avait l'impression d'avoir abandonné Anakin en continuant à vivre. Cette Tahiri-là estimait qu'elle aurait dû faire plus pour lui – ou mourir avec lui. Nous étions au bord de l'effondrement mental, car nous partagions le même corps, certains souvenirs… et peu de caractéristiques personnelles… Aucune de nous deux ne voulait que l'autre survive, mais je crois que Riina a compris la première ce que nous devions faire pour nous en sortir. Si nous n'avions pas fusionné, nous serions mortes – ou devenues folles. Quand notre fragile équilibre a été en danger, nous nous sommes jetées sur la seule personne qui pouvait nous aider…

— Je crois que je commence à comprendre, dit Jaina.

— Tu nous rappelais Anakin, continua Tahiri. Etant sa sœur, tu lui ressembles de tant de façons… Nous pouvions te faire confiance. Nous étions sûres que tu ferais ce qu'il fallait…

— Vous tuer ?

— Ou nous sauver. L'un ou l'autre. La nouvelle Tahiri est contente que mes personnalités précédentes t'aient choisie. J'aurai toujours une dette envers toi, Jaina.

— Ça n'était pas tant que ça ! N'importe qui aurait fait la même chose à ma place.

— Merci de tes paroles, Jaina. Et merci de m'avoir écoutée.

Jaina regarda la jeune femme se lever. Qui était cette nouvelle personne ? Comment évoluerait-elle ? Il restait si peu de Tahiri qu'elle avait connue !

— Tahiri, tu as changé, bien sûr... Pourtant, mes sentiments pour toi restent identiques. Je te considère toujours comme mon amie.

Une lueur passa dans les yeux verts de Tahiri. Allait-elle sourire ?

Yan entra.

— Papa, que fais-tu là ?

— Un père ne peut plus venir rendre visite à sa fille malade ?

— Je ne suis pas malade !

— Interdite de pilotage. C'est la même chose !

— D'accord... Que se passe-t-il ?

— Sais-tu où est Droma ? Je ne le trouve nulle part.

— Il est revenu avec nous d'Esfandia. Je ne me souviens pas de ce qu'il a fait après. Et toi, Tahiri, tu... ?

Tahiri n'était plus là. Elle avait dû s'éclipser en voyant Yan arriver.

Il eut l'air aussi surpris que sa fille.

— Elle sait se déplacer discrètement quand elle veut ! (Puis, embarrassé :) Est-elle... ?

— Elle va bien, papa.

— Avec les Yuuzhan Vong, je suis toujours nerveux...

— Je comprends, papa. Mais Tahiri a seulement besoin d'un temps d'adaptation. Tu devrais peut-être vérifier avec le *Sélonia*, pour Droma. Quelqu'un l'a forcément remarqué...

Son père gloussa.

— Tu plaisantes ? Nous parlons d'un Ryn. Personne ne fait attention à ces types ! C'est ce qui en fait de si bons espions.

— Que fait maman ?

— Sur la passerelle, elle aide à tester les antennes.

— Je vais la rejoindre, voir si je peux lui donner un coup de main...

Yan sourit.

— Ouh là... Tu dois vraiment t'ennuyer !

— Personne ? cria le Grand Amiral Pellaeon à la capitaine Mayn du *Sélonia*. Il doit bien y avoir un responsable !

— Souvenez-vous que ce n'est pas une flotte au sens où nous l'entendons, répondit Mayn, mais une équipe de volontaires. Ils n'ont pas d'organisation. D'ailleurs, voyez la façon dont ils se dispersent. Ils partent les uns après les autres, sans ordre précis.

— Qui commande ?

— D'après ceux à qui j'ai parlé, ils reçoivent leurs instructions par des moyens inhabituels. Aucun d'eux ne connaissait l'existence des autres jusqu'à ce qu'ils arrivent au point de ralliement. Ils ignoraient même l'existence du réseau des Ryns, se contentant de rendre une ancienne faveur à l'un ou l'autre… Ils semblent s'y retrouver aussi peu que nous.

Ce concept désorientait le Grand Amiral, et l'impressionnait : l'organisation des Ryns était très relâchée. Un membre était en contact avec deux ou trois autres, pas davantage. Cela évitait à d'éventuels ennemis de remonter jusqu'au sommet de la hiérarchie. Pourtant, cette hiérarchie existait forcément !

— Eh bien, maintenant, nous leur devons une fière chandelle…

— On dirait. Je suppose que c'est le but de la manœuvre.

— Oui. Rien ne vaut un combat pour créer des liens entre des étrangers.

— Ou de vieux ennemis, dit Pellaeon avec un sourire.

— Je dois reconnaître que je me méfiais de vous, Grand Amiral. A présent, j'espère que vous me pardonnerez mes soupçons. Renoncer aux habitudes de toute une vie ne va pas sans difficultés.

— Peu m'importe ce qu'on pense de moi, capitaine, tant qu'on m'obéit.

— Et je le fais volontiers, monsieur, quand ce sont de bons ordres.

Pellaeon éclata de rire.

— Collaborer avec vous fut un plaisir. J'espère que ce ne sera pas la dernière fois.

— J'en suis sûre ! Il reste bien des batailles à livrer…

Les moustaches de Pellaeon frémirent.

— J'ai visité beaucoup de systèmes lors de mes voyages, dit l'image de Vergere. Dans toutes les cultures que j'ai rencontrées, je n'en ai vu aucune qui soit vraiment pacifique.

Luke écoutait attentivement Sekot tout en regardant le dirigeable descendre vers la prairie.

— J'ai vu des batailles anéantir des cités, et parfois des pays, continua Sekot. Certains conflits se sont étendus à plusieurs mondes. Comme si toutes les formes de vies de la galaxie voulaient la guerre…

— Tous les êtres pensants de la galaxie ne sont pas ainsi, dit Luke. Les Jedi désirent la paix.

— D'après ce que j'ai vu, la paix ne semble pas être l'état naturel de l'univers, insista Sekot.

— Je suis étonné que quelqu'un qui est en contact permanent avec la Force raisonne ainsi.

— Comme je suis étonnée qu'un être aussi minuscule que vous présume avoir une telle connaissance des lois morales de la Force.

Luke sourit.

— Notre première nuit ici, Jabitha a dit quelque chose de similaire à mon neveu. Elle était indignée que Jacen parle au nom de la Force. En réalité, la Force choisit qui elle veut. La taille n'importe pas. Bien qu'il fût très petit, Yoda était l'être le plus sage que j'aie connu. Et le maître Jedi le plus puissant qui ait jamais vécu. Sekot, vous détenez un pouvoir qui dépasse l'imagination des êtres pensants… Mais ça ne signifie pas que votre connexion à la Force soit plus *grande*.

L'image de Vergere approuva d'un signe de tête.

— Vous êtes sage, maître Skywalker. Vous pourrez répondre à beaucoup de mes questions sur la Force.

— C'est le début d'un long voyage. A la fin, nous aurons tous appris les uns des autres. (Luke se tourna vers la Magistère.) Où en sont les préparatifs, Jabitha ?

— En très bonne voie. Depuis trois jours, il y a eu beaucoup de changements sur Zonama. Si vous vouliez savoir ce qui se passait, il suffisait de nous le demander.

— Peu importe, intervint Jacen. Je n'aurais pas compris la moitié de ce que vous avez fait.

Avant que quelqu'un puisse répondre, les autres les rejoignirent. Saba, Hegerty, Tekli et Danni vinrent se placer à côté de Jacen et regardèrent un peu de travers leurs guides ferroans.

Depuis que Sekot avait officiellement accueilli leurs invités, Darak et Rowel se montraient beaucoup plus aimables. Ils s'étaient portés volontaires pour accompagner les quatre étrangers qui ne prenaient pas part aux débats et leur faire visiter la contrée. On leur avait aussi donné des quartiers très confortables. Simple politesse demandée par Sekot, ou influence plus mystérieuse liée au fait de vivre sur une planète pensante ?

Quoi qu'il en fût, il n'y avait plus de signes d'hostilité. Même Senshi était devenu amical.

— Nous avons visité des ruines, dit Danni à Jacen.

— Elles sont incroyables, ajouta Hegerty, excitée. J'ai rapporté une montagne de trouvailles merveilleuses !

Luke sourit de l'enthousiasme de la scientifique, qu'il écoutait à moitié.

— Luke ! appela Mara, le tirant de sa rêverie.

— Tous les systèmes sont au vert ? demanda-t-il.

— Mieux que ça… Nous sommes entrés en contact avec Mon Calamari.

Sans hésiter, Luke s'excusa auprès du groupe et suivit Mara jusqu'à l'*Ombre de Jade*, Jacen sur les talons. Il n'avait pas aimé être coupé de tout contact depuis leur atterrissage sur Zonama Sekot. Qu'arrivait-il à Yan et à Leia ? Ou à Ben ?

Il se hâta de rejoindre la console d'holoprojection, qui montrait le long visage aristocratique de Kenth Hamner.

Il n'y avait pas de son.

— Je n'ai pas dit que c'était parfait, bougonna Mara. Mais nous obtenons des données, c'est déjà ça. Il semble que rien de grave ne se soit produit pendant le black-out des communications.

Luke lut les lignes du texte qui défilait derrière Hamner. Comprenant qu'on ne l'entendait pas, il avait cessé de parler.

Luke sourit d'un air rassurant.

— Un moment, fit Mara. On dirait que j'ai une communication sur un autre canal…

L'image disparut, remplacée par une vue plus nette qui amena un sourire sur les lèvres de Mara.

— Ah, te voilà ! Tu as enfin payé ta facture de téléphone ?

Jacen se pencha par-dessus l'épaule de Mara.

— Maman !

Leia sourit.

— Hello, Jacen.

Le jeune homme fronça les sourcils.

— Depuis quand le *Faucon* a-t-il un système holographique ?

— Depuis jamais, répondit Yan en se penchant par-dessus Leia. Nous sommes à bord du *Sélonia*. Comment ça va, de ton côté ?

— Mieux, maintenant. Mais cette rupture des communications m'inquiétait.

— Je comprends, dit Yan. Les Vong nous ont pas mal divertis !

— Ils ont attaqué les stations de relais de Generis et d'Esfandia, expliqua Leia. Nous venons de remettre celle d'Esfandia en marche. Mais il faudra du temps avant que les communications redeviennent optimales.

— Pourquoi les Yuuzhan Vong s'en sont-ils pris à ces

stations ? Ce ne sont pas des nœuds de communication majeurs.

— Je crois qu'ils voulaient se placer entre les Régions Inconnues et nous, avança Leia. Peut-être pour empêcher les Chiss de s'allier à nous…

— Ça pourrait être une de leurs motivations, reconnut Luke.

— Jacen ! lança Yan. Comment ça va, petit ?

— Bien. Et Jaina ?

— Elle a pris un coup sur la tête, mais sinon, ça va.

— Et Jag ?

— Il supervise nos nouveaux alliés, répondit Leia.

— Tu devrais voir ces gars ! s'exclama Yan. Ils n'ont pas deux vaisseaux identiques, pas de commandement central… C'est dingue !

— De qui parles-tu ? demanda Mara en fronçant les sourcils.

— Des Ryns, répondit Leia. C'est une longue histoire. Mais ils sont amicaux, et ils ont fait la différence quand ça importait. Nous sommes heureux de les avoir avec nous.

— Et Danni ? Comment va-t-elle ?

— Bien, répondit Jacen. Tout le monde est en forme. Nous adorons cet endroit. Le quitter sera difficile.

— Et quel est cet endroit ?

— Zonama Sekot, répondit Jacen avec un grand sourire.

— Vous l'avez trouvée ! s'écria Leia. Pourquoi n'as-tu rien dit ?

— Je voulais laisser cet honneur à oncle Luke. Oui, nous l'avons découverte !

— La planète est ce que tu espérais, Jacen ? demanda Yan.

— Elle est magnifique, et plus puissante que nous l'aurions cru. Elle…

Jacen chercha ses mots. Luke comprit les difficultés de son neveu. Comment décrire tout ce que ce monde vivant représentait ?

— Elle est merveilleuse…, acheva Jacen.

— Revient-elle avec vous ? demanda Leia.

— Elle sera prête à partir dans une semaine, dit Luke. J'ai pensé que nous pourrions y rester jusque-là, pour élucider certains de ses mystères.

— Félicitations à vous tous, dit Leia. C'est la meilleure nouvelle que j'aie entendue depuis des mois !

L'image vacilla, puis se stabilisa.

— Désolée, dit Leia, nous sommes toujours en train de régler les antennes. Je devrais peut-être abréger pour laisser les techniciens travailler.

Luke se sentit rassuré. Sa famille et son foyer allaient bien. Leia les aurait avertis si quelque chose avait cloché pour Ben ou si la Gueule était menacée. Une fois les antennes correctement réglées, il demanderait qu'on le connecte au refuge de son fils.

Et quand la guerre serait terminée, se promit-il, il rattraperait le temps perdu. Il savait ce que c'était de grandir sans père. Il ne voulait pas que Ben subisse cela.

— Et Tahiri ? demanda Jacen. Comment va-t-elle ?

— Ça aussi, c'est un peu dur à expliquer, soupira Leia.

— Elle a changé, dit Yan.

— En mieux ? demanda Jacen.

— Oui. Elle essaie toujours de déterminer qui elle est. Je suis sûre qu'elle y parviendra.

— Quel nom a-t-elle choisi ? demanda Luke.

— Elle utilise toujours celui de Tahiri, mais… (Leia hésita.) Ne me dis pas que tu savais depuis le début ce qui allait lui arriver !

— Je m'en doutais, reconnut Luke. Je pensais qu'il lui fallait seulement le temps de comprendre, et l'occasion de prouver sa valeur.

— Ça, elle l'a fait ! s'exclama Leia.

— Alors, tout est bien qui finit bien ! conclut Jacen, soulagé.

— On dirait, fit Yan. Nous retournons sur Mon Calamari

pour des réparations et pour nous concerter avec notre chef vénéré. Il aura peut-être d'autres ordres à nous donner.

— Les Ryns doivent être intégrés dans le réseau des renseignements, ajouta Leia. J'ignore si nos espions habituels apprécieront de travailler avec eux, mais ils s'y feront.

— Bon voyage, dit Luke. Nous vous verrons sur Mon Calamari dans quelques semaines.

— Que la Force soit avec toi, Luke.

L'hologramme scintilla puis disparut.

— Et avec toi, ma sœur, marmonna Luke dans le vide.

Il resta assis un long moment, tenant la main de Mara, à repenser à sa famille éparpillée dans la galaxie… Un jour, en temps de paix, elle serait enfin réunie. Si tout se passait bien avec Zonama Sekot…

— Une étape à la fois, préconisa Mara, comme si elle lisait dans ses pensées.

C'était peut-être le cas. Parfois, Luke avait l'impression que les yeux verts de son épouse voyaient au fond de son cœur.

— Le voyage nous a transformés, Mara. Nous ne sommes plus les mêmes.

— C'est la vie, mon amour. Si nous ne changions jamais, autant être morts !

Luke sourit, le cœur plein d'amour. Il débordait de projets d'avenir avec sa femme. Il leur suffirait de régler leur compte aux Yuuzhan Vong et le reste s'arrangerait. Ça allait de soi.

— Jacen, voudrais-tu… ?

Luke avait eu l'intention de demander à son neveu d'aller voir si Jabitha et Sekot ne s'impatientaient pas, mais il était déjà parti.

— Tu crois que notre comportement l'embarrasse ? demanda Luke.

— Peut-être, fit Mara. Ou alors, il est jaloux de ce que nous partageons.

— Non… Je ne crois pas.

Danni parlait à Tescia, une jeune Ferroane assise avec elle sous les branches d'un imposant bora. Si l'après-midi était chaude, à l'abri du feuillage, il faisait presque frais.

Jacen s'appuya sur une souche pour les écouter.

— Ensuite, dit l'enfant, je voudrais voir l'endroit d'où Anakin et Obi-Wan venaient.

— Tu parles de Coruscant ? demanda Danni.

— Oui, répondit Tescia. Ce doit être un lieu fantastique !

— Ça l'était. J'ignore à quoi il ressemble, maintenant.

— Nous irons, décida Tescia. Nous nous débarrasserons des Etrangers et nous reconstruirons la capitale de l'Alliance.

— Le ciel t'entende, Tescia ! Je l'espère de tout mon cœur.

La fillette sourit à sa nouvelle amie, puis elles parlèrent de l'endroit qu'elles visiteraient en premier, quand Coruscant serait reconstruite.

Est-ce la planète qui parle, se demanda Jacen, *ou une gamine qui a la tête remplie de récits sur un endroit lointain où elle ne pensait jamais pouvoir aller…* ?

Où irait-il lui-même, si Zonama Sekot aidait l'Alliance à ramener la paix dans la galaxie ? Il n'y avait pas de réponse évidente. Ses souvenirs de Coruscant étaient à la fois bons et mauvais. En un sens, il aurait aimé que la cité-monde soit détruite de fond en comble, pour qu'un nouveau paysage urbain lui succède… Mais qui déciderait de ce qu'il faudrait construire ? Qui méritait d'assumer une telle responsabilité ?

Jacen fut distrait par un rire feutré venant du sous-bois. Soudain, il vit le double de Vergere à côté de lui, sa frange emplumée dansant sous la brise…

— Ça va, ça vient, Jacen Solo. Tous deux, nous le savons.

— Lisez-vous dans mon esprit ?

— Peut-être… Vous vous demandez toujours pourquoi je vous ai ranimé le premier à votre arrivée… Vous le comprendrez le moment venu.

— J'aimerais que vous ne m'apparaissiez pas sous cet aspect. Je trouve ça déconcertant.

— Sous celui-ci, alors ? demanda l'enfant qui deviendrait un jour Dark Vador.

Jacen soutint le regard d'acier de son grand-père.

— Pourquoi vous sentez-vous obligée de faire ça ? Pourquoi ne pas être simplement *vous-même* ?

— Parce que vous ne pourriez pas me regarder en face. (Sekot reprit l'apparence de Vergere.) Il y a des limites à votre compréhension – comme à la mienne. Encore que la mienne soit d'un ordre de grandeur bien éloigné de la vôtre… Ne vous sentez pas offensé, Jacen Solo, mais vous parler est un peu comme si vous vouliez converser avec un insecte qui rampe sur votre main… Pensez-vous qu'il vous comprendrait, si vous lui parliez normalement ? Entendriez-vous sa réponse si vous écoutiez avec vos oreilles ? Non, bien entendu. Pour qu'une communication existe entre des plans aussi différents de l'existence, un des côtés, ou les deux, doivent changer. Pour le moment, je suis prête à assumer ce changement.

— Pour le moment seulement ?

— Nous verrons de quoi l'avenir sera fait.

L'expression de Sekot n'était pas menaçante, mais dans quoi s'étaient-ils lancés ? Ils traitaient avec une créature totalement au-delà de leur compréhension. Qui pouvait dire quels étaient ses buts ou ses motivations ? Ou si elle avait un plan secret ?

— Savez-vous de quoi j'ai réellement envie ? demanda la planète vivante par la bouche de Vergere.

— La paix ? La connaissance ? Une conscience pure ?

— Toutes choses nécessaires à une vie satisfaisante. Et toutes ont un prix.

— C'est ça que vous voulez ? Payer le prix et avoir une existence gratifiante ?

Sekot sourit.

— Ne le voulons-nous pas tous, Jacen Solo ?

Sur ces mots, l'image de Sekot disparut lentement, laissant le jeune homme à ses réflexions.

Tahiri s'entraînait dans une des soutes du *Sélonia*. Sans chercher à se cacher, elle essayait cependant de s'isoler. Depuis sa fusion, elle luttait pour assimiler des modes de pensée, d'élocution et d'être étrangères à sa personne…

L'ancienne Tahiri et Riina se battaient de manière très différente, et la nouvelle Tahiri avait besoin d'affiner sa technique pour être encore plus efficace lors de son prochain combat.

Elle passa en revue une partie de son répertoire : un saut de Jedi amplifié par la Force, une prise à la gorge *asthkorr*, un coup de pied typique des Hommes des Sables, un double coup de poing kwaad…

— Pourquoi l'as-tu laissé partir ? lança une voix.

Tahiri ne broncha pas. Elle avait conscience qu'on l'observait depuis une bonne vingtaine de secondes.

Après un dernier saut gracieux, elle retomba sur ses pieds, face à Yan Solo, et éteignit son sabre laser.

— Laissé partir qui ? demanda-t-elle, alors qu'elle connaissait la réponse.

— Droma ! Je ne l'avais pas revu depuis notre retour et j'ai posé des questions. La capitaine Mayn m'a dit qu'un vaisseau ryn appelé le *Bonne Fortune* s'était posé sur le pont du *Sélonia*… Puis Jag m'a informé que Soleils Jumeaux l'avait accompagné à son point de saut hyperspatial. Il ignorait si Droma était à bord, bien entendu, mais j'imagine que tu le sais, puisque c'est toi qui as demandé une escorte pour ce vaisseau. Donc, je te repose la question : pourquoi l'as-tu laissé filer ?

Tahiri haussa les épaules.

— Il me l'a demandé.

Yan eut l'air furieux, mais également blessé – ce qu'il n'aurait jamais admis.

— Pourquoi toi ? Pourquoi ne m'aurait-il pas parlé, à moi ?

C'était le cœur du problème, Tahiri le savait… Solo était transparent pour elle. Elle avait la froide clarté de vision d'une guerrière yuuzhan vong et la sensibilité d'une Jedi.

Et à sa manière, elle était désolée pour Yan.

— Parce qu'il savait que vous lui poseriez des questions. Vous faites partie du système qu'il essaie de contourner. Il ne faudrait pas grand-chose pour que le réseau des Ryns perde ce qui le rend spécial et devienne comme vous : aveugle à certains points de vue et vulnérable aux pires moments. Voilà pourquoi vous devrez rester séparés jusqu'à ce que la paix reprenne ses droits.

— Droma n'appartenait pas à ce réseau. Ses membres l'ont refusé.

— Vous vous souvenez d'Onadax ?

— Onadax ? Qu'est-ce que… ?

— Droma m'a donné un message pour vous. Il espère que votre synchronisation sera meilleure la prochaine fois. Et il ne veut toujours pas de votre argent.

Yan comprit soudain.

— Quoi ? Le cinglé qui m'a interrogé dans le bar, sur Onadax, c'était *Droma* ?

— Il a provoqué l'émeute pour faciliter votre fuite – et la sienne. Depuis ce bar, il a dirigé le réseau des Ryns pendant six mois. C'étaient trois de trop, mais il a dû le faire pour s'assurer que tout marchait comme il l'entendait. Quand on est à la tête d'une telle organisation, a-t-il dit, on ne peut s'attarder nulle part. La force du réseau réside dans…

— Un moment, coupa Yan. A la *tête* de l'organisation ? Droma ? Il serait *le* Ryn ?

— C'est logique, quand on y réfléchit. Vous avoir connu

lui a conféré un grand prestige au sein de la société ryn. Son espèce n'avait plus de chef depuis très longtemps. Non qu'elle désire en avoir un au sens traditionnel du terme… Ces êtres sont des nomades dans l'âme. Tout le monde s'attend à ce qu'ils errent d'un bout de la galaxie à l'autre. Peu de gens se préoccupent de les arrêter, à part pour les tracasseries habituelles. Quand on voit un Ryn travailler, on le laisse tranquille. Ils vont partout, voient tout, communiquent entre eux par l'intermédiaire de rumeurs. Ils jouent souvent les passagers clandestins, et personne ne s'inquiète de trouver un Ryn là où il n'est pas censé être… Droma s'est servi de ce qu'on considère généralement comme les faiblesses des Ryns pour en faire une force.

— Qui aurait pensé ça ? jubila Yan. (Il se rembrunit.) Je ne comprends toujours pas pourquoi il a dû partir si vite. Ni pourquoi il ne pouvait pas me dire tout ça lui-même.

— Plus son existence et celle du réseau des Ryns sont connues, plus ils sont en danger. Moins il existe de preuves qu'il est le chef des Ryns, et plus il se sentira en sécurité. Sa famille ne le trahira pas, ni vous. Mais il ne veut pas s'exposer davantage. Les Ryns ont appris à se méfier des étrangers.

— Et toi, alors ? J'aurais cru que tu étais une étrangère pour lui. Plus que moi, en tout cas.

— Suite au rapport de Goure sur Bakura, et celui du Ryn de Galantos, il m'a proposé de me faire entrer dans le mouvement.

— Si tu m'en parles, c'est que tu as refusé.

— J'étais tentée. Mais j'ai finalement décliné son offre. Pour le moment.

En réalité, il était trop tôt pour que Tahiri décide ce qu'elle ferait de sa vie. Elle ne s'obstinait plus à vouloir aller simultanément dans deux directions différentes… Elle suivait une seule voie, et continuerait jusqu'à ce qu'elle découvre ce qu'elle souhaitait faire. Peu importait le temps que ça prendrait.

Yan soupira, son chagrin tournant à la déception.

— J'aurais aimé lui dire combien j'étais content de l'avoir revu, tu comprends ?

— Oui. Lui aussi était content.

— Quand il faut se séparer, j'apprécie de pouvoir dire au revoir à mes amis… Ces derniers temps, on n'est jamais sûrs de se retrouver…

— Ne vous en faites pas pour ça. Vous reverrez Droma. Peut-être plus tôt que vous ne le pensez.

Yan sourit. Il ne semblait pas très convaincu par les paroles de réconfort de Tahiri, mais il lui en était reconnaissant.

— Merci…

— Avec le temps, toutes les blessures guérissent. La culpabilité s'efface, et les opposés deviennent un.

— Vraiment ? Tu devrais peut-être dire ça à ceux qui t'ont faite telle que tu es.

Tahiri réfléchit en regardant Yan sortir. Yun-Yammka, le Tueur, était accroché à son cou – sous la forme du pendentif trouvé sur Galantos… Il n'avait plus de signification pour elle, à part lui rappeler ce qu'elle avait subi alors qu'elle était en quête de sa nouvelle personnalité.

Je le leur dirai peut-être un jour.

Peut-être…

Achevé d'imprimer sur les presses de

BUSSIÈRE

GROUPE CPI

à Saint-Amand-Montrond (Cher)
en octobre 2004

FLEUVE NOIR
12, avenue d'Italie
75627 Paris Cedex 13
Tél. : 01-44-16-05-00

— N° d'imp. : 44820. —
Dépôt légal : octobre 2004.

Imprimé en France